# HARRY POTTER
## E A PEDRA FILOSOFAL

**J.K. ROWLING** é a autora da eternamente aclamada série Harry Potter.

Depois que a ideia de Harry Potter surgiu em uma demorada viagem de trem em 1990, a autora planejou e começou a escrever os sete livros, cujo primeiro volume, *Harry Potter e a Pedra Filosofal*, foi publicado no Reino Unido em 1997. A série, que levou dez anos para ser escrita, foi concluída em 2007 com a publicação de *Harry Potter e as Relíquias da Morte*. Os livros já venderam mais de 600 milhões de exemplares em 85 idiomas, foram ouvidos em audiolivro ao longo de mais de 80 milhões de horas e transformados em oito filmes campeões de bilheteria.

© Debra Hurford Brown

Para acompanhar a série, a autora escreveu três pequenos livros: *Quadribol através dos séculos*, *Animais fantásticos e onde habitam* (em prol da Comic Relief e da Lumos) e *Os contos de Beedle, o Bardo* (em prol da Lumos). *Animais fantásticos e onde habitam* inspirou uma nova série cinematográfica protagonizada pelo magizoologista Newt Scamander.

A história de Harry Potter quando adulto foi contada na peça teatral *Harry Potter e a Criança Amaldiçoada*, que Rowling escreveu com o dramaturgo Jack Thorne e o diretor John Tiffany, e vem sendo exibida em várias cidades pelo mundo.

Rowling é autora também de uma série policial, sob o pseudônimo de Robert Galbraith, e de dois livros infantis independentes, *O Ickabog* e *Jack e o Porquinho de Natal*.

J.K. Rowling recebeu muitos prêmios e honrarias pelo seu trabalho literário, incluindo a Ordem do Império Britânico (OBE), a Companion of Honour e o distintivo de ouro Blue Peter.

Ela apoia um grande número de causas humanitárias por intermédio de seu fundo filantrópico, Volant, e é a fundadora das organizações sem fins lucrativos Lumos, que trabalha pelo fim da institucionalização infantil, e Beira's Place, um centro de apoio para mulheres vítimas de assédio sexual.

J.K. Rowling mora na Escócia com a família.

Para saber mais sobre J.K. Rowling, visite:
jkrowlingstories.com

J.K. ROWLING

# HARRY POTTER
### E A PEDRA FILOSOFAL

ILUSTRAÇÕES DE MARY GRANDPRÉ

TRADUÇÃO DE LIA WYLER

Título original
HARRY POTTER
and the Philosopher's Stone

*Copyright* do texto © 1997 *by* J.K. Rowling
Direitos de publicação e teatral © J.K. Rowling

*Copyright* das ilustrações de miolo, de Mary GrandPré © 1998 *by* Warner Bros.

*Copyright* ilustração de capa, de Kazu Kibuishi © 2013 *by* Scholastic Inc.
Reproduzida com autorização.

Todos os personagens e símbolos correlatos
são marcas registradas e © Warner Bros. Entertainment Inc.
Todos os direitos reservados.

Todos os personagens e acontecimentos nesta publicação, com exceção
dos claramente em domínio publico, são fictícios e qualquer semelhança
com pessoas reais, vivas ou não, é mera coincidência.

Nenhuma parte desta obra pode ser reproduzida, armazenada em sistema,
ou transmitida, sob qualquer forma ou meio, sem a autorização prévia, por escrito,
do editor, não podendo, de outro modo, circular em qualquer formato de impressão
ou capa diferente daquela que foi publicada; sem as condições similares, que inclusive,
deverão ser impostas ao comprador subsequente.

Direitos para a língua portuguesa reservados
com exclusividade para o Brasil à
EDITORA ROCCO LTDA.
Rua Evaristo da Veiga, 65 – 11º andar
Passeio Corporate – Torre 1
20031-040 – Rio de Janeiro, RJ
Tel.: (21) 3525-2000 – Fax: (21) 3525-2001
rocco@rocco.com.br / www.rocco.com.br

*Printed in Brazil*/Impresso no Brasil

Preparação de originais
MÔNICA MARTINS FIGUEIREDO

CIP-Brasil. Catalogação na fonte.
Sindicato Nacional dos Editores de Livros, RJ.

| | |
|---|---|
| R778h | Rowling, J.K. (Joanne K.), 1967-<br>    Harry Potter e a Pedra Filosofal / J.K. Rowling; ilustrações de Mary GrandPré; tradução Lia Wyler. – 1ª ed. –<br>Rio de Janeiro: Rocco, 2015.<br>    il.<br><br>    Tradução de: Harry Potter and the Philosopher's Stone<br>    ISBN 978-85-325-2995-4<br><br>    1. Literatura infantojuvenil inglesa. I. GrandPré, Mary, 1954-. II. Wyler, Lia, 1934-. III. Título. |
| 15-22822 | CDD-028.5<br>CDU-087.5 |

O texto deste livro obedece às normas
do Acordo Ortográfico da Língua Portuguesa

Impressão e Acabamento: GEOGRÁFICA

Para Jessica, que gosta de histórias,
para Anne, que gostava também,
e para Di, que foi quem ouviu esta primeiro.

# 1

## O MENINO QUE SOBREVIVEU

O Sr. e a Sra. Dursley, da rua dos Alfeneiros, nº 4, se orgulhavam de dizer que eram perfeitamente normais, muito bem, obrigado. Eram as últimas pessoas no mundo que se esperaria que se metessem em alguma coisa estranha ou misteriosa, porque simplesmente não compactuavam com esse tipo de bobagem.

O Sr. Dursley era diretor de uma firma chamada Grunnings, que fazia perfurações. Era um homem alto, corpulento e quase sem pescoço, embora tivesse enormes bigodes. A Sra. Dursley era magra e loura e tinha um pescoço quase duas vezes mais comprido que o normal, o que era muito útil porque ela passava grande parte do tempo espichando-o por cima da cerca do jardim para espiar os vizinhos. Os Dursley tinham um filhinho chamado Dudley, o Duda, e em sua opinião não havia garoto melhor em nenhum lugar do mundo.

Os Dursley tinham tudo que queriam, mas tinham também um segredo, e seu maior receio era que alguém o descobrisse. Achavam que não iriam aguentar se alguém descobrisse a existência dos Potter. A Sra. Potter era irmã da Sra. Dursley, mas não se viam havia muitos anos; na realidade a Sra. Dursley fingia que não tinha irmã, porque esta e o marido imprestável eram o que havia de menos parecido possível com os Dursley. Eles estremeciam só de pensar o que os vizinhos iriam dizer se os Potter aparecessem na rua. Os Dursley sabiam que os Potter tinham um filhinho, também, mas nunca o tinham visto. O garoto era mais uma razão para manter os Potter a distância; eles não queriam que Duda se misturasse com uma criança daquelas.

Quando o Sr. e a Sra. Dursley acordaram na terça-feira monótona e cinzenta em que a nossa história começa, não havia nada no céu nublado lá fora sugerindo as coisas estranhas e misteriosas que não tardariam a acontecer por todo o país. O Sr. Dursley cantarolava ao escolher a gravata mais sem graça do mundo para ir trabalhar e a Sra. Dursley fofocava alegremente enquanto lutava para encaixar um Duda aos berros na cadeirinha alta.

Nenhum deles reparou em uma coruja parda que passou, batendo as asas, pela janela.

Às oito e meia, o Sr. Dursley apanhou a pasta, deu um beijinho no rosto da Sra. Dursley e tentou dar um beijo de despedida em Duda mas não conseguiu, porque na hora Duda estava tendo um acesso de raiva e atirava o cereal nas paredes.

— Pestinha — disse rindo contrafeito o Sr. Dursley ao sair de casa. Entrou no carro e deu marcha à ré para sair do estacionamento do número quatro.

Foi na esquina da rua que ele notou o primeiro indício de que algo estranho ocorria — um gato lia um mapa. Por um instante o Sr. Dursley não percebeu o que vira — em seguida, virou rapidamente a cabeça para dar uma segunda olhada. Havia um gato listrado sentado na esquina da rua dos Alfeneiros, mas não havia nenhum mapa à vista. Em que o Sr. Dursley estava pensando? Devia ter sido um efeito da luz. Ele piscou e arregalou os olhos para o gato. O gato o encarou. Enquanto virava a esquina e subia a rua, espiou o gato pelo espelho retrovisor. Ele agora estava lendo a placa que dizia rua dos Alfeneiros — não, estava olhando a placa: gatos não podiam ler mapas nem placas. O Sr. Dursley sacudiu a cabeça e tirou o gato do pensamento. Durante o caminho para a cidade ele não pensou em mais nada exceto no grande pedido de brocas que tinha esperanças de receber naquele dia.

Mas, já chegando na cidade, as brocas foram varridas de sua cabeça por outra coisa. Ao parar no costumeiro engarrafamento matinal, não pôde deixar de notar que havia uma quantidade de gente estranhamente vestida andando pelas ruas. Gente com capas longas. O Sr. Dursley não tolerava gente que andava com roupas ridículas — os trapos que se viam nos jovens! Imaginou que aquilo fosse uma nova moda idiota. Tamborilou os dedos no volante e seu olhar recaiu em um grupinho de excêntricos parados bem perto dele. Cochichavam animados. O Sr. Dursley se irritou ao ver que alguns deles nem eram jovens; ora, aquele homem devia ser mais velho do que ele, e usava uma capa verde-esmeralda! Que petulância! Mas então ocorreu ao Sr. Dursley que se tratava provavelmente de alguma promoção boba — essas pessoas estavam obviamente arrecadando alguma coisa... é, devia ser isto! O tráfego avançou e alguns minutos depois o Sr. Dursley chegou ao estacionamento da Grunnings, o pensamento de volta às brocas.

O Sr. Dursley sempre sentava de costas para a janela em seu escritório no nono andar. Se não o fizesse, talvez tivesse achado mais difícil se concentrar em brocas aquela manhã. *Ele* não viu as corujas que voavam velozes em plena luz do dia, embora as pessoas na rua as vissem; elas apontavam e se espantavam enquanto coruja atrás de coruja passava no alto. A maioria jamais vira uma coruja mesmo à noite. O Sr. Dursley, porém, teve uma manhã perfeitamente normal sem corujas. Gritou com cinco pessoas diferentes. Deu vários telefonemas importantes e gritou mais um pouco. Estava de excelente humor até a hora do almoço, quando pensou em esticar as pernas e atravessar a rua para comprar um pãozinho doce na padaria defronte.

Esquecera completamente as pessoas de capas até passar por um grupo delas próximo à padaria. Olhou-as com raiva ao passar. Não sabia o porquê, mas elas o deixavam nervoso. Essas cochichavam agitadas, também, mas ele não viu nenhuma latinha de coleta. Foi ao passar por elas, na volta, levando uma grande rosca açucarada em um saco, que entreouviu algumas palavras do que diziam.

– ... Os Potter, é verdade, foi o que ouvi...

– ... é, o filho deles, Harry...

O Sr. Dursley parou de repente. O medo invadiu-o. Virou a cabeça para olhar as pessoas que cochichavam como se quisesse dizer alguma coisa, mas pensou melhor.

Atravessou a rua depressa, correu para o escritório, disse rispidamente à secretária que não o incomodasse, agarrou o telefone e quase terminara de discar o número de casa quando mudou de ideia. Pôs o fone no gancho e alisou os bigodes, pensando... não, estava agindo como um idiota. Potter não era um nome tão fora do comum assim. Tinha certeza de que havia muita gente chamada Potter com um filho chamado Harry. Pensando bem, nem sequer tinha certeza de que o sobrinho *tivesse* o nome de Harry. Jamais vira o menino. Talvez fosse Ernesto. Ou Eduardo. Não tinha sentido preocupar a Sra. Dursley, ela sempre ficava tão perturbada à simples menção da irmã. Não a culpava – se *ele* tivesse uma irmã como aquela... mas, mesmo assim, aquelas pessoas de capas...

Achou bem mais difícil se concentrar nas brocas aquela tarde e, quando deixou o edifício às cinco horas, continuava tão preocupado que deu um encontrão em alguém parado ali à porta.

– Desculpe – murmurou, quando o velhinho cambaleou e quase caiu. Levou alguns segundos até o Sr. Dursley perceber que o homem estava usando uma capa roxa. Não parecia nada aborrecido por ter sido quase jogado ao chão. Ao contrário, seu rosto se abriu em um largo sorriso e ele disse numa voz esganiçada que fez os passantes olharem:

– Não precisa pedir desculpas, caro senhor, porque nada poderia me aborrecer hoje! Alegre-se, porque Você-Sabe-Quem finalmente foi-se embora! Até trouxas como o senhor deviam estar comemorando um dia tão feliz!

E o velho abraçou o Sr. Dursley pela cintura e se afastou.

O Sr. Dursley ficou pregado no chão. Fora abraçado por um completo estranho. E também achava que fora chamado de trouxa, o que quer que isso quisesse dizer. Estava abalado. Correu para o carro e partiu para casa, esperando que estivesse imaginando coisas, o que nunca esperara que fizesse, porque não aprovava a imaginação.

Quando estacionou na casa de número quatro, a primeira coisa que viu – e isso não melhorou o seu estado de espírito – foi o gato listrado que notara aquela manhã. Agora ele estava sentado no muro do jardim. Tinha certeza de que era o mesmo; as marcas em volta dos olhos eram as mesmas.

– Chispa! – disse o Sr. Dursley em voz alta.

O gato não se mexeu. Apenas lançou-lhe um olhar severo. Será que isto era um comportamento normal para um gato?, pensou o Sr. Dursley. Continuava decidido a não comentar nada com a esposa.

A Sra. Dursley tivera um dia normal e agradável. Contou-lhe durante o jantar os problemas da senhora do lado com a filha e ainda que Duda aprendera uma palavra nova ("Nunca"). O Sr. Dursley tentou agir normalmente. Depois que Duda foi se deitar, ele chegou à sala em tempo de ouvir o último noticiário noturno.

"E, por último, os observadores de pássaros em toda parte registraram que as corujas do país se comportaram de forma muito estranha hoje. Embora elas normalmente cacem à noite e raramente apareçam à luz do dia, centenas desses pássaros foram vistos hoje voando em todas as direções desde o alvorecer. Os especialistas não sabem explicar por que as corujas de repente mudaram o seu padrão de sono." O locutor se permitiu um sorriso. "Muito misterioso. E agora, com Jorge Mendes, o nosso boletim meteorológico. Vai haver mais tempestades de corujas hoje à noite, Jorge?"

"Bom, Eduardo", disse o meteorologista, "não sei lhe dizer, mas não foram só as corujas que se comportaram de modo estranho hoje. Ouvintes de todo o país têm telefonado para reclamar que, em vez do aguaceiro que prometi para ontem, eles têm visto chuvas de estrelas cadentes! Talvez alguém ande festejando a noite das fogueiras uma semana mais cedo este ano! Mas posso prometer para hoje uma noite chuvosa."

O Sr. Dursley ficou paralisado na poltrona. Estrelas cadentes em todo o país? Corujas voando durante o dia? Gente misteriosa usando capas por todo lado? E um cochicho, um cochicho a respeito dos Potter...

A Sra. Dursley entrou na sala trazendo duas xícaras de chá. Não adiantava. Teria que lhe dizer alguma coisa. Pigarreou nervoso.

— Hum, hum, Petúnia, querida, você não tem tido notícias de sua irmã, ultimamente?

Conforme esperava, a Sra. Dursley pareceu chocada e aborrecida. Afinal, normalmente fingiam que ela não tinha irmã...

— Não — respondeu ela, seca. — Por quê?

— Uma notícia engraçada — murmurou o Sr. Dursley. — Corujas... estrelas cadentes... e vi uma porção de gente de aparência estranha na cidade hoje...

— E daí? — cortou a Sra. Dursley.

— Bem, pensei... talvez... tivesse alguma ligação com... sabe... o pessoal dela.

A Sra. Dursley bebericou o chá com os lábios contraídos. O Sr. Dursley ficou em dúvida se teria coragem de lhe contar que ouvira o nome "Potter". Decidiu que não. Em vez disso, falou com a voz mais displicente que pôde:

— O filho deles... teria mais ou menos a idade do Duda agora, não?

— Suponho que sim — respondeu a Sra. Dursley, ainda seca.

— Como é mesmo o nome dele? Ernesto, não é?

— Harry. Um nome feio e vulgar, se quer saber minha opinião.

— Ah, é — disse o Sr. Dursley, sentindo um aperto horrível no coração. — É, concordo com você.

Não disse mais nenhuma palavra sobre o assunto a caminho do quarto quando foram se deitar. Enquanto a Sra. Dursley estava no banheiro, o Sr. Dursley foi devagarinho até a janela e espiou o jardim da casa. O gato continuava lá. Observava o começo da rua dos Alfeneiros como se esperasse alguma coisa.

Estaria imaginando coisas? Será que tudo isso teria ligação com os Potter? Se tivesse... se transpirasse que tinham parentesco com um casal de... Bem, ele achava que não aguentaria.

Os Dursley se deitaram. A Sra. Dursley adormeceu logo, mas o Sr. Dursley continuou acordado, pensando no que acontecera. Seu último consolo antes de adormecer foi pensar que, mesmo que os Potter *estivessem* envolvidos, não havia razão para se aproximarem dele e da Sra. Dursley. Os Potter sabiam muito bem o que pensavam deles e de gente de sua laia... Não via como ele e Petúnia poderiam se envolver com nada que estivesse acontecendo. O Sr. Dursley bocejou e se virou. Isso não poderia *afetá-los*...

Como estava enganado.

O Sr. Dursley talvez estivesse mergulhando em um sono inquieto, mas o gato no muro lá fora não mostrava sinais de sono. Continuava sentado imóvel como uma estátua, os olhos fixos na esquina mais distante da rua dos Alfeneiros. E nem sequer estremeceu quando uma porta de carro bateu na rua seguinte, nem mesmo quando duas corujas mergulharam do alto. Na verdade, era quase meia-noite quando o gato se mexeu.

Um homem apareceu na esquina que o gato estivera vigiando. Apareceu tão súbita e silenciosamente que se poderia pensar que tivesse saído do chão. O rabo do gato tremelicou e seus olhos se estreitaram.

Ninguém jamais vislumbrara nada parecido com este homem na rua dos Alfeneiros. Era alto, magro e muito velho, a julgar pelo prateado dos seus cabelos e de sua barba, suficientemente longos para prender no cinto. Usava vestes longas, uma capa púrpura que arrastava pelo chão e botas com saltos altos e fivelas. Seus olhos azuis eram claros, luminosos e cintilantes por trás dos óculos em meia-lua e o nariz muito comprido e torto, como se o tivesse quebrado pelo menos duas vezes. O nome dele era Alvo Dumbledore.

Alvo Dumbledore não parecia ter consciência de que acabara de pisar numa rua onde tudo, desde o seu nome às suas botas, era malvisto. Estava ocupado apalpando a capa, procurando alguma coisa. Mas parecia ter consciência de que estava sendo vigiado, porque ergueu a cabeça de repente para o gato, que continuava a fitá-lo da outra ponta da rua. Por algum motivo, a visão do gato pareceu diverti-lo. Deu uma risadinha e murmurou:

— Eu devia ter imaginado.

Encontrou o que procurava no bolso interior da capa. Parecia um isqueiro prateado. Abriu-o, ergueu-o no ar e o acendeu. O lampião de rua mais próximo apagou-se com um estalido seco. Ele o acendeu de novo — o lampião seguinte piscou e apagou. Doze vezes ele acionou o "apagueiro", até que as únicas luzes acesas na rua toda eram dois pontinhos minúsculos ao longe — os olhos do gato que o vigiava. Se alguém espiasse pela janela agora, até a Sra. Dursley e seus olhos de contas, não conseguiria ver nada que estava acontecendo na calçada. Dumbledore tornou a guardar o "apagueiro" na capa e saiu caminhando pela rua em direção ao número quatro, onde se sentou no muro ao lado do gato. Não olhou para o bicho, mas, passado algum tempo, dirigiu-se a ele.

— Imaginei encontrar a senhora aqui, Prof[a] Minerva McGonagall.

E virou-se para sorrir para o gato, mas este desaparecera. Em vez dele, viu-se sorrindo para uma mulher de aspecto severo que usava óculos de lentes quadradas exatamente do formato das marcas que o gato tinha em volta dos olhos. Ela também usava uma capa esmeralda. Trazia os cabelos pretos presos num coque apertado. E parecia decididamente irritada.

— Como soube que era eu? — perguntou.

— Minha cara professora, nunca vi um gato se sentar tão duro.

— O senhor estaria duro se tivesse passado o dia todo sentado em um muro de pedra — respondeu a Prof.ª Minerva.

— O dia todo? Quando podia estar comemorando? Devo ter passado por mais de dez festas e banquetes a caminho daqui.

A professora fungou aborrecida.

— Ah, sim, vi que todos estão comemorando — disse impaciente. — Era de esperar que fossem um pouco mais cautelosos, mas não, até os trouxas notaram que alguma coisa estava acontecendo. Deu no telejornal. — Ela indicou com a cabeça a sala às escuras dos Dursley. — Eu ouvi... bandos de corujas... estrelas cadentes... Ora, eles não são completamente idiotas. Não podiam deixar de notar alguma coisa. Estrelas cadentes em Kent, aposto que foi coisa do Dédalo Diggle. Ele nunca teve muito juízo.

— Você não pode culpá-los — ponderou Dumbledore educadamente. — Temos tido muito pouco o que comemorar nos últimos onze anos.

— Sei disso — retrucou a professora mal-humorada. — Mas não é razão para perdermos a cabeça. As pessoas estão sendo completamente descuidadas, saem às ruas em plena luz do dia, sem nem ao menos vestir roupas de trouxa, e espalham boatos.

De esguelha, lançou um olhar atento a Dumbledore, como se esperasse que ele dissesse alguma coisa, mas ele continuou calado, por isso ela recomeçou:

— Ia ser uma graça se, no próprio dia em que Você-Sabe-Quem parece ter finalmente ido embora, os trouxas descobrissem a nossa existência. Suponho que ele realmente *tenha* ido embora, não é, Dumbledore?

— Parece que não há dúvida. Temos muito o que agradecer. Aceita uma gota de limão?

— Uma *o quê?*

— Uma gota de limão. É uma espécie de doce dos trouxas de que sempre gostei muito.

— Não, obrigada — disse a Prof.ª Minerva com frieza, como se não achasse que o momento pedia gotas de limão. — Mesmo que Você-Sabe-Quem *tenha* ido embora...

— Minha cara professora, com certeza uma pessoa sensata como a senhora pode chamá-lo pelo nome. Toda essa bobagem de Você-Sabe-Quem, há onze anos venho tentando convencer as pessoas a chamá-lo pelo nome que recebeu: *Voldemort.* — A professora franziu o rosto, mas Dumbledore, que estava separando duas balinhas de limão, pareceu não reparar. — Tudo fica tão confuso quando todos não param de dizer "Você-Sabe-Quem". Nunca vi nenhuma razão para ter medo de dizer o nome de Voldemort.

— Sei que não vê — disse a professora parecendo meio exasperada, meio admirada. — Mas você é diferente. Todo mundo sabe que é o único de quem Você-Sabe... ah, está bem, de quem *Voldemort* tinha medo.

— Isto é um elogio — disse Dumbledore calmamente. — Voldemort tinha poderes que nunca tive.

— Só porque você é muito... bem... *nobre* para usá-los.

— É uma sorte estar escuro. Nunca mais corei assim desde que Madame Pomfrey me disse que gostava dos meus abafadores de orelhas novos.

A Prof.ª Minerva lançou um olhar severo a Dumbledore e disse:

— As corujas não são nada comparadas aos *boatos* que correm. Sabe o que todos estão dizendo? Por que ele foi embora? Que foi que finalmente o deteve?

Aparentemente a Prof.ª Minerva chegara ao ponto que estava ansiosa para discutir, a verdadeira razão pela qual estivera esperando o dia todo em cima de um muro frio e duro, porque nem como gato nem como mulher ela fixara antes um olhar tão penetrante em Dumbledore como agora. Era óbvio que, o que quer que fosse que "todos" estavam dizendo, ela não iria acreditar até que Dumbledore confirmasse ser verdade. Dumbledore, porém, estava pegando mais uma gota de limão e não respondeu.

— O que estão *dizendo* — continuou ela — é que a noite passada Voldemort apareceu em Godric's Hollow. Foi procurar os Potter. O boato é que Lílian e Tiago Potter estão... estão... que estão... *mortos*.

Dumbledore fez que sim com a cabeça. A Prof.ª Minerva perdeu o fôlego.

— Lílian e Tiago... Não posso acreditar... Não quero acreditar... Ah, Alvo.

Dumbledore estendeu a mão e deu-lhe um tapinha no ombro.

— Eu sei... eu sei... — disse deprimido.

A voz da Prof.ª Minerva tremeu ao prosseguir:

— E não é só isso. Estão dizendo que ele tentou matar o filho dos Potter, Harry. Mas... não conseguiu. Não conseguiu matar o garotinho. Ninguém sabe o porquê nem como, mas estão dizendo que na hora que não pôde matar Harry Potter, por alguma razão, o poder de Voldemort desapareceu, e é por isso que ele foi embora.

Dumbledore concordou com a cabeça, sério.

— É... é *verdade*? — gaguejou a professora. — Depois de tudo o que ele fez... todas as pessoas que matou... não conseguiu matar um garotinho? É simplesmente espantoso... de tudo que poderia detê-lo... mas, por Deus, como foi que Harry sobreviveu?

— Só podemos imaginar — disse Dumbledore. — Talvez nunca cheguemos a saber.

A Profª Minerva pegou um lenço de renda e secou com delicadeza os olhos por baixo das lentes dos óculos. Dumbledore deu uma grande fungada ao mesmo tempo que tirava o relógio dourado do bolso e o examinava. Era um relógio muito estranho. Tinha doze ponteiros, mas nenhum número; em vez deles, pequenos planetas giravam à volta. Mas devia fazer sentido para Dumbledore, porque ele o repôs no bolso e disse:

— Hagrid está atrasado. A propósito, foi ele que lhe disse que eu estaria aqui, suponho.

— Foi. E suponho que você não vá me dizer *por que* está aqui e não em outro lugar.

— Vim trazer Harry para o tio e a tia. Eles são a única família que lhe resta.

— Você não quer dizer... não pode estar se referindo às pessoas que moram *aqui*?! — exclamou a Profª Minerva, pulando de pé e apontando para o número quatro. — Dumbledore, você não pode. Estive observando a família o dia todo. Você não poderia encontrar duas pessoas menos parecidas conosco. E têm um filho, vi-o dando chutes na mãe até a rua, berrando porque queria balas. Harry Potter vir morar aqui!

— É o melhor lugar para ele — disse Dumbledore com firmeza. — Os tios poderão lhe explicar tudo quando ele for mais velho, escrevi-lhes uma carta.

— Uma carta? — repetiu a professora com a voz fraca, sentando-se novamente no muro. — Francamente, Dumbledore, você acha que pode explicar tudo isso em uma carta? Essas pessoas jamais vão entendê-lo! Ele vai ser famoso, uma lenda. Eu não me surpreenderia se o dia de hoje ficasse conhecido no futuro como o dia de Harry Potter. Vão escrever livros sobre Harry. Todas as crianças no nosso mundo vão conhecer o nome dele!

— Exatamente — disse Dumbledore, olhando muito sério por cima dos óculos de meia-lua. — Isto seria o bastante para virar a cabeça de qualquer menino. Famoso antes mesmo de saber andar e falar! Famoso por alguma coisa de que ele nem vai se lembrar! Você não vê que ele estará muito melhor se crescer longe de tudo isso até que tenha capacidade de compreender?

A professora abriu a boca, mudou de ideia, engoliu em seco e então disse:

— É, é, você está certo, é claro. Mas como é que o garoto vai chegar aqui, Dumbledore? — Ela olhou para a capa dele de repente como se lhe ocorresse que talvez escondesse Harry ali.

— Hagrid vai trazê-lo.

— Você acha que é *sensato* confiar a Hagrid uma tarefa importante como esta?

— Eu confiaria a Hagrid minha vida — respondeu Dumbledore. — Não estou dizendo que ele não tenha o coração no lugar — concedeu a professora de má vontade —, mas você não pode fingir que ele é cuidadoso. Que tem uma tendência a... que foi isso?

Um ronco discreto quebrara o silêncio da rua. Foi aumentando cada vez mais enquanto eles olhavam para um lado e para o outro da rua à procura de um sinal de faróis de carro; o ronco se transformou num trovão quando os dois olharam para o céu — e uma enorme motocicleta caiu do ar e parou na rua diante deles.

Se a motocicleta era enorme, não era nada comparada ao homem que a montava. Ele era quase duas vezes mais alto do que um homem normal e pelo menos cinco vezes mais largo. Parecia simplesmente grande demais para existir e tão *selvagem* — emaranhados de barba e cabelos pretos, longos e grossos escondiam a maior parte do seu rosto, as mãos tinham o tamanho de uma lata de lixo e os pés calçados com botas de couro pareciam filhotes de golfinhos. Em seus braços imensos e musculosos ele segurava um embrulho de cobertores.

— Hagrid! — exclamou Dumbledore, parecendo aliviado. — Finalmente. E onde foi que arranjou a moto?

— Pedi emprestada, Prof. Dumbledore — respondeu o gigante, desmontando cuidadosamente da moto ao falar. — O jovem Sirius me emprestou. Trouxe ele, professor.

— Não teve nenhum problema?

— Não, senhor. A casa ficou quase destruída, mas consegui tirá-lo inteiro antes que os trouxas invadissem o lugar. Ele dormiu quando estávamos sobrevoando Bristol.

Dumbledore e a Prof$^a$ Minerva curvaram-se para o embrulho de cobertores. Dentro, mal visível, havia um menino, que dormia a sono solto. Sob uma mecha de cabelos muito pretos caída sobre a testa eles viram um corte curioso, tinha a forma de um raio.

— Foi aí que...? — sussurrou a professora.

— Foi — confirmou Dumbledore. — Ficará com a cicatriz para sempre.

— Será que você não poderia dar um jeito, Dumbledore?

— Mesmo que pudesse, eu não o faria. As cicatrizes podem vir a ser úteis. Tenho uma acima do joelho esquerdo que é um mapa perfeito do metrô de Londres. Bem, me dê ele aqui, Hagrid, é melhor acabarmos logo com isso.

Dumbledore recebeu Harry nos braços e virou-se para a casa dos Dursley.

— Será que eu podia... podia me despedir dele, professor? — perguntou Hagrid.

Ele curvou a enorme cabeça descabelada para Harry e lhe deu o que deve ter sido um beijo muito áspero e peludo. Depois, sem aviso, Hagrid soltou um uivo como o de um cachorro ferido.

— Psiu! — sibilou a Prof$^a$ Minerva. — Você vai acordar os trouxas!

— Des-des-desculpe — soluçou Hagrid, puxando um enorme lenço sujo e escondendo a cara nele. — Mas nã-nã-não consigo suportar, Lílian e Tiago mortos, e o coitadinho do Harry ter de viver com os trouxas...

— É, é, é muito triste, mas controle-se, Hagrid, ou vão nos descobrir — sussurrou a professora, dando uma palmadinha desajeitada no braço de Hagrid enquanto Dumbledore saltava a mureta de pedra e se dirigia à porta da frente. Depositou Harry devagarinho no batente, tirou uma carta da capa, meteu-a entre os cobertores do menino e, em seguida, voltou para a companhia dos dois. Durante um minuto inteiro os três ficaram parados olhando para o embrulhinho; os ombros de Hagrid sacudiram, os olhos da Prof$^a$ Minerva piscaram loucamente e a luz cintilante que sempre brilhava nos olhos de Dumbledore parecia ter-se extinguido.

— Bem — disse Dumbledore finalmente —, acabou-se. Não temos mais nada a fazer aqui. Já podemos nos reunir aos outros para comemorar.

— É — disse Hagrid com a voz muito abafada. — Vou devolver a moto de Sirius. Boa noite, Prof$^a$ Minerva, Prof. Dumbledore...

Enxugando os olhos na manga da jaqueta, Hagrid montou na moto e acionou o motor com um pontapé; com um rugido, ela levantou voo e desapareceu na noite.

— Nos veremos em breve, espero, Prof$^a$ Minerva — falou Dumbledore, com um aceno da cabeça. A Prof$^a$ Minerva assoou o nariz em resposta.

Dumbledore se virou e desceu a rua. Na esquina, parou e puxou o "apagueiro". Deu um clique e doze esferas de luz voltaram aos lampiões de modo que a rua dos Alfeneiros de repente iluminou-se com uma claridade laranja, e ele divisou o gato listrado se esquivando pela outra ponta da rua. Mal dava para enxergar o embrulhinho de cobertores no batente do número quatro.

— Boa sorte, Harry — murmurou ele. Girou nos calcanhares e, com um movimento da capa, desapareceu.

Uma brisa arrepiou as cercas bem cuidadas da rua dos Alfeneiros, silenciosas e imóveis sob o nanquim do céu, o último lugar do mundo em que alguém esperaria que acontecessem coisas espantosas. Harry Potter virou-se dentro dos cobertores sem acordar. Sua mãozinha agarrou a carta ao lado, mas ele continuou a dormir, sem saber que era especial, sem saber que era famoso, sem saber que iria acordar dentro de poucas horas com o grito da Sra. Dursley ao abrir a porta da frente para pôr as garrafas de leite do lado de fora, nem que passaria as próximas semanas levando cutucadas e beliscões do primo Duda... Ele não podia saber que, naquele mesmo instante, havia pessoas se reunindo em segredo em todo o país que erguiam os copos e diziam com vozes abafadas:

— A Harry Potter: o menino que sobreviveu!

# 2

## O VIDRO QUE SUMIU

Quase dez anos haviam se passado desde o dia em que os Dursley acordaram e encontraram o sobrinho na soleira da porta, mas a rua dos Alfeneiros não mudara praticamente nada. O sol nascia para os mesmos jardins cuidados e iluminava o número quatro de bronze à porta de entrada dos Dursley; penetrava sorrateiro a sala de estar, que continuava quase igual ao que era na noite em que o Sr. Dursley ouvira a funesta notícia sobre as corujas. Somente as fotografias sobre a cornija da lareira mostravam o tempo que já passara. Dez anos antes havia uma porção de fotografias de uma coisa que parecia uma grande bola de brincar na praia, usando diferentes chapéus coloridos – mas Duda Dursley não era mais bebê; agora as fotografias mostravam um menino grande e louro na primeira bicicleta, no carrossel de um parque, brincando com o computador do pai, recebendo um beijo e um abraço da mãe. A sala não continha nenhuma indicação de que havia outro menino na casa.

No entanto, Harry Potter continuava lá, no momento adormecido, mas não por muito tempo. Sua tia Petúnia acordara e foi sua voz aguda que produziu o primeiro ruído do dia.

– Acorde! Levante-se! Agora!

Harry acordou assustado. A tia bateu à porta outra vez.

– Acorde! – gritou. Harry ouviu-a caminhar em direção à cozinha e em seguida uma frigideira bater no fogão. Virou-se de costas e tentou se lembrar do sonho em que estava. Era um sonho gostoso. Havia uma motocicleta. Tinha a estranha sensação de que já vira esse sonho antes.

A tia voltara à porta.

– Você já se levantou? – perguntou.

– Quase – respondeu Harry.

– Bem, ande depressa, quero que você tome conta do bacon. E não se atreva a deixá-lo queimar. Quero tudo perfeito no aniversário de Duda.

Harry gemeu.

— Que foi que você disse? — perguntou a tia com rispidez.

— Nada, nada...

O aniversário de Duda — como podia ter esquecido? Harry levantou-se devagar e começou a procurar as meias. Encontrou-as debaixo da cama e, depois de retirar uma aranha de um pé, calçou-as. Harry estava acostumado com aranhas, porque o armário sob a escada vivia cheio delas, e era ali que ele dormia.

Já vestido, saiu para o corredor que levava à cozinha. A mesa quase desaparecera tantos eram os presentes de aniversário de Duda. Pelo que via, Duda ganhara o novo computador que queria, para não falar na segunda televisão e na bicicleta de corrida. Para o quê, exatamente, Duda queria uma bicicleta de corrida era um mistério para Harry, porque Duda era muito gordo e detestava fazer exercícios — a não ser, é claro, que envolvessem bater em alguém. O saco de pancadas preferido de Duda era Harry, mas nem sempre Duda conseguia pegá-lo. Harry não parecia, mas era muito rápido.

Talvez fosse porque vivia num armário escuro, mas Harry sempre fora pequeno e muito magro para a idade. Parecia ainda menor e mais magro do que realmente era porque só lhe davam para vestir as roupas velhas de Duda, e Duda era quatro vezes maior do que ele. Harry tinha um rosto magro, joelhos ossudos, cabelos pretos e olhos muito verdes. Usava óculos redondos, remendados com fita adesiva, por causa das muitas vezes que Duda o socara no nariz. A única coisa que Harry gostava em sua aparência era uma cicatriz fininha na testa que tinha a forma de um raio. Existia desde que se entendia por gente, e a primeira pergunta que se lembrava de ter feito à tia Petúnia era como a arranjara.

— No desastre de carro em que seus pais morreram — respondera ela. — E não faça perguntas.

*Não faça perguntas* — esta era a primeira regra para levar uma vida tranquila com os Dursley.

Tio Válter entrou na cozinha quando Harry estava virando o bacon.

— Penteie o cabelo! — mandou, à guisa de bom-dia.

Mais ou menos uma vez por semana, tio Válter espiava por cima do jornal e gritava que Harry precisava cortar os cabelos. Harry deve ter feito mais cortes que o resto dos meninos de sua classe somados, mas não fazia diferença, seus cabelos simplesmente cresciam daquele jeito — para todo lado.

Harry estava fritando os ovos no momento em que Duda chegou à cozinha com a mãe. Duda se parecia muito com o tio Válter. Tinha um rosto grande e rosado, pescoço curto, olhos azuis pequenos e agudos e cabelos louros muito espessos e assentados na cabeça enorme e densa. Tia Petúnia dizia com frequência que Duda parecia um anjinho — Harry dizia com frequência que Duda parecia um porco de peruca.

Harry pôs os pratos de ovos com bacon na mesa, o que foi difícil porque não havia muito espaço. Entrementes, Duda contava os presentes. Ficou desapontado.

— Trinta e seis — disse, erguendo os olhos para o pai e a mãe. — Dois a menos do que no ano passado.

— Querido, você não contou o presente de tia Guida, está aqui debaixo deste grandão do papai e da mamãe, está vendo?

— Está bem, então são trinta e sete — respondeu Duda ficando vermelho.

Harry, percebendo que Duda estava ensaiando um enorme acesso de raiva, começou a engolir seu bacon o mais depressa possível, caso o primo virasse a mesa.

Tia Petúnia obviamente também sentiu o perigo, porque na mesma hora disse:

— E vamos comprar mais dois presentes para você quando sairmos hoje. Que tal, fofinho? Mais dois presentes. Está bem assim?

Duda pensou um instante. Pareceu um esforço enorme. Finalmente respondeu hesitante:

— Então vou ficar com trinta... trinta...

— Trinta e nove, anjinho — disse tia Petúnia.

— Ah. — Duda largou-se na cadeira e agarrou o pacote mais próximo. — Então, está bem.

Tio Válter deu uma risadinha.

— O baixinho quer tudo a que tem direito, igualzinho ao pai. É isso aí, garoto! — E arrepiou os cabelos de Duda com os dedos.

Naquele instante, o telefone tocou e tia Petúnia foi atendê-lo, enquanto Harry e tio Válter assistiam a Duda desembrulhar a bicicleta de corrida, a câmera de filmar, um aeromodelo com controle remoto, dezesseis jogos de computador e um gravador de vídeos. Estava rasgando a embalagem de um relógio dourado quando tia Petúnia voltou do telefone parecendo ao mesmo tempo zangada e preocupada.

— Más notícias, Válter. A Sra. Figg fraturou a perna. Não pode ficar com ele. — E indicou Harry com a cabeça.

Duda boquiabriu-se de horror, mas o coração de Harry deu um salto. Todo ano, no aniversário de Duda, os pais dele o levavam para passar o dia com um amiguinho em parques de arborismo, lanchonetes ou no cinema.

Todo ano deixavam Harry com a Sra. Figg, uma velha maluca que morava ali perto. Harry detestava o lugar. A casa inteira cheirava a repolho e a Sra. Figg lhe mostrava fotografias de todos os gatos que já tivera.

— E agora? — perguntou tia Petúnia, olhando furiosa para Harry como se ele tivesse planejado tudo. Harry sabia que devia sentir pena da Sra. Figg, que quebrara a perna, mas não era fácil quando lembrava que ia passar um ano sem ter que olhar para o Tobias, o Néris, Seu Patinhas e o Pompom outra vez.

— Poderíamos ligar para a Guida — sugeriu tio Válter.

— Não diga bobagem, Válter, ela detesta o menino.

Com frequência, os Dursley falavam de Harry assim, como se ele não estivesse presente — ou melhor, como se ele fosse alguma coisa muito desprezível que não conseguisse entendê-los, como uma lesma.

— E aquela sua amiga, como é mesmo o nome dela, Ivone?

— Está passando férias em Majorca — respondeu Petúnia, com rispidez.

— Vocês podiam me deixar aqui — arriscou Harry esperançoso (ele poderia assistir ao que quisesse na televisão para variar e, quem sabe, até dar uma voltinha no computador de Duda).

Tia Petúnia parecia que tinha engolido um limão.

— E quando voltarmos, encontrar a casa destruída? — rosnou.

— Não vou explodir a casa — prometeu Harry, mas os tios não estavam mais escutando.

— Talvez pudéssemos levá-lo ao zoológico — disse tia Petúnia lentamente — e deixá-lo no carro...

— O carro é novo. Não vou deixá-lo sentado no carro sozinho...

Duda começou a chorar alto. Na realidade não estava chorando, fazia anos que não chorava de verdade, mas sabia que, se fizesse cara de choro e gritasse, a mãe lhe daria o que quisesse.

— Dudinha, querido, não chore, mamãe não vai deixar ele estragar o seu dia! — exclamou, abraçando-o.

— Não... quero... que... ele... vá! — Duda berrou entre grandes soluços fingidos. — Ele sempre estraga tudo! — E lançou um riso maldoso por entre os braços da mãe.

Naquele instante a campainha tocou.

— Ah, meu Deus, são eles chegando! — disse tia Petúnia nervosa, e um minuto depois, o melhor amigo de Duda, Pedro Polkiss, entrou acompanhado da mãe. Pedro era um menino magricela, com cara de rato. Em geral era quem segurava para trás os braços dos garotos enquanto Duda batia neles. Na mesma hora, Duda parou de fingir que estava chorando.

Meia hora depois, Harry, que não conseguia acreditar em sua sorte, estava sentado no banco traseiro do carro dos Dursley, com Pedro e Duda, a caminho do jardim zoológico, pela primeira vez na vida. O tio e a tia não tinham conseguido pensar no que fazer com ele, mas antes de saírem, tio Válter puxara Harry para o lado.

— Estou-lhe avisando — disse, aproximando a cara grande e vermelha de Harry. — Estou-lhe avisando, moleque, a primeira gracinha que fizer, a primeira, vai ficar preso naquele armário até o Natal.

— Não vou fazer nada — disse Harry —, juro...

Mas tio Válter não acreditou nele. Ninguém nunca acreditava.

O problema era que sempre aconteciam coisas estranhas à volta de Harry e simplesmente não adiantava dizer aos Dursley que não era sua culpa.

Uma vez, tia Petúnia, cansada de ver Harry voltar do barbeiro como se não tivesse estado lá, apanhara uma tesoura de cozinha e cortara o cabelo dele tão curto que o deixara quase careca, exceto por uma franja, que ela deixou "para esconder aquela cicatriz horrorosa". Duda morrera de rir de Harry, que passou a noite acordado imaginando o que seria a escola no dia seguinte, onde já riam dele por causa das roupas folgadas e dos óculos emendados com fita adesiva. Na manhã seguinte, porém, quando se levantou, os cabelos estavam exatamente como eram antes de tia Petúnia cortá-los. Tinham-no deixado preso uma semana no armário por causa disto, apesar de sua tentativa de explicar que não *saberia* explicar como é que os cabelos tinham crescido tão depressa.

Outra vez, tia Petúnia tentara obrigá-lo a vestir um suéter velho de Duda (marrom com pompons cor de laranja). Quanto mais tentava enfiá-lo pela cabeça dele, tanto menor o suéter ficava, até que finalmente parecia feito para um fantochinho de dedo, e com certeza não ia servir para Harry. Tia Petúnia concluiu que devia ter encolhido na lavagem e Harry, para seu grande alívio, não foi castigado.

Por outro lado, ele se metera numa grande encrenca quando o encontraram no telhado da cozinha da escola. A turma de Duda o estava perseguindo, como sempre, e tanto para surpresa de Harry quanto dos outros, ele apareceu sentado na chaminé. Os Dursley receberam uma carta muito zangada da diretora de Harry, contando que Harry andara escalando os prédios da escola. Mas só o que tentara fazer (conforme gritou para tio Válter através da porta trancada do armário) fora saltar para trás das grandes latas de lixo à porta da cozinha. Harry supunha que o vento devia tê-lo apanhado na hora em que saltou.

Mas hoje nada ia dar errado. Valia até a pena estar em companhia de Duda e Pedro para passar o dia em outro lugar que não fosse a escola, o armário, ou a sala com cheiro de repolho da Sra. Figg.

Enquanto dirigia, tio Válter se queixava à tia Petúnia. Ele gostava de se queixar de tudo: das pessoas no trabalho, de Harry, do conselho, de Harry, do banco e de Harry... eram seus dois assuntos preferidos. Esta manhã eram as motocicletas.

— ... roncando pelas ruas como loucos, os arruaceiros — disse, quando uma moto emparelhou com eles.

— Tive um sonho com uma motocicleta — falou Harry, lembrando-se de repente. — Ela voava.

Tio Válter quase bateu no carro da frente. Virou-se para trás e gritou com Harry, seu rosto parecendo uma beterraba gigante e bigoduda:

— MOTOCICLETAS NÃO VOAM!

Duda e Pedro deram risadinhas.

— Sei que não voam — respondeu Harry. — Foi só um sonho.

Mas desejou que não tivesse dito nada. Se havia uma coisa que os Dursley detestavam mais do que as suas perguntas, era quando falava de coisas que faziam o que não deviam, não interessava se era sonho ou desenho animado — pareciam pensar que ele poderia arranjar ideias perigosas.

Era um sábado muito ensolarado e o zoo estava cheio de famílias. Os Dursley compraram grandes sorvetes de chocolate para Duda e Pedro à entrada e, então, porque a mulher sorridente na carrocinha perguntara o que Harry ia querer antes que pudessem afastá-lo depressa dali, eles lhe compraram um picolé barato de limão. Não era ruim, Harry pensou, lambendo-o enquanto observavam um gorila que coçava a cabeça e se parecia demais com Duda, exceto pelos cabelos que não eram louros.

Harry passou a melhor manhã que já tivera em muito tempo. Cuidou de andar um pouco afastado dos Dursley de modo que Duda e Pedro, que ali pela hora do almoço estavam começando a se chatear com os bichos, não recaíssem no seu passatempo favorito de bater no primo. Almoçaram no restaurante do zoo e quando Duda teve um acesso de raiva porque seu sorvetão não era bastante grande, tio Válter comprou-lhe outro e deixou Harry terminar o primeiro.

Depois Harry achou que devia ter adivinhado que estava bom demais para durar muito tempo.

Terminado o almoço, foram visitar o alojamento dos répteis. Era fresco e escuro ali, com vitrines iluminadas ao longo das paredes. Por trás dos vidros, rastejavam e deslizavam em pedaços de pau e em pedras todos os tipos de cobras e lagartos. Duda e Pedro queriam ver as enormes cobras venenosas e as grossas serpentes pítones capazes de esmagar um homem. Duda logo encontrou a maior cobra que havia. Poderia dar duas voltas no carro de tio Válter e amassá-lo até reduzi-lo ao tamanho de uma lata de lixo – mas naquela hora ela não estava disposta a fazer nada. Na realidade, estava dormindo a sono solto.

Duda parou, o nariz comprimido contra o vidro, observando as espirais marrons e reluzentes.

– Faz ela se mexer – choramingou para o pai. Tio Válter bateu no vidro, mas a cobra não se mexeu.

– Faz outra vez – mandou Duda. Tio Válter bateu no vidro com os nós dos dedos, mas a cobra continuou dormindo.

– Que chato – queixou-se Duda. E saiu arrastando os pés.

Harry veio se postar na frente do tanque e estudou a cobra com atenção. Não se admiraria se a própria cobra morresse de tédio – não tinha companhia a não ser aquela gente idiota que batucava no vidro, tentando incomodá-la o dia inteiro. Era pior do que ter um armário por quarto, onde a única visita era a tia Petúnia esmurrando a porta para acordá-lo, mas ao menos ele podia visitar o resto da casa.

A cobra inesperadamente abriu os olhos, que pareciam contas. Devagarinho, muito devagarinho, levantou a cabeça até seus olhos chegarem ao nível dos de Harry.

*E piscou.*

Harry arregalou os olhos. E olhou depressa a toda volta para ver se havia alguém olhando. Não havia. E retribuiu o olhar da cobra, piscando também.

A cobra acenou com a cabeça na direção de tio Válter e de Duda, depois levantou os olhos para o teto. Lançou um olhar a Harry que dizia com todas as letras: "*Isso é o que me acontece o tempo todo.*"

– Eu sei – murmurou Harry pelo vidro, embora não tivesse muita certeza se a cobra poderia ouvi-lo –, deve ser bem chato.

A cobra concordou com um aceno de cabeça enfático.

– Mas de onde é que você veio? – perguntou Harry.

A cobra apontou com o rabo uma placa próxima ao vidro. Harry espiou.

*Boa Constrictor, Brasil.*

– Era bom lá?

A jiboia apontou novamente a placa com o rabo e Harry leu: *Este espécime nasceu em cativeiro.*

— Ah, entendo, então você nunca esteve no Brasil?

A cobra sacudiu a cabeça, mas um grito ensurdecedor atrás de Harry fez os dois pularem:

— DUDA! SR. DURSLEY! VENHAM VER ESSA COBRA! VOCÊS NÃO VÃO ACREDITAR NO QUE ESTÁ FAZENDO!

Duda veio bamboleando até onde o amigo estava o mais depressa que pôde.

— Cai fora — falou, dando um soco nas costelas de Harry. Apanhado de surpresa, Harry caiu com força no chão de concreto. O que se passou em seguida aconteceu tão depressa que ninguém viu como foi: num segundo, Pedro e Duda estavam encostados no vidro, no segundo seguinte, estavam saltando para trás soltando uivos de terror.

Harry sentou-se e parou de respirar: o vidro da frente do tanque da jiboia tinha sumido. A grande cobra se desenrolou depressa e escorregou pelo chão — as pessoas no alojamento dos répteis gritaram e começaram a correr para as saídas.

Quando a cobra passou rápido por ele, Harry poderia jurar que uma voz baixa e sibilante tinha dito: "Brasil, aqui vou eu... Obrigada, amigo."

O zelador do alojamento dos répteis ficou em estado de choque.

— Mas o vidro — ele não parava de repetir —, para onde foi o vidro?

O diretor do zoo em pessoa preparou uma xícara de chá forte para tia Petúnia enquanto se desculpava mil vezes. Pedro e Duda só conseguiam balbuciar. Pelo que Harry vira, a cobra não fizera nada a não ser fingir abocanhar os calcanhares deles quando passou, mas quando chegaram finalmente ao carro do tio Válter, Duda estava contando que a cobra quase lhe arrancara a perna a dentadas, enquanto Pedro jurava que a cobra tentara apertá-lo até matar. Mas o pior de tudo, pelo menos para Harry, foi Pedro ter se acalmado o suficiente para perguntar:

— Harry estava conversando com ela, não estava, Harry?

Tio Válter esperou até Pedro estar longe da casa para brigar com Harry. Estava tão zangado que mal podia falar. Conseguiu apenas dizer:

— Vá... armário... Harry... sem comida.

Antes de desmontar em uma cadeira e tia Petúnia ter que correr para lhe servir uma boa dose de conhaque.

Muito mais tarde, deitado no seu armário, Harry desejou ter um relógio. Não sabia que horas eram e não tinha certeza se os Dursley já estariam dormindo. Até que estivessem, ele não poderia se arriscar a ir escondido até a cozinha buscar alguma coisa para comer.

Vivia com os Dursley havia quase dez anos, dez infelizes anos, desde que se lembrava, desde que era bebê e seus pais tinham morrido naquele acidente de carro. Não conseguia se lembrar de ter estado no carro quando os pais morreram. Às vezes, quando forçava a memória durante as longas horas em seu armário, lembrava-se de uma estranha visão: um lampejo ofuscante de luz verde e uma queimadura na testa. Isto, supunha ele, era o acidente, embora não conseguisse se lembrar de onde vinha toda aquela luz verde. Não conseguia lembrar nada dos pais. A tia e o tio nunca falavam neles e naturalmente tinham-no proibido de fazer perguntas. E não havia fotografias deles na casa.

Quando era mais novo, Harry sonhara muitas vezes com um parente desconhecido que vinha levá-lo embora, mas isto nunca acontecera; os Dursley eram sua única família. Ainda assim, ele achava (ou talvez fosse só uma esperança) que estranhos na rua o conheciam. E eram estranhos muito estranhos. Um homenzinho de cartola roxa se curvara para ele uma vez quando estava fazendo compras com tia Petúnia e Duda. Depois de perguntar a Harry, furiosa, se ele conhecia o homem, tia Petúnia tinha empurrado os meninos depressa para fora da loja sem comprar nada. Uma velha amalucada toda vestida de verde uma vez acenara alegremente para ele no ônibus. Um careca com um longo casaco púrpura chegara a apertar sua mão na rua um dia desses e em seguida se afastara sem dizer nada. A coisa mais estranha nessas pessoas era a maneira com que pareciam desaparecer no instante em que Harry tentava vê-las melhor.

Na escola, Harry não tinha ninguém. Todos sabiam que a turma de Duda odiava aquele estranho Harry Potter com suas roupas velhas e folgadas e os óculos remendados, e ninguém gostava de contrariar a turma de Duda.

# 3

## AS CARTAS DE NINGUÉM

A fuga da jiboia brasileira rendeu a Harry o seu castigo mais longo. Na altura em que lhe permitiram sair do armário, as férias de verão já haviam começado e Duda já quebrara a nova filmadora, acidentara o aeromodelo e, na primeira vez em que andara na bicicleta de corrida, derrubara a velha Sra. Figg quando ela atravessava a rua dos Alfeneiros de muletas.

Harry ficou contente que as aulas tivessem acabado, mas não conseguia escapar da turma de Duda, que visitava a casa todo dia. Pedro, Dênis, Malcolm e Górdon eram todos grandes e burros, mas como Duda era o maior e o mais burro do bando, era o líder. Os demais ficavam bastante felizes de participar do esporte favorito de Duda: perseguir Harry.

Por esta razão, Harry passava a maior parte do tempo possível fora de casa, perambulando e pensando no fim das férias, no qual conseguia vislumbrar um raiozinho de esperança. Quando setembro chegasse, ele iria para a escola secundária e, pela primeira vez na vida, não estaria em companhia de Duda. Duda tinha uma vaga na antiga escola de tio Válter, Smeltings. Pedro ia para lá também. Harry, por outro lado, ia para a escola secundária local. Duda achava muita graça nisso.

— Eles metem a cabeça dos garotos no vaso sanitário no primeiro dia de escola — contou ele a Harry —, quer ir lá em cima praticar?

— Não, obrigado — respondeu Harry. — O coitado do vaso nunca recebeu nada tão horrível quanto a sua cabeça, é capaz de passar mal. — E correu antes que Duda conseguisse entender o que dissera.

Certo dia de julho, tia Petúnia levou Duda a Londres para comprar o uniforme da Smeltings e deixou Harry com a Sra. Figg. A Sra. Figg não estava tão ruim quanto de costume. Afinal, fraturara a perna porque tropeçara em um dos gatos e não parecia gostar tanto deles quanto antes. Deixou Harry assistir à televisão e lhe deu um pedaço de bolo de chocolate que, pelo gosto, parecia ter muitos anos.

Naquela noite, Duda desfilou para a família reunida na sala de estar vestindo o uniforme novo da Smeltings. Os alunos da Smeltings usavam casaca marrom-avermelhada, calções cor de laranja e chapéus de palha. Carregavam também bengalas nodosas, que usavam para bater uns nos outros quando os professores não estavam olhando. Isto era considerado um bom treinamento para o futuro.

Ao contemplar Duda nos calções laranja novos, tio Válter disse com a voz embargada que aquele era o momento de maior orgulho em sua vida. Tia Petúnia rompeu em lágrimas e disse que não podia acreditar que era o seu Dudinha, estava tão bonito e adulto. Harry não confiou no que poderia dizer. Achou que duas de suas costelas talvez já tivessem partido só com o esforço para não rir.

Havia um cheiro horrível na cozinha na manhã seguinte quando Harry entrou para o café da manhã. Parecia vir de uma grande tina de metal dentro da pia. Ele se aproximou para espiar. A tina aparentemente estava cheia de trapos sujos que boiavam em água cinzenta.

– O que é isso? – perguntou à tia Petúnia. Os lábios dela se contraíram como costumavam fazer quando ele se atrevia a fazer uma pergunta.

– O seu uniforme novo de escola – respondeu.

Harry espiou para dentro da tina outra vez.

– Ah – comentou –, eu não sabia que tinha que ser tão molhado.

– Não seja idiota – retorquiu tia Petúnia com rispidez. – Estou tingindo de cinza umas roupas velhas de Duda para você. Vão ficar iguaizinhas às dos outros quando eu terminar.

Harry tinha sérias dúvidas, mas achou melhor não discutir. Sentou-se à mesa e tentou pensar na aparência que teria no primeiro dia de aula – como se estivesse usando retalhos de pele de elefante velho, provavelmente.

Duda e tio Válter entraram ambos com os narizes franzidos por causa do cheiro do novo uniforme de Harry. Tio Válter abriu o jornal como sempre fazia e Duda bateu na mesa com a bengala da Smeltings, que ele carregava para todo lado.

Ouviram o clique da portinhola para cartas e o som da correspondência caindo no capacho da porta.

– Apanhe o correio, Duda – disse tio Válter por trás do jornal.

– Mande o Harry apanhar.

– Apanhe o correio, Harry.

– Mande o Duda apanhar.

– Cutuque ele com a bengala da Smeltings, Duda.

Harry se esquivou da bengala da Smeltings e foi apanhar o correio. Havia três coisas no capacho: um postal da irmã do tio Válter, Guida, que estava passando férias na ilha de Wight, um envelope pardo que parecia uma conta e — *uma carta para Harry*.

Harry apanhou-a e ficou olhando, o coração vibrando como um elástico gigante. Ninguém, jamais, em toda a sua vida, lhe escrevera. Quem escreveria? Ele não tinha amigos nem outros parentes — não era sócio da biblioteca, de modo que jamais recebera sequer os bilhetes grosseiros pedindo a devolução de livros. Contudo, ali estava, uma carta, endereçada tão claramente que não podia haver engano.

Sr. H. Potter
*O armário sob a escada*
*Rua dos Alfeneiros 4*
*Little Whinging*
*Surrey*

O envelope era grosso e pesado, feito de pergaminho amarelado e endereçado com tinta verde-esmeralda. Não havia selo.

Quando virou o envelope, com a mão trêmula, Harry viu um lacre de cera púrpura com um brasão: um leão, uma águia, um texugo e uma cobra circulando uma grande letra "H".

— Anda depressa, moleque! — gritou tio Válter da cozinha. — Está fazendo o quê, procurando cartas-bombas? — E riu da própria piada.

Harry voltou à cozinha, ainda de olhos fixos na carta. Entregou a conta e o postal ao tio Válter, sentou-se e começou a abrir lentamente o envelope amarelo.

Tio Válter rasgou o envelope da conta, deu um bufo de desdém e virou o postal.

— Guida está doente — informou à tia Petúnia. — Comeu um marisco suspeito...

— Pai! — exclamou Duda de repente. — Pai, Harry recebeu uma carta!

Harry ia desdobrar a carta, escrita no mesmo pergaminho grosso que o envelope, quando tio Válter arrancou-a de sua mão.

— *É minha!* — disse Harry, tentando recuperá-la.

— Quem iria escrever para você? — zombou tio Válter, sacudindo a carta com uma das mãos para desdobrá-la e percorrendo-a com o olhar. Seu rosto passou de vermelho para verde mais rápido do que um sinal de trânsito.

E não parou aí. Segundos depois ficou branco-acinzentado, cor de mingau de aveia velho.

— P-P-Petúnia! — ofegou.

Duda tentou agarrar a carta para lê-la, mas tio Válter segurou-a no alto, fora do seu alcance. Tia Petúnia apanhou-a cheia de curiosidade e leu a primeira linha. Por um instante pareceu que ela talvez fosse desmaiar. Levou as duas mãos à garganta e soltou um ruído de engasgo.

— Válter! Ah, meu Deus, Válter!

Eles se encararam, parecendo ter esquecido que Harry e Duda continuavam na cozinha. Duda não estava acostumado a ser desprezado. Deu uma bengalada forte na cabeça do pai.

— Quero ler esta carta — falou alto.

— Quero lê-la — disse Harry, furioso —, porque é minha.

— Saiam, os dois — ordenou com voz rouca tio Válter, enfiando a carta no envelope.

Harry não se mexeu.

— QUERO MINHA CARTA! — gritou.

— Me deixa ver! — exigiu Duda.

— FORA! — berrou tio Válter e, agarrando os dois, Harry e Duda, pelo cangote, atirou-os no corredor e bateu a porta da cozinha. Harry e Duda na mesma hora tiveram uma briga furiosa, mas silenciosa, para saber quem ia escutar à fechadura; Duda ganhou, por isso Harry, os óculos pendurados em uma orelha, deitou-se de barriga no chão para escutar pela fresta entre a porta e o chão.

— Válter — disse tia Petúnia com voz trêmula —, olhe só o endereço. Como é que eles poderiam saber onde ele dorme? Você acha que estão vigiando a casa?

— Vigiando, espionando, talvez nos seguindo — murmurou tio Válter enlouquecido.

— Mas o que vamos fazer, Válter? Vamos responder à carta? Dizer a eles que não queremos...

Harry via os sapatos pretos lustrosos do tio Válter andando para cá e para lá na cozinha.

— Não — disse ele, decidido. — Não, vamos ignorá-la. Se não receberem uma resposta... É, é o melhor... não vamos fazer nada...

— Mas...

— Não vou ter um deles em casa, Petúnia! Nós não juramos, quando o recebemos, que íamos acabar com aquela bobagem perigosa?

\* \* \*

Aquela noite, quando voltou do trabalho, tio Válter fez uma coisa que nunca fizera antes; visitou Harry no armário.

– Cadê minha carta? – perguntou Harry, no instante em que tio Válter se espremeu pela porta. – Quem me escreveu?

– Ninguém. Endereçaram a você por engano – disse tio Válter secamente. – Queimei a carta.

– Não foi um engano – retrucou Harry com raiva –, tinha o endereço do meu armário.

– Calado! – gritou tio Válter, e algumas aranhas caíram do teto. Ele inspirou fundo algumas vezes e então fez força para produzir um sorriso que pareceu bem penoso.

"Hum, sim, Harry, sobre este armário. Sua tia e eu estivemos pensando... você realmente está ficando grande demais para ele... achamos que seria bom se você se mudasse para o segundo quarto de Duda."

– Por quê? – perguntou Harry.

– Não faça perguntas – disse com rispidez o tio. – Leve essas coisas para cima agora.

A casa dos Dursley tinha quatro quartos: um para tio Válter e tia Petúnia, um para hóspedes (em geral a irmã de tio Válter, Guida), um onde Duda dormia e um onde Duda guardava todos os brinquedos e pertences que não cabiam no primeiro quarto. Harry precisou de apenas uma viagem para mudar tudo o que tinha do armário para o quarto no andar de cima. Sentou-se na cama e deu uma olhada à sua volta. Quase tudo ali estava quebrado. A filmadora com apenas um mês de uso estava jogada em cima de um pequeno tanque com que certa vez Duda atropelara o cachorro do vizinho; no canto estava o primeiro televisor de Duda, no qual ele enfiara o pé quando seu programa favorito fora cancelado; havia uma grande gaiola de pássaros, antigamente habitada por um papagaio que Duda trocara na escola por uma espingarda de ar de verdade, que estava guardada numa prateleira com a ponta dobrada porque Duda se sentara em cima dela. Outras prateleiras estavam cheias de livros. Eram as únicas coisas no quarto que pareciam nunca ter sido tocadas.

Lá de baixo veio o barulho de Duda gritando com a mãe:

– Eu não *quero* ele lá... eu *preciso* daquele quarto... mande ele sair.

Harry suspirou e se esticou na cama. Ontem ele teria dado qualquer coisa para estar ali. Hoje, preferia estar no seu armário com aquela carta a ali em cima sem ela.

Na manhã seguinte, no café, todos estavam muito quietos. Duda estava em estado de choque. Berrara, batera no pai com a bengala, vomitara de propósito, dera pontapés na mãe e atirara sua tartaruga pelo teto da estufa de plantas e nem assim conseguira o quarto de volta. Harry pensava no dia anterior àquela hora, desejando com amargura que tivesse aberto a carta no hall. Tio Válter e tia Petúnia se entreolhavam, ameaçadores.

Quando o correio chegou, tio Válter, que parecia estar tentando ser agradável com Harry, fez Duda ir buscá-lo. Eles o ouviram bater nas coisas do corredor com a bengala da Smeltings. Então ele gritou:

– Chegou outra! Sr. H. Potter, O menor quarto da casa, Rua dos Alfeneiros 4...

Com um grito sufocado, tio Válter saltou da cadeira e saiu correndo pelo corredor, Harry logo atrás dele. Tio Válter teve que lutar e derrubar Duda no chão para lhe tirar a carta, o que foi dificultado por Harry, que agarrara o pescoço do tio Válter por trás. Depois de um minuto confuso de luta, em que todos levaram várias bengaladas, tio Válter se endireitou, ofegante, com a carta de Harry apertada na mão.

– Vá para o seu armário, quero dizer, para o seu quarto – chiou para Harry. – Duda, saia, saia logo.

Harry deu voltas e mais voltas no novo quarto. Alguém sabia que ele se mudara do armário e parecia saber que ele não recebera a primeira carta. Isto significava com certeza que ia tentar outra vez? E desta vez ele tomaria providências para que desse certo. Tinha um plano.

O despertador consertado tocou às seis horas na manhã seguinte. Harry desligou-o depressa e se vestiu em silêncio. Não podia acordar os Dursley. Desceu as escadas sorrateiro, sem acender nenhuma luz.

Ia esperar pelo carteiro na esquina da Alfeneiros e receber primeiro as cartas endereçadas ao número quatro. Seu coração batia com força quando atravessou sem fazer ruído o corredor escuro até a porta de entrada.

– Aaaaarrree!

Harry deu um salto no ar – pisara em alguma coisa grande e mole no capacho, uma coisa *viva*!

As luzes se acenderam no primeiro andar e, para seu horror, Harry percebeu que a coisa grande e mole tinha a cara do tio. Tio Válter estava dormindo junto à porta de entrada em um saco de dormir para impedir que Harry fizesse exatamente o que estava tentando fazer. Gritou com Harry por quase meia hora e depois lhe disse para ir preparar uma xícara de chá. Harry foi para a cozinha arrastando os pés, infeliz, e quando conseguiu voltar o correio tinha sido entregue, bem no colo de tio Válter. Harry viu três cartas endereçadas em tinta verde.

— Quero... — começou, mas tio Válter estava rasgando as cartas em pedacinhos bem diante dos seus olhos.

Tio Válter não foi trabalhar naquele dia. Ficou em casa e pregou a portinhola para cartas.

— Entende — explicou à tia Petúnia por entre os lábios cheios de pregos —, se eles não puderem *entregar* então terão de desistir.

— Não tenho muita certeza de que isto vai dar certo, Válter.

— Ah, a cabeça dessa gente funciona de maneira estranha, Petúnia, eles não são como você e eu — disse tio Válter tentando bater um prego com um pedaço de bolo de frutas que tia Petúnia acabara de lhe trazer.

Na sexta-feira chegaram nada menos de doze cartas para Harry. Como não passavam pela portinhola da correspondência tinham sido empurradas por baixo da porta, metidas pelos lados e algumas até forçadas pela janelinha do banheiro no térreo.

Tio Válter ficou em casa de novo. Depois de queimar todas as cartas, apanhou martelo e pregos e fechou com tábuas as frestas em volta das portas da frente e dos fundos, de modo que ninguém podia sair. Cantarolou "Pé ante pé no campo de tulipas" enquanto trabalhava, e se assustava com qualquer ruído.

No sábado, as coisas começaram a fugir ao seu controle. Vinte e quatro cartas acabaram entrando em casa, enroladas e escondidas nas duas dúzias de ovos que o leiteiro, muito confuso, entregara à tia Petúnia pela janela da sala de estar. Enquanto tio Válter dava telefonemas furiosos para o correio e a leiteria tentando encontrar alguém a quem se queixar, tia Petúnia picava as cartas no processador de alimentos.

— Mas quem é que quer falar tanto assim com *você*? — Duda perguntou espantado a Harry.

Na manhã do domingo, tio Válter sentou-se à mesa do café parecendo cansado e um tanto doente, mas feliz.

— Não tem correio aos domingos — lembrou a todos, contente, passando geleia nos jornais —, nada de cartas idiotas hoje...

Alguma coisa desceu chiando pela chaminé do fogão enquanto ele falava e bateu com força em sua nuca. No instante seguinte, trinta ou quarenta cartas saíram velozes da lareira como se fossem tiros. Os Dursley se abaixaram, mas Harry deu um salto no ar para apanhar uma...

— Fora! Fora!

Tio Válter agarrou Harry pela cintura e atirou-o no corredor. Depois que tia Petúnia e Duda tinham corrido para fora protegendo o rosto com os braços, tio Válter bateu a porta. Eles podiam ouvir as cartas disparando para dentro da cozinha, ricocheteando nas paredes e no chão.

— Já chega — disse tio Válter, tentando falar com calma, mas, ao mesmo tempo, arrancando tufos de pelos dos bigodes. — Quero vocês aqui de volta em cinco minutos prontos para sair. Vamos viajar. Ponham apenas algumas roupas nas malas. Não quero discussão!

Ele parecia tão perigoso com metade dos bigodes arrancados que ninguém se atreveu a discutir. Dez minutos depois eles tinham retirado as tábuas para passar nas portas e estavam no carro, correndo em direção à estrada. Duda fungava no banco traseiro; o pai tinha lhe dado um tapa na cabeça por atrasá-los tentando empacotar a televisão, o videocassete e o computador na mochila.

Eles dirigiram. E dirigiram. Nem tia Petúnia se atrevia a perguntar aonde iam. De vez em quando tio Válter fazia uma curva fechada e seguia na direção oposta por algum tempo.

— Para despistá-los... despistá-los — resmungava sempre que fazia isso.

Não pararam para comer nem beber o dia inteiro. Quando a noite caiu, Duda estava uivando. Nunca tivera um dia tão ruim na vida. Estava com fome, sentia falta dos cinco programas de televisão a que queria assistir e nunca levara tanto tempo sem explodir um alienígena no computador.

Tio Válter parou finalmente à porta de um hotel de aspecto sombrio na periferia de uma grande cidade. Duda e Harry dividiram um quarto com duas camas iguais e lençóis úmidos que cheiravam a mofo. Duda roncou, mas Harry ficou acordado, sentado no peitoril da janela, espiando as luzes dos carros que passavam enquanto pensava...

Comeram cereal velho e torradas com tomates enlatados frios no café da manhã do dia seguinte. Tinham acabado de comer quando a proprietária do hotel aproximou-se da mesa.

— Com licença, mas um dos senhores é o Sr. H. Potter? É que eu tenho umas cem dessas na recepção.

E ergueu uma carta para eles poderem ler o endereço em tinta verde:

>Sr. H. Potter
>Quarto 17
>Railview Hotel
>Cokeworth

Harry tentou pegar a carta, mas tio Válter afastou sua mão. A mulher ficou olhando.

— Eu recebo as cartas — disse tio Válter, levantando-se depressa e seguindo a mulher que se retirava do salão de refeições.

— Não seria melhor simplesmente irmos para casa, querido? — tia Petúnia sugeriu timidamente horas depois, mas tio Válter não parecia ouvi-la. Exatamente o que andava procurando ninguém sabia. Ele os levou até o meio de uma floresta, desceu do carro, espiou à volta, sacudiu a cabeça, tornou a embarcar no carro e partiram outra vez. A mesma coisa aconteceu no meio de um campo arado, no meio de uma ponte pênsil e no alto de um edifício-garagem.

— Papai enlouqueceu, não foi? — Duda perguntou, cansado, à tia Petúnia no fim daquela tarde. Tio Válter estacionara no litoral, passara a chave no carro com todos dentro e desaparecera.

Começou a chover. Grandes gotas batiam no teto do carro. Duda choramingou.

— É segunda-feira — falou à mãe. — O Grande Humberto vai se apresentar hoje à noite. Quero estar em algum lugar que tenha *televisão*.

Segunda-feira. Isto lembrou a Harry uma coisa. Se *era* segunda-feira — e em geral podia-se confiar que Duda soubesse os dias da semana, por causa da televisão —, então o dia seguinte, terça-feira, era o décimo primeiro aniversário de Harry. Naturalmente seus aniversários não eram lá muito divertidos — no ano anterior, os Dursley tinham-lhe dado um cabide e um par de meias velhas do tio Válter. Ainda assim, não se fazia onze anos todos os dias.

Tio Válter voltou sorrindo. Carregava um pacote comprido e fino e não respondeu à tia Petúnia quando ela perguntou o que comprara.

— Encontrei o lugar perfeito! — falou. — Vamos! Saiam todos!

Fazia muito frio do lado de fora do carro. Tio Válter apontou para o que parecia ser um grande rochedo no meio do mar. Encarrapitado no alto do rochedo havia o casebre mais miserável que se pode imaginar. Uma coisa era certa: ali não havia televisão.

— Estão anunciando uma tempestade para hoje! — disse tio Válter alegre, batendo palmas. — E este senhor teve a bondade de concordar em nos emprestar seu barco!

Um homem desdentado vinha descansadamente em direção a eles e apontava com um sorriso muito maldoso para um barco a remos velho que subia e descia nas águas cinza-grafite lá embaixo.

— Já comprei algumas rações para nós — disse tio Válter —, portanto, todos a bordo!

Fazia muito frio no barco. Salpicos de água gelada do mar escorriam pelos pescoços deles e um vento cortante fustigava seus rostos. Depois do que pareceram horas eles chegaram ao rochedo, onde tio Válter, escorregando, levou-os até a casa em ruínas.

O interior era horrível; cheirava a algas marinhas, o vento assobiava pelas frestas nas paredes de tábuas e a lareira estava úmida e vazia. Havia apenas dois cômodos.

Afinal as rações de tio Válter eram uma embalagem de cereal para cada um e quatro bananas. Ele tentou acender a lareira, mas a embalagem de cereal apenas fumegou e carbonizou.

— Aquelas cartas viriam a calhar agora, hein? — disse ele, animado.

Estava de muito bom humor. Obviamente achava que ninguém teria chance de alcançá-los ali, durante uma tempestade, para entregar cartas. Harry concordava intimamente, embora este pensamento não o animasse nem um pouco.

Quando a noite caiu, a tempestade prometida desabou ao redor deles. A espuma das altas ondas chapinhava nas paredes do casebre e um vento ameaçador sacudia as janelas imundas. Tia Petúnia encontrou uns cobertores mofados no quarto e preparou uma cama para Duda no sofá comido pelas traças. Ela e tio Válter foram se deitar na cama cheia de calombos ao lado e deixaram Harry procurar a parte mais macia do soalho e se enrolar no cobertor mais rasgado e ralo.

A tempestade rugia cada vez com maior ferocidade à medida que a noite avançava. Harry não conseguia dormir. Tremia e revirava, tentando encontrar uma posição confortável, seu estômago roncando de fome. Os roncos de Duda eram abafados pela trovoada que começou por volta da meia-noite.

O mostrador luminoso do relógio de Duda, que estava pendurado para fora do sofá em seu pulso gordo, informava a Harry que dentro de dez minutos ele completaria onze anos. Deitado, ele viu seu aniversário se aproximar, perguntando-se se os Dursley se lembrariam, perguntando-se onde estaria o remetente das cartas agora.

Faltavam cinco minutos. Harry ouviu alguma coisa estalar lá fora. Desejou que o teto não caísse, embora quem sabe conseguisse se esquentar se isto acontecesse. Quatro minutos. Talvez a casa na rua dos Alfeneiros estivesse tão abarrotada de cartas que, quando voltassem, ele pudesse surrupiar uma.

Três minutos. Seria o mar batendo tão forte na rocha? E (faltavam dois minutos) que barulho esquisito de trituração era aquele? Será que a rocha estava se desintegrando no mar?

Mais um minuto e ele completaria onze anos. Trinta segundos... vinte... dez – nove – talvez acordasse Duda, só para aborrecê-lo – três – dois – um...

BUM.

O casebre todo estremeceu e Harry sentou-se reto, arregalando os olhos para a porta. Havia alguém lá fora, que batia, querendo entrar.

## 4

## O GUARDIÃO DAS CHAVES

Bum. Bateram outra vez. Duda acordou assustado.
— Onde está o canhão? — perguntou abobado.
Ouviram alguma coisa cair atrás deles e tio Válter entrou derrapando pela sala. Trazia um rifle nas mãos — agora sabiam o que era aquele pacote fino e comprido que ele carregava.
— Quem está aí? — gritou. — Olha que estou armado!
Silêncio. E em seguida...
Blam!
A porta levou uma pancada tão violenta que se soltou das dobradiças e, com um baque ensurdecedor, desabou no chão.
Um homem gigantesco estava parado ao portal. Tinha o rosto completamente oculto por uma juba muito peluda e uma barba selvagem e desgrenhada, mas dava para se ver seus olhos, luzindo como besouros pretos debaixo de todo aquele cabelo.
O gigante espremeu-se para entrar no casebre, curvando-se de modo que a cabeça apenas roçou o teto. Abaixou-se, apanhou a porta e tornou a encaixá-la sem esforço no portal. O ruído da tempestade lá fora diminuiu um pouco. Ele se virou para encarar todos.
— Não poderia preparar uma xícara de chá para nós, poderia? Não foi uma viagem fácil...
E dirigiu-se ao sofá onde Duda estava paralisado de medo.
— Chegue para lá, gordão — disse o estranho.
Duda soltou um guincho e correu a se esconder atrás da mãe, que parara encolhida, aterrorizada, atrás de tio Válter.
— Ah, e aqui está o Harry! — disse o gigante.
Harry ergueu os olhos para a cara feroz e selvagem em sombras e viu que os olhos de besouro se enrugavam em um sorriso.
— A última vez que te vi, você era um bebê — disse o gigante. — Você parece muito com o seu pai, mas tem os olhos da sua mãe.
Tio Válter fez um som estranho e rascante.

— Exijo que saia imediatamente! — disse. — O senhor invadiu minha casa!

— Ah, cala a boca, Dursley, seu cara de passa — disse o gigante; esticou o braço para trás do sofá e arrancou a arma das mãos de tio Válter, vergou-a no meio como se ela fosse de borracha e atirou-a a um canto da sala.

Tio Válter fez outro som esquisito, como um camundongo sendo pisado.

— Em todo caso, Harry — disse o gigante, dando as costas para os Dursley —, feliz aniversário para você. Tenho uma coisa para você aqui; talvez tenha sentado nela sem querer, mas o gosto continua bom.

De um bolso interno do casaco preto ele tirou uma caixa meio amassada. Harry abriu-a com os dedos trêmulos. Dentro havia um grande e pegajoso bolo de chocolate com a frase *Feliz Aniversário Harry* escrita em glacê verde.

Harry olhou para o gigante. Quis dizer obrigado, mas as palavras se perderam a caminho da boca, e em lugar disso o que disse foi:

— Quem é você?

O gigante deu uma risada abafada.

— É verdade, não me apresentei. Rúbeo Hagrid, Guardião das Chaves e das Terras de Hogwarts.

Estendeu a mão enorme e sacudiu o braço inteiro de Harry.

— E que tal o chá, hein? — perguntou esfregando as mãos. — Eu não diria não a uma pessoa mais forte, se é que você me entende.

Seus olhos bateram na lareira vazia em que ficara o pacote carbonizado de cereal e ele soltou uma risadinha desdenhosa. Curvou-se para a lareira; não viram o que ele estava fazendo, mas quando se afastou um segundo depois, havia dentro dela um clarão ribombante. O fogo estrondoso encheu todo o casebre úmido com sua luz tremeluzente e Harry sentiu o calor envolvê-lo como se tivesse mergulhado em um banho quente.

O gigante se recostou no sofá, que afundou um pouco sob o seu peso, e começou a tirar coisas de todo gênero dos bolsos do casaco: uma chaleira de cobre, uma embalagem amassada de salsichas, um espeto, um bule de chá, várias xícaras lascadas e uma garrafa de um líquido âmbar de que ele tomou um gole antes de começar a preparar o chá. Logo o casebre se encheu com o ruído e o cheiro de salsichas fritas. Ninguém disse nada enquanto o gigante trabalhava, mas assim que ele tirou as primeiras salsichas gordas e suculentas, ligeiramente queimadas, do espeto, Duda se mexeu. Tio Válter disse com rispidez:

— Não toque em nada que ele lhe der, Duda.

O gigante deu uma risadinha ameaçadora.

— Esse pudim de banha do seu filho não precisa engordar mais, Dursley, não se preocupe.

E passou as salsichas para Harry, que estava tão faminto e nunca provara nada tão maravilhoso, mas ainda assim não conseguia tirar os olhos do gigante. Finalmente, como ninguém parecia disposto a explicar nada, ele disse:

— Me desculpe, mas continuo sem saber realmente quem você é.

O gigante tomou um grande gole de chá e limpou a boca com as costas da mão.

— Me chame de Hagrid, é como todos me chamam. E como lhe disse, sou o guardião das chaves de Hogwarts. Você sabe tudo sobre Hogwarts, é claro.

— Hum, não — disse Harry.

Hagrid pareceu chocado.

— Sinto muito — apressou-se Harry a dizer.

— Sente muito? — vociferou Hagrid, virando-se para encarar os Dursley, que tinham recuado para as sombras. — Eles é que deviam sentir muito! Eu sabia que você não estava recebendo as cartas, mas nunca pensei que nem ao menos sabia da existência de Hogwarts, caramba! Você nunca se perguntou onde foi que seus pais aprenderam tudo?

— Tudo o quê? — perguntou Harry.

— TUDO O QUÊ? — berrou Hagrid. — Ora, espere aí um segundo!

Ele se levantara de um salto. Na raiva, parecia encher o casebre todo. Os Dursley se encolhiam contra a parede.

— Vocês vão querer me dizer — rosnou para os Dursley — que este menino, este menino!, não sabe nada, de NADA?

Harry achou que a coisa estava indo longe demais. Afinal, tinha frequentado a escola e suas notas não eram ruins.

— Eu sei *alguma* coisa — falou. — Sei, sabe, matemática e outras coisas.

Mas Hagrid dispensou-o com um abano de mão e disse:

— Do *nosso* mundo, quero dizer. *Seu* mundo. *Meu* mundo. *O mundo dos seus pais.*

— Que mundo?

Hagrid parecia prestes a explodir.

— DURSLEY! — urrou ele.

Tio Válter, que ficara muito pálido, murmurou alguma coisa ininteligível. Hagrid olhou alucinado para Harry.

— Mas você deve saber quem foram sua mãe e seu pai — disse. — Quero dizer, eles são *famosos*. Você é *famoso*.

— Quê? Meu pai e minha mãe eram famosos?

— Você não sabe... você não sabe... — Hagrid correu os dedos pelos cabelos, fixando em Harry um olhar perplexo. — Você não sabe quem é? — perguntou finalmente.

Tio Válter de repente encontrou a voz.

— Pare! — ordenou. — Pare agora mesmo! Eu o proíbo de contar qualquer coisa ao menino!

Um homem mais corajoso do que Válter Dursley teria se intimidado com o olhar furioso que Hagrid lhe deu; quando Hagrid falou, cada sílaba tremia de raiva.

— Você nunca contou? Nunca contou o que Dumbledore deixou escrito naquela carta para ele? Eu estava lá! Eu vi Dumbledore deixar a carta, Dursley! E você escondeu dele todos esses anos?

— Escondeu o quê de mim? — perguntou Harry, ansioso.

— Pare! Eu o proíbo! — gritou tio Válter em pânico.

Tia Petúnia deixou escapar um grito sufocado de horror.

— Ah, vão tomar banho, vocês dois — disse Hagrid. — Harry, você é um bruxo.

O casebre mergulhou em silêncio. Ouviam-se apenas o mar e o assobio do vento.

— Eu sou o quê? — ofegou Harry

— Um bruxo, é claro — repetiu Hagrid, recostando-se no sofá, que gemeu e afundou ainda mais —, e um bruxo de primeira, eu diria, depois que receber um pequeno treino. Com uma mãe e um pai como os seus, o que mais você poderia ser? E acho que já está na hora de ler a sua carta.

Harry estendeu a mão finalmente para receber o envelope meio amarelo e endereçado em tinta verde para Sr. H. Potter, O Soalho, Casebre-sobre-o-Rochedo, O Mar. Ele puxou a carta e leu:

ESCOLA DE MAGIA E BRUXARIA DE HOGWARTS

Diretor: *Alvo Dumbledore*
(Ordem de Merlim, Primeira Classe, Grande Feiticeiro, Bruxo Chefe,
Cacique Supremo, Confederação Internacional de Bruxos)

Prezado Sr. Potter,

*Temos o prazer de informar que V. Sa. tem uma vaga na Escola de Magia e Bruxaria de Hogwarts. Estamos anexando uma lista dos livros e equipamentos necessários.*

O ano letivo começa em 1º de setembro. Aguardamos sua coruja até 31 de julho, no mais tardar.

Atenciosamente,

Minerva McGonagall
Diretora Substituta

As perguntas explodiam na cabeça de Harry como fogos de artifício, e ele não conseguia decidir o que perguntar primeiro. Passados alguns minutos, gaguejou:

— O que querem dizer com "estão aguardando a minha coruja"?

— Gárgulas galopantes! Isto me lembra uma coisa — disse Hagrid, batendo a mão na testa com força suficiente para derrubar um cavalo, e de outro bolso interno do casaco tirou uma coruja, uma coruja de verdade, viva, meio arrepiada, uma longa pena e um rolo de pergaminho. Com a língua entre os dentes, ele rabiscou um bilhete que Harry pôde ler de cabeça para baixo:

*"Prezado Sr. Dumbledore,*
*Entreguei a carta a Harry. Vou levá-lo amanhã para comprar o material. O tempo esta horrível. Espero que o senhor esteja bem.*
*Hagrid."*

Hagrid enrolou o pergaminho, entregou-o à coruja, que o prendeu no bico, depois ele foi até a porta e lançou a ave na tempestade. Quando voltou, sentou-se como se aquilo fosse tão normal quanto pegar o telefone.

Harry percebeu que sua boca se abrira e fechou-a rapidamente.

— Onde é que eu estava? — disse Hagrid, mas, naquele momento, tio Válter, ainda cor de cera, mas parecendo muito furioso, adiantou-se até a luz da lareira.

— Ele não vai — falou.

Hagrid resmungou.

— Eu gostaria de ver um grande trouxa como você impedi-lo — respondeu.

— Um o quê? — perguntou Harry, interessado.

— Um trouxa — disse Hagrid. — É como chamamos gente que não é mágica como nós. E você teve o azar de ser criado na família dos maiores trouxas que já vi na vida.

— Juramos quando o aceitamos que poríamos um fim nessa bobagem — disse tio Válter —, juramos que erradicaríamos isso nele. Bruxo, francamente!
— Você *sabia*? — perguntou Harry. — Você *sabia* que sou um... bruxo?
— Sabia! — guinchou tia Petúnia de repente. — *Sabia*! Claro que sabíamos! Como poderia não ser, a maldita da minha irmã sendo o que era? Ah, ela recebeu uma carta igual a essa e desapareceu, foi para aquela... aquela *escola*... e voltava para casa nas férias com os bolsos cheios de ovas de sapo, transformando xícaras em ratos. Eu era a única que a via como ela era... uma aberração da natureza! Mas para minha mãe e meu pai, ah, não, era Lílian isso e Lílian aquilo, tinham orgulho de ter uma bruxa na família!

Ela parou para respirar profundamente e aí continuou seu discurso. Parecia que estava querendo dizer aquilo havia anos.

— Então ela conheceu Potter na escola e eles saíram de casa, casaram e tiveram você, e é claro que eu sabia que você ia ser igual, esquisito, *anormal*, e então ela vai e me faz o favor de se explodir e nos deixar entalados com você!

Harry ficara muito branco. Assim que encontrou a voz, disse:
— Se explodir? Você me disse que eles morreram num acidente de carro!
— ACIDENTE DE CARRO! — rugiu Hagrid, erguendo-se com tanta raiva que os Dursley voltaram correndo para o canto da sala. — Como é que um acidente de carro poderia matar Lílian e Tiago Potter? Isto é um absurdo! Um escândalo! E Harry Potter não conhecer a própria história, quando qualquer garoto no nosso mundo conhece o nome dele!

— Mas por quê? O que aconteceu? — perguntou Harry, ansioso.
A raiva desapareceu do rosto de Hagrid. Ele pareceu repentinamente aflito.

— Eu nunca esperei isso — disse numa voz contida e preocupada. — Eu não fazia ideia do quanto você desconhecia, quando Dumbledore me disse que eu poderia ter problemas para encontrá-lo. Ah, Harry, não sei se sou a pessoa certa para lhe contar, mas alguém tem de contar, você não pode viajar para Hogwarts sem saber.

Ele lançou um olhar feio aos Dursley.
— Bom, é melhor você saber o que eu puder lhe contar, mas não posso lhe contar tudo, são um grande mistério, algumas partes...

Ele se sentou, fitou o fogo durante alguns segundos e então falou:
— Começa, eu acho, com... com uma pessoa chamada... mas é incrível você não saber o nome dele, todo mundo no nosso mundo sabe...

— Quem?
— Bom... não gosto de dizer o nome dele se puder evitar. Ninguém gosta.

— Por que não?
— Gárgulas vorazes, Harry, as pessoas ainda estão apavoradas. Droga, como é difícil. Olha, havia um bruxo que virou... mau. Tão mau quanto alguém pode virar. Pior. Pior do que o pior. O nome dele era... Hagrid engoliu em seco, mas não conseguiu dizer nada.
— E se você escrevesse? — sugeriu Harry.
— Não, não sei soletrar o nome dele. Está bem, *Voldemort*. — Hagrid estremeceu. — Não me faça repetir. Em todo o caso, esse... esse bruxo, faz uns vinte anos agora, começou a procurar seguidores. E conseguiu, alguns por medo, outros porque queriam ter um pouco do poder dele, sim, porque ele estava ficando poderoso. Dias funestos, Harry, ninguém sabia em quem confiar, ninguém se atrevia a ficar amigo de bruxas ou bruxos desconhecidos... Coisas horríveis aconteciam. Ele estava tomando o poder. É claro que algumas pessoas se opuseram a ele, e ele as matou. Terrível. Um dos únicos lugares seguros que restaram foi Hogwarts. Acho que Dumbledore era o único de quem Você-Sabe-Quem tinha medo. Não ousou se apoderar da escola, não no começo, pelo menos.

"Ora, sua mãe e seu pai eram os melhores bruxos que eu já conheci. Primeiros alunos em Hogwarts no seu tempo! Suponho que o mistério era por que Você-Sabe-Quem nunca tentou convencer os dois a se aliar a ele antes... provavelmente sabia que eram muito chegados a Dumbledore para querer alguma coisa com o lado das trevas.

"Talvez ele achasse que podia convencê-los... talvez quisesse tirar os dois do caminho. Só o que sabemos é que ele apareceu no vilarejo em que vocês estavam morando, num Dia das Bruxas, faz dez anos. Na época, você só tinha um ano. Ele foi à sua casa e... e..."

Hagrid puxou depressa um lenço muito sujo e manchado e assoou o nariz, fazendo o barulho de uma buzina de nevoeiro.

— Desculpe — disse. — Mas é muito triste, conheci sua mãe e seu pai e não podia existir gente melhor... Em todo o caso... Você-Sabe-Quem matou os dois. E então, e esse é o verdadeiro mistério da coisa, ele tentou matar você. Queria fazer o serviço completo, acho, ou então tinha começado a gostar de matar. Mas não conseguiu. Você nunca se perguntou como arranjou essa cicatriz na testa? Isso não foi um corte normal. Isso é o que se ganha quando um feitiço poderoso e maligno atinge a gente; destruiu os seus pais e até a sua casa, mas não fez efeito em você, e é por isso que você é famoso, Harry. Ninguém nunca sobrevivia depois que ele decidia matar, ninguém a não ser você, e ele já havia matado alguns dos melhores bruxos da época, os McKinnon, os Bone, os Prewett, e você era apenas um bebê, e sobreviveu.

Algo muito doloroso passou pela cabeça de Harry. Quando a história de Hagrid ia terminando, ele viu de novo um lampejo ofuscante de luz verde, com mais clareza do que se lembrava antes – e se lembrou de mais uma coisa, pela primeira vez na vida: uma risada alta, fria e cruel.

Hagrid o observava com tristeza.

– Eu mesmo o retirei da casa destruída, por ordem de Dumbledore. Trouxe você para essa gente...

– Um monte de baboseiras antigas – disse tio Válter.

Harry se assustou, quase esquecera que os Dursley estavam ali. Tio Válter, sem dúvida, tinha recuperado a coragem. Olhava ameaçador para Hagrid e tinha os punhos fechados.

– Agora, ouça aqui, moleque – vociferou –, aceito que você seja meio estranho, provavelmente nada que uma boa surra não pudesse ter curado, e quanto aos seus pais, bem, eles eram excêntricos, não há como negar, e o mundo está melhor sem eles, receberam o que mereciam por se meter com essa gente dada a bruxarias, foi o que previ, sempre soube que iam acabar mal...

Mas naquele instante, Hagrid ergueu-se de um salto do sofá e puxou um guarda-chuva cor-de-rosa e arrebentado de dentro do casaco. Apontou-o como uma espada para tio Válter, e disse:

– Estou lhe avisando, Dursley, estou lhe avisando, nem mais uma palavra...

Ameaçado de ser furado pela ponta de um guarda-chuva por um gigante barbudo, a coragem de tio Válter fraquejou outra vez; ele se achatou contra a parede e ficou em silêncio.

– Assim está melhor – disse Hagrid, arquejando e tornando a se sentar no sofá, que desta vez afundou de vez até o chão.

Harry, nesse meio-tempo, continuava a ter perguntas a fazer, centenas delas.

– Mas o que aconteceu ao Vol... desculpe... quero dizer, Você-Sabe--Quem?

– Boa pergunta, Harry. Desapareceu. Sumiu. Na mesma noite em que tentou matar você. O que faz você ainda mais famoso. É o maior mistério, entende... ele estava ficando cada dia mais poderoso, por que foi embora?

"Tem quem diga que ele morreu. Besteira, na minha opinião. Não sei se ainda tinha humanidade suficiente para morrer. Tem quem diga que ainda está lá fora esperando, ou coisa parecida, mas não acredito. Gente que estava do lado dele voltou para o nosso. Uns pareciam que estavam saindo de uma espécie de transe. Acho que não teriam feito isso se ele fosse voltar. "A maioria de nós acha que ele ainda anda por aí, mas perdeu os poderes. Está fraco demais para continuar. Porque alguma coisa em você acabou com ele, Harry. Aconteceu alguma coisa, naquela noite, com que ele não estava contando, eu não sei o que foi, ninguém sabe, mas alguma coisa em você o atrapalhou, para valer."

Hagrid fitou Harry com calor e respeito iluminando seus olhos, mas Harry, em vez de se sentir contente e orgulhoso, teve a certeza de que tinha havido um terrível engano. Bruxo? Ele? Como era possível? Passara a vida dominado por Duda e infernizado pela tia Petúnia e pelo tio Válter; se era realmente um bruxo, por que eles não tinham se transformado em sapos toda vez que tentaram prendê-lo no armário? Se uma vez derrotara o maior feiticeiro do mundo, como é que Duda sempre pudera chutá-lo para cá e para lá como se fosse uma bola de futebol?

— Rúbeo — disse calmo —, acho que você deve ter cometido um engano. Acho que não posso ser um bruxo.

Para sua surpresa, Hagrid deu uma risadinha abafada.

— Não é bruxo, hein? Nunca fez nada acontecer quando estava apavorado ou zangado?

Harry olhou para o fogo. Pensando bem... cada coisa estranha que deixara os seus tios furiosos tinha acontecido quando ele, Harry, estava chateado ou com raiva... perseguido pela turma de Duda, pusera-se de repente fora do seu alcance... receoso de ir para a escola com aquele corte ridículo, conseguira fazer os cabelos crescerem de novo... e da última vez que Duda batera nele, não fora à forra sem perceber que estava fazendo isto? Não mandara uma cobra atacá-lo?

Harry olhou para Hagrid, sorrindo, e viu que ele ria abertamente para ele.

— Viu? — disse Hagrid. — Harry Potter não é bruxo? Espere, você vai ser famoso em Hogwarts.

Mas tio Válter não ia ceder sem brigar.

— Eu já não disse que ele não vai? — sibilou. — Ele vai para a escola secundária local e vai me agradecer por isso. Li aquelas cartas e dizem que ele precisa de um monte de lixo... livros de feitiços, varinhas mágicas e...

— Se ele quiser ir, um trouxão como você não vai poder impedir — resmungou Hagrid, raivoso. — Impedir o filho de Lílian e Tiago Potter de ir para Hogwarts! Você enlouqueceu. Ele está inscrito desde que nasceu. Vai frequentar a melhor escola de magia e bruxaria do mundo. Sete anos lá e ele nem vai se reconhecer. Vai estudar com garotos iguais a ele, para variar, e vai estudar com o maior mestre que Hogwarts já teve, Alvo Dumbled...

— NÃO VOU PAGAR A NENHUM VELHO BIRUTA E PATETA PARA ENSINÁ-LO A FAZER MÁGICAS! — gritou tio Válter.

Mas ele finalmente fora longe demais. Hagrid agarrou o guarda-chuva e girou-o por cima da cabeça.

— NUNCA — trovejou — INSULTE... ALVO... DUMBLEDORE... NA... MINHA FRENTE!

E girou o guarda-chuva no ar baixando-o até apontar para Duda — houve um lampejo de luz violeta, o estalo de uma bombinha, um grito agudo e, no segundo seguinte, Duda estava dançando no mesmo lugar com as mãos apertando a barriga banhuda, guinchando de dor. Quando Duda virou de costas, Harry viu um rabo de porco enroscado saindo de um buraco nas calças dele.

Tio Válter urrou. Puxando tia Petúnia e Duda para o quarto, lançou um último olhar aterrorizado a Hagrid e bateu a porta ao sair.

Hagrid olhou para o guarda-chuva e coçou a barba.

— Não devia ter perdido as estribeiras — disse arrependido —, mas em todo o caso saiu errado. Queria transformá-lo em porco, mas acho que ele já parecia tanto com um que não pude fazer muita coisa.

E olhou de esguelha para Harry, por baixo das sobrancelhas peludas.

— Fico agradecido se não contar isso para ninguém em Hogwarts — falou. — Não, hum, tenho permissão para fazer mágicas, rigorosamente falando. Permitiram que eu fizesse alguma coisa para seguir você e entregar as cartas e coisas assim, uma das razões por que eu queria tanto este trabalho.

— Por que você não pode fazer mágicas? — perguntou Harry.

— Ah, bom... eu estudei em Hogwarts, mas... hum... fui expulso, para falar a verdade. No terceiro ano. Eles partiram a minha varinha ao meio e tudo o mais. Mas Dumbledore me deixou ficar como guarda-caça. Grande sujeito, o Dumbledore.

— Por que você foi expulso?

— Já está ficando tarde e temos muito o que fazer amanhã — disse Hagrid em voz alta. — Temos que ir à cidade, comprar os seus livros e tudo o mais.

Ele tirou o grosso casaco preto e atirou-o a Harry.

— Pode ficar com ele. Não se assuste se ele se mexer um pouco, acho que ainda tenho uns ratos-do-campo em um dos bolsos.

# 5

## O BECO DIAGONAL

Harry acordou cedo na manhã seguinte. Embora soubesse que já era dia, continuou com os olhos bem fechados.

"Foi um sonho", disse a si mesmo com firmeza. "Sonhei que um gigante chamado Rúbeo Hagrid veio me dizer que eu ia para uma escola de magia. Quando abrir os olhos estarei em casa no meu armário."

De repente ouviu um ruído alto de batidas.

"É a tia Petúnia batendo na porta", pensou Harry, desanimando. Mas, ainda assim, não abriu os olhos. Tinha sido um sonho tão bom.

Bum. Bum. Bum.

— Está bem — resmungou Harry. — Já estou levantando.

Sentou-se e o pesado casaco de Hagrid escorregou de seu corpo. O casebre estava inundado de sol, a tempestade passara, o próprio Hagrid estava dormindo no sofá desmontado e havia uma coruja batendo com a garra na janela, trazendo um jornal no bico.

Harry ergueu-se de um pulo, sentia-se feliz como se houvesse um grande balão crescendo dentro dele. Foi direto à janela e abriu-a com um puxão. A coruja entrou voando e deixou cair o jornal em cima de Hagrid, que nem acordou. A coruja então voou pelo chão e começou a atacar o casaco do gigante Hagrid.

— Não faça isso.

Harry tentou espantar a coruja, mas ela o ameaçou com o bico e continuou a atacar ferozmente o casaco.

— Rúbeo! — chamou Harry em voz alta. — Tem uma coruja...

— Pague a ela — resmungou Hagrid dentro do sofá.

— Quê?

— Ela quer receber o pagamento pela entrega do jornal. Procure nos bolsos.

O casaco de Hagrid parecia ser feito só de bolsos – molhos de chaves, fichas de metal, rolinhos de barbante, balas de hortelã, saquinhos de chá... e, finalmente, Harry puxou um punhado de moedas estranhas.

— Dê a ela cinco nuques — disse Hagrid, sonolento.
— Nuques?
— As moedinhas de bronze.

Harry contou cinco moedinhas de bronze e a coruja esticou a perna para ele enfiar o dinheiro numa carteirinha de couro que trazia presa. Em seguida, saiu voando pela janela aberta.

Hagrid bocejou alto, sentou-se, espreguiçou-se.

— É melhor nos despacharmos, Harry, temos muito o que fazer hoje, temos que ir a Londres comprar todo o seu material escolar.

Harry revirava as moedas mágicas para examiná-las. Acabara de pensar em uma coisa que o fez se sentir como se o balão da felicidade que havia dentro dele tivesse furado.

— Hum... Hagrid?

— Hum? — respondeu Rúbeo, calçando as enormes botas.

— Não tenho dinheiro nenhum, e você ouviu tio Válter à noite passada, ele não vai pagar para eu aprender magia.

— Não se preocupe com isso — disse Hagrid, coçando a cabeça enquanto se levantava. — Você acha que seus pais não lhe deixaram nada?

— Mas se a casa foi destruída...

— Eles não guardavam o ouro que tinham em casa, garoto! Não, nossa primeira parada vai ser em Gringotes. O banco dos bruxos. Coma uma salsicha, elas não são ruins frias, e eu não deixaria de comer uma fatia do seu bolo de aniversário.

— Bruxos têm *bancos*?

— Só este. Gringotes. É administrado por duendes.

Harry deixou cair o pedaço de salsicha que tinha na mão.

— *Duendes?*

— É, é por isso que só um louco tentaria roubar o banco, é o que lhe digo. Nunca se meta com duendes, Harry. Gringotes é o lugar mais seguro do mundo para qualquer coisa que você queira guardar bem, com exceção de Hogwarts, talvez. Aliás, preciso mesmo ir a Gringotes. Para Dumbledore. Negócios de Hogwarts. — Hagrid se endireitou, orgulhoso. — Ele sempre me manda tratar de assuntos que acha importantes. Buscar você, pegar coisas em Gringotes, sabe que pode confiar em mim, entende? Apanhou tudo? Vamos, então.

Harry seguiu Hagrid em direção ao rochedo. O céu estava bem claro agora e o mar cintilava ao sol. O barco que tio Válter alugara continuava lá, com muita água no fundo depois da tempestade.

— Como foi que você chegou aqui? — perguntou Harry, procurando um segundo barco.

— Voando — respondeu Hagrid.

— *Voando?*

— É... mas vamos voltar nisso aí. Não tenho permissão de usar mágica depois de apanhar você.

Eles se acomodaram no barco, Harry ainda de olhos arregalados para Hagrid, tentando imaginá-lo voando.

— Mas parece um desperdício remar — disse Hagrid, lançando a Harry um dos seus olhares de esguelha. — Se eu quisesse... hum... apressar um pouco as coisas, você se importaria de não dizer nada em Hogwarts?

— Claro que não — falou Harry, ansioso para ver mais mágicas. Hagrid puxou outra vez o guarda-chuva cor-de-rosa, deu duas pancadinhas no lado do barco e eles dispararam em direção ao continente.

— Por que só um louco tentaria roubar Gringotes? — perguntou Harry.

— Feitiços... encantamentos — disse Hagrid desdobrando o seu jornal. — Dizem que há dragões guardando os cofres de segurança. E depois é preciso conhecer o caminho. Gringotes fica embaixo de Londres, centenas de quilômetros abaixo, entenda. Mais fundo que o metrô. Você morreria de fome tentando sair de lá, mesmo que conseguisse pôr as mãos em alguma coisa.

Harry ficou sentado pensando no que ouvira enquanto Hagrid lia o jornal, *Profeta Diário*. Harry aprendera com o tio Válter que as pessoas gostavam de ser deixadas em paz quando faziam isso, mas era muito difícil, nunca tivera tantas perguntas para fazer na vida.

— O Ministério da Magia anda aprontando as trapalhadas de sempre — resmungou Hagrid, virando a página.

— Tem um Ministério da Magia? — perguntou Harry antes que conseguisse se conter.

— Claro. Queriam nomear Dumbledore ministro, é claro, mas ele nunca ia largar Hogwarts, então o velho Cornélio Fudge ficou com o cargo. Trapalhão como ele só. Por isso ele bombardeia Dumbledore com corujas, toda manhã, pedindo conselhos.

— Mas o que é que o Ministério da Magia *faz*?

— Bom, a principal tarefa é esconder dos trouxas que ainda existem bruxas e bruxos andando pelo país.

— Por quê?

— *Por quê?* Ora, Harry, todo mundo ia querer solucionar os problemas com mágicas. Não, é melhor que nos deixem em paz.

Nesse instante, o barco bateu suavemente na parede do cais. Hagrid dobrou o jornal e eles subiram os degraus de pedra que levavam à rua.

As pessoas que passavam olhavam muito para Hagrid enquanto os dois atravessavam a cidadezinha até a estação. Harry não podia culpá-los. Não só Hagrid era duas vezes mais alto do que todo mundo, como também não parava de apontar para coisas absolutamente comuns como parquímetros e comentar em voz alta:

– Está vendo isso, Harry? As coisas que esses trouxas inventam, hein?

– Rúbeo – disse Harry, meio ofegante de correr para acompanhar o passo dele. – Você disse que há *dragões* em Gringotes?

– Bem, é o que dizem – falou Hagrid. – Maneiro, eu gostaria de ter um dragão.

– Você gostaria de *ter* um?

– Sempre quis ter um desde pequeno... É aqui que vamos.

Tinham chegado à estação. Haveria um trem para Londres dali a cinco minutos. Hagrid, que não entendia o dinheiro dos trouxas, como o chamava, entregou as notas a Harry para comprar as passagens.

No trem, as pessoas ficaram olhando ainda mais. Hagrid ocupou dois lugares e se pôs a tricotar uma coisa amarelo-canário que lembrava uma lona de circo.

– Você guardou sua carta, Harry? – perguntou enquanto contava as malhas do tricô.

Harry tirou o envelope de pergaminho do bolso.

– Ótimo. Aí tem uma lista de tudo que você vai precisar.

Harry desdobrou um segundo pedaço de papel em que não reparara na noite anterior e leu:

### Escola de Magia e Bruxaria de Hogwarts

Uniforme

*Os estudantes do primeiro ano precisam de:*
1. *Três conjuntos de vestes comuns de trabalho (pretas)*
2. *Um chapéu pontudo simples (preto) para uso diário*
3. *Um par de luvas protetoras (couro de dragão ou similar)*
4. *Uma capa de inverno (preta com fechos prateados)*

*As roupas do aluno devem ter etiquetas com seu nome.*

Livros

Os alunos devem comprar um exemplar de cada um dos seguintes:
Livro padrão de feitiços (1ª série) de Miranda Goshawk
História da magia de Batilda Bagshot
Teoria da magia de Adalberto Waffling
Guia de transfiguração para iniciantes de Emerico Switch
Mil ervas e fungos mágicos de Fílida Spore
Bebidas e poções mágicas de Arsênio Jigger
Animais fantásticos & onde habitam de Newton Scamander
As forças das trevas: Um guia de autoproteção de Quintino Trimble.

Outros equipamentos
1 varinha mágica
1 caldeirão (estanho, tamanho padrão 2)
1 conjunto de frascos
1 telescópio
1 balança de latão
Os alunos podem ainda trazer uma coruja OU um gato OU um sapo.

LEMBRAMOS AOS PAIS QUE OS ALUNOS DO PRIMEIRO ANO NÃO PODEM USAR VASSOURAS PESSOAIS.

— Podemos comprar tudo isso em Londres? — perguntou-se Harry em voz alta.
— Se você souber aonde ir — respondeu Hagrid.

Harry nunca estivera em Londres antes. Hagrid, embora parecesse saber aonde ia, obviamente não estava acostumado a chegar lá pelos meios comuns. Ficou entalado na roleta do metrô e queixou-se em voz alta que os assentos eram demasiado pequenos e os trens, demasiado lentos.

— Não sei como os trouxas conseguem se arranjar sem mágica — disse, quando subiam uma escada rolante parada que levava a uma rua movimentada com lojas dos dois lados.

Hagrid era tão grande que abria caminho pela multidão sem esforço, Harry só precisava segui-lo de perto. Passaram por livrarias e lojas de música, lanchonetes e cinemas, mas nenhuma loja parecia vender varinhas mágicas. Aquela era apenas uma rua comum cheia de gente comum. Seria realmente possível que houvesse montes de ouro dos bruxos enterrados quilômetros abaixo dali? Haveria realmente lojas que vendessem livros de feitiços e vassouras? Não seria talvez uma grande peça que os Dursley tinham pregado? Se Harry não soubesse que os Dursley não tinham senso de humor, poderia ter tirado uma dessas conclusões; mas, por alguma razão, embora tudo que Hagrid tivesse dito até ali fosse inacreditável, Harry não podia deixar de confiar nele.

– É aqui – disse Hagrid parando. – O Caldeirão Furado. É um lugar famoso.

Era um barzinho sujo. Se Hagrid não o tivesse apontado, Harry nem teria reparado que existia. As pessoas que passavam apressadas nem olhavam para aquele lado. Os olhos delas corriam da grande livraria a um lado à loja de discos no outro como se nem conseguissem ver o Caldeirão Furado. Na verdade Harry teve a sensação muito estranha de que somente ele e Hagrid eram capazes de vê-lo. Antes que pudesse comentar isto, Hagrid o empurrou para dentro.

Para um lugar famoso, o Caldeirão era muito escuro e miserável. Havia umas velhas sentadas a um canto, bebendo pequenos cálices de xerez. Uma delas fumava um longo cachimbo. Um homenzinho de cartola conversava com o velho dono do bar, que era bem careca e parecia uma noz viscosa. O zum-zum das conversas parou quando eles entraram. Todos pareciam conhecer Hagrid; acenaram e sorriram para ele, Tom apanhou um copo, perguntando:

– O de sempre, Hagrid?

– Não posso, Tom, estou a serviço de Hogwarts – disse Hagrid, dando uma palmada com a manzorra no ombro de Harry, o que fez os joelhos do garoto dobrarem.

– Meu Deus! – exclamou Tom, fitando Harry. – É... será possível?

O Caldeirão Furado repentinamente parou e fez-se um silêncio total.

– Valha-me Deus – murmurou o velho Tom. – Harry Potter... que honra.

E saiu correndo de trás do balcão, precipitou-se para Harry e agarrou suas mãos, as lágrimas nos olhos.

– Seja bem-vindo, Sr. Potter, seja bem-vindo.

Harry não sabia o que dizer. Todos tinham os olhos nele. A velha com o cachimbo puxava o fumo sem se dar conta de que o cachimbo apagara. Hagrid sorria radiante.

Logo houve um grande arrastar de cadeiras e no momento seguinte Harry se viu apertando as mãos de todos no Caldeirão Furado.

– Dóris Crockford, Sr. Potter, não acredito que finalmente posso conhecê-lo.
 – Estou tão orgulhosa, Sr. Potter, tão orgulhosa.
 – Sempre quis apertar sua mão. Estou nas nuvens.
 – Encantado, Sr. Potter, nem sei lhe dizer o quanto, Diggle é o meu nome, Dédalo Diggle.
 – Já vi o senhor antes! – disse Harry, e a cartola de Diggle caiu de tanta empolgação. – O senhor se curvou para mim uma vez numa loja.
 – Ele se lembra! – exclamou Dédalo Diggle, olhando todos à volta. – Vocês ouviram isso? Ele se lembra de mim!
 Harry apertou muitas mãos. Dóris Crockford não parava de voltar para um novo aperto.
 Um rapaz pálido adiantou-se, muito nervoso. Um olho trêmulo.
 – Prof. Quirrell! – disse Hagrid. – Harry, o Prof. Quirrell vai ser um dos seus professores em Hogwarts.
 – P-P-Potter – gaguejou o Prof. Quirrell, apertando a mão de Harry –, n-n-em sei d-d-dizer que p-p-p-prazer enorme é c-c-conhecê-lo.
 – Que tipo de mágica o senhor ensina, Prof. Quirrell?
 – D-d-defesa C-c-ontra as Art-t-tes das T-t-trevas – murmurou o Prof. Quirrell, como se preferisse não pensar no assunto. – N-n-não que você p-p-precise, hein, Potter? – Ele riu nervoso. – V-v-você veio c-c-comprar o material, suponho? Tenho que c-c-comprar um livro n-n-novo sobre vampiros. – Parecia aterrorizado só de pensar.
 Mas os outros não queriam deixar o Prof. Quirrell ficar com Harry só para ele. Levou bem uns dez minutos para o menino se livrar de todos. Finalmente, Hagrid conseguiu se fazer ouvir naquela balbúrdia.
 – Precisamos nos apressar. Temos muitas compras a fazer. Vamos, Harry.
 Dóris Crockford apertou a mão de Harry uma última vez e eles passaram pelo bar e saíram num pequeno pátio murado, onde não havia nada exceto uma lata de lixo e um pouco de mato.
 Hagrid sorriu para Harry.
 – Eu lhe falei, não foi? Falei que você era famoso. Até o professor Quirrell ficou tremendo de emoção de o conhecer, mas, em geral, ele está sempre tremendo.
 – Ele é sempre tão nervoso?
 – Ah, é. Coitado. Uma cabeça brilhante. Foi bem enquanto estudou em livros, mas quando tirou um ano para aprender na prática... Dizem que encontrou vampiros na Floresta Negra e teve um problema feio com uma

feiticeira, nunca mais foi o mesmo. Tem pavor dos alunos, tem pavor da matéria que ensina... Agora, cadê o meu guarda-chuva?

Vampiros? Feiticeiras? A cabeça de Harry estava girando. Entrementes, Hagrid contava tijolos na parede por cima da lata de lixo.

— Três para cima... dois para o lado... – murmurou. – Certo, chegue para trás, Harry.

Ele bateu na parede três vezes com a ponta do guarda-chuva. E o tijolo que tocou estremeceu, então torceu-se. No meio apareceu um buraquinho, que se foi alargando cada vez mais. Um segundo depois se viram diante de um arco bastante grande até para Hagrid, um arco que abria para uma rua de pedras irregulares, serpeava e desaparecia de vista.

— Bem-vindo — disse Hagrid — ao Beco Diagonal.

Ele riu do espanto de Harry. Atravessaram o arco. Harry deu uma espiada rápida por cima do ombro e viu o arco encolher instantaneamente e virar uma parede sólida.

O sol refulgia numa pilha de caldeirões à porta da loja mais próxima. *Caldeirões — Todos os Tamanhos — Cobre, Latão, Estanho, Prata — Automexediço — Dobrável*, dizia um letreiro acima.

— É, você vai precisar de um — disse Hagrid —, mas temos de apanhar o seu dinheiro primeiro.

Harry desejou ter oito olhos. Virava a cabeça para todo o lado enquanto caminhavam pela rua, tentando ver tudo ao mesmo tempo: as lojas, as coisas às portas, as pessoas fazendo compras. Uma mulher gorducha do lado de fora de uma botica abanou a cabeça quando passaram por ela e disse:

— Fígado de dragão, dezesseis sicles trinta gramas, eles endoidaram...

Um pio baixo e suave veio de uma loja escura com um letreiro onde se lia "Empório de Corujas — douradas, das-torres, do-campo, marrons e brancas".

Vários garotos mais ou menos da idade de Harry espremiam os narizes contra a vitrine que tinha vassouras.

— Olhe — Harry ouviu um deles dizer —, a nova Nimbus 2000, mais veloz que nunca.

Havia lojas que vendiam vestes, lojas que vendiam telescópios e estranhos instrumentos de prata que Harry nunca vira antes, janelas com pilhas de barris contendo baços de morcegos e olhos de enguias, pilhas mal equilibradas de livros de feitiços, penas de aves para escrever e rolos de pergaminhos, vidros de poções, globos da Lua...

— Gringotes — anunciou Hagrid.

Tinham chegado a um edifício muito branco que se erguia acima das lojinhas. Parado diante das portas de bronze polido, usando um uniforme vermelho e dourado, havia...
— É, é um duende — disse Hagrid baixinho, enquanto subiam os degraus de pedra branca até o duende. Ele era uma cabeça mais baixo do que Harry. Tinha uma expressão inteligente, a pele curtida pelo sol, uma barba em ponta e, Harry reparou, mãos e pés muito compridos. O duende os cumprimentou com uma reverência quando entraram. Em seguida, depararam com um segundo par de portas, desta vez prateadas, onde havia gravado o seguinte:

*Entrem, estranhos, mas prestem atenção*
*Ao que espera o pecado da ambição,*
*Porque os que tiram o que não ganharam*
*Terão é que pagar muito caro,*
*Assim, se procuram sob o nosso chão*
*Um tesouro que nunca enterraram,*
*Ladrão, você foi avisado, cuidado,*
*Pois vai encontrar mais do que procurou.*

— Não te disse? Só um louco tentaria roubar o banco — lembrou Hagrid.
Dois duendes se curvaram quando eles passaram pelas portas prateadas e desembocaram em um grande saguão de mármore. Havia mais de cem duendes sentados em banquinhos altos atrás de um longo balcão, escrevendo em grandes livros-caixas, pesando moedas em balanças de latão, examinando pedras preciosas com óculos de joalheiro. Havia ao redor do saguão portas demais para contar, e outros tantos duendes acompanhavam as pessoas que entravam e saíam por elas. Hagrid e Harry se dirigiram ao balcão.
— Bom dia — disse Hagrid a um duende desocupado. — Viemos sacar algum dinheiro do cofre do Sr. Harry Potter.
— O senhor tem a chave?
— Tenho em algum lugar — disse Hagrid e começou a esvaziar os bolsos em cima do balcão, espalhando um punhado de biscoitos de cachorro mofados em cima do livro-caixa do duende. O duende franziu o nariz. Harry observou o duende do lado direito pesar um monte de rubis do tamanho de carvões em brasa.
— Achei! — exclamou Hagrid finalmente, mostrando uma chavinha de ouro.
O duende examinou-a cuidadosamente.
— Parece estar em ordem.

— E tenho aqui também uma carta do professor Dumbledore — falou Hagrid com ar importante, tirando-a do bolso do casaco. — É sobre Você-Sabe-O-Quê, que está no cofre setecentos e treze.

O duende leu a carta com atenção.

— Muito bem! — falou, devolvendo a carta a Hagrid. — Vou mandar alguém levá-lo aos dois cofres. Grampo!

Grampo era outro duende. Depois que Hagrid enfiou todos os biscoitos de cachorro de volta nos bolsos, ele e Harry acompanharam Grampo a uma das portas que havia no saguão.

— O que é o Você-Sabe-O-Quê no cofre setecentos e treze? — perguntou Harry.

— Não posso lhe contar — respondeu Hagrid, misterioso. — Muito secreto. Negócios de Hogwarts. Dumbledore me confiou. Meu emprego vale mais do que a vontade de lhe contar.

Grampo segurou a porta aberta para eles passarem. Harry, que esperara mais mármore, surpreendeu-se. Encontravam-se em uma passagem estreita de pedra, iluminada por archotes chamejantes. Era uma descida íngreme, em que havia pequenos trilhos. Grampo assobiou e um vagonete disparou pelos trilhos em sua direção. Eles embarcaram — Hagrid com alguma dificuldade — e partiram.

A princípio eles apenas viajaram em alta velocidade por um labirinto de passagens cheias de curvas. Harry tentou memorizar: esquerda, direita, direita, esquerda, em frente no entroncamento, direita, esquerda, mas era impossível. O vagonete barulhento parecia conhecer o caminho, porque Grampo não o estava dirigindo.

Os olhos de Harry ardiam no ar frio que passava rápido por eles, mas mantinha-os bem abertos. Uma vez, ele pensou ter visto uma labareda no fim da passagem e se virou para conferir se era um dragão, mas foi tarde demais — eles mergulharam ainda mais fundo e passaram por um lago subterrâneo onde se acumulavam no teto e no chão enormes estalactites e estalagmites.

— Eu nunca sei — gritou Harry para Hagrid poder ouvi-lo — qual é a diferença entre uma estalagmite e uma estalactite.

— Estalagmite tem um "m" — disse Hagrid. — E não me faça perguntas agora, acho que vou enjoar.

Ele realmente estava muito verde e quando o vagonete afinal parou ao lado de uma portinhola na passagem, Hagrid saltou e precisou se apoiar na parede para os joelhos pararem de tremer.

Grampo destrancou a porta. Saiu uma grande nuvem de fumaça verde e, enquanto ela se dissipava, Harry ficou sem respirar. Dentro havia montes de moedas de ouro. Colunas de prata. Pilhas de pequenos nuques de bronze.

— É tudo seu. — Hagrid sorriu.

Tudo de Harry — era inacreditável. Os Dursley com certeza não sabiam da existência daquilo ou teriam tirado tudo mais rápido do que uma piscadela. Quantas vezes tinham se queixado do quanto lhes custava criar Harry? E durante todo aquele tempo havia uma pequena fortuna que lhe pertencia, enterrada no subsolo de Londres.

Hagrid ajudou Harry a guardar um pouco do dinheiro em uma saca.

— As moedas de ouro são galeões — explicou ele. — Dezessete sicles de prata fazem um galeão e vinte e nove nuques fazem um sicle, é bem simples. Certo, isto deverá ser suficiente para uns dois períodos letivos, guardaremos o resto bem guardado para você. — Hagrid virou-se para Grampo. — O cofre setecentos e treze agora, por favor, e será que podemos ir mais devagar?

— Só tem uma velocidade — falou Grampo.

Viajaram mais para o fundo agora e ganharam velocidade. O ar foi se tornando cada vez mais frio enquanto disparavam pelas curvas fechadas. Sacolejavam por uma ravina subterrânea e Harry debruçou-se para um lado para tentar ver o que havia no fundo, mas Hagrid gemeu e o puxou para trás pelo cangote.

O cofre setecentos e treze não tinha fechadura.

— Para trás — disse Grampo com ar de importância. Alisou a porta devagarinho com o seu dedo comprido e ela simplesmente se dissolveu. — Se alguém que não fosse um duende de Gringotes tentasse fazer o mesmo, seria engolido pela porta e ficaria preso lá dentro — explicou Grampo.

— Com que frequência você vem ver se tem alguém lá dentro? — perguntou Harry.

— Uma vez a cada dez anos — disse Grampo, com um sorriso maldoso.

Devia haver alguma coisa realmente extraordinária nesse cofre de segurança máxima, Harry tinha certeza, e se curvou para a frente pressuroso, esperando ver no mínimo joias fabulosas — mas no primeiro momento achou que estava vazio. Depois notou um embrulhinho encardido no chão. Hagrid apanhou-o e o guardou muito bem no casaco. Harry tinha muita vontade de saber o que era, mas sentia que era melhor não perguntar.

— Vamos, vamos voltar para esse vagonete infernal, e não fale comigo no caminho de volta, é melhor eu ficar de boca fechada — recomendou Hagrid.

\* \* \*

Depois de mais uma viagem no vagonete descontrolado, eles chegaram à claridade do sol do lado de fora de Gringotes. Harry não sabia aonde correr primeiro agora que tinha uma saca cheia de dinheiro. Não precisava saber quantos galeões perfaziam uma libra para saber que estava carregando mais dinheiro do que jamais tivera na vida inteira – mais dinheiro até do que Duda jamais tivera.

– Vamos comprar logo o seu uniforme – falou Hagrid, indicando com a cabeça a loja Madame Malkin: Roupas para Todas as Ocasiões. – Escute aqui, Harry, você se importa se eu der uma corrida no Caldeirão Furado para tomar um tônico? Detesto esses vagonetes do Gringotes. – Ele realmente parecia meio enjoado, por isso Harry entrou na loja Madame Malkin sozinho, um pouco nervoso.

Madame Malkin era uma bruxa baixa, gorda e sorridente, toda vestida de lilás.

– Hogwarts, querido? – perguntou quando Harry começou a falar. – Tenho tudo aqui. Para falar a verdade, tem outro rapazinho agora ajustando uma roupa.

Nos fundos da loja, um garoto de rosto pálido e pontudo estava em pé em cima de um banquinho enquanto uma segunda bruxa encurtava suas compridas vestes pretas. Madame Malkin colocou Harry num banquinho ao lado do outro, enfiou-lhe uma veste comprida pela cabeça e começou a marcar a bainha na altura certa.

– Alô – cumprimentou o garoto. – Hogwarts também?

– É – confirmou Harry.

– Meu pai está na loja ao lado comprando meus livros e minha mãe está mais adiante procurando varinhas – disse o garoto. Tinha uma voz de tédio, arrastada. – Depois vou levar os dois para dar uma olhada nas vassouras de corridas. Não vejo por que os alunos de primeira série não podem ter vassouras individuais. Acho que vou obrigar papai a me comprar uma e vou levá-la para a escola às escondidas.

O garoto lhe lembrou muito o Duda.

– *Você* tem vassoura? – perguntou o garoto.

– Não.

– Sabe jogar quadribol?

– Não – respondeu novamente Harry, perguntando-se que diabo seria esse tal de quadribol.

— Eu sei, meu pai falou que vai ser um crime se não me escolherem para jogar pela minha casa, e sou obrigado a dizer que concordo. Já sabe em que casa você vai ficar?

— Não — respondeu Harry, sentindo-se a cada minuto mais idiota.

— Bom, ninguém sabe mesmo até chegar lá, não é, mas sei que vou ficar na Sonserina, toda a nossa família ficou lá, imagine ficar na Lufa-Lufa, acho que eu saía da escola, você não?

— Hum-hum — concordou Harry, desejando que pudesse responder algo um pouquinho mais interessante.

— Caramba, olha aquele homem! — falou o garoto de repente, indicando com a cabeça a vitrine. Rúbeo estava parado diante dela, rindo para Harry e apontando para dois grandes sorvetes para explicar que não podia entrar.

— É o Hagrid — disse Harry, contente por saber alguma coisa que o garoto não sabia. — Ele trabalha em Hogwarts.

— Ah, ouvi falar dele. É uma espécie de empregado, não é?

— É o guarda-caça — explicou Harry. A cada segundo gostava menos do garoto.

— É, isso mesmo. Ouvi falar que é uma espécie de *selvagem*. Mora num barraco no terreno da escola e de vez em quando toma um pileque, tenta fazer mágicas e acaba tocando fogo na cama.

— Acho que ele é brilhante — retorquiu Harry com frieza.

— *Acha*, é? — disse o garoto com um leve desdém. — Por que é que ele está acompanhando você? Onde estão os seus pais?

— Estão mortos — respondeu Harry secamente. Não tinha muita vontade de alongar o assunto com esse garoto.

— Ah, lamento — disse o outro, sem parecer lamentar nada. — Mas eram do *nosso* povo, não eram?

— Eram bruxos, se é isso que você está perguntando.

— Eu realmente acho que não deviam deixar outro tipo de gente entrar, e você? Não são iguais a nós, nunca foram educados para conhecer o nosso modo de viver. Alguns nunca sequer ouviram falar de Hogwarts até receberem a carta, imagine. Acho que deviam manter a coisa entre as famílias de bruxos. Por falar nisso, como é o seu sobrenome?

Mas antes que Harry pudesse responder, Madame Malkin anunciou:

—Terminei com você, querido. — E Harry, nada frustrado com a desculpa para interromper a conversa com o garoto, pulou do banquinho para o chão.

— Bom, vejo você em Hogwarts, suponho — disse o garoto de voz arrastada.

Harry ficou muito quieto enquanto comia o sorvete que Hagrid trouxera (chocolate e amora com nozes picadas).
— Que foi? — perguntou Hagrid.
— Nada — mentiu Harry.
Eles pararam para comprar pergaminho e penas. Harry se animou um pouco quando descobriu um vidro de tinta que mudava de cor enquanto a pessoa escrevia. Quando saíram da loja, perguntou:
— Rúbeo, o que é quadribol?
— Caramba, Harry, vivo me esquecendo que você não sabe quase nada... raios, não saber o que é quadribol!
— Não faça eu me sentir pior. — E contou a Hagrid sobre o garoto pálido na loja de Madame Malkin. — ... e ele disse que nem deviam permitir gente que pertence à família de trouxas...
— Você *não* pertence a uma família de trouxas. Se ele soubesse quem você é... ele cresceu sabendo o seu nome se os pais dele forem bruxos. Você viu o pessoal no Caldeirão Furado. Em todo o caso, o que é que ele sabe das coisas, alguns dos melhores bruxos que já conheci vinham de uma longa linhagem de trouxas. Veja a sua mãe! Veja só quem é irmã dela!
— Então, o que é quadribol?
— É o nosso esporte. Esporte de bruxos. É como o futebol no mundo dos trouxas. Todos praticam quadribol. A gente joga no ar montado em vassouras com quatro bolas. É meio difícil explicar as regras.
— E o que são Sonserina e Lufa-Lufa?
— Casas da escola. São quatro. Todo mundo diz que na Lufa-Lufa só tem panacas, mas...
— Aposto que estou na Lufa-Lufa — disse Harry deprimido.
— É melhor a Lufa-Lufa do que a Sonserina — sentenciou Hagrid, misterioso. — Não tem um único bruxo nem uma única bruxa desencaminhados que não tenham passado pela Sonserina. Você-Sabe-Quem foi um deles.
— Vol... desculpe... Você-Sabe-Quem estudou em Hogwarts?
— Há muitos e muitos anos.
Eles compraram os livros escolares de Harry em uma loja chamada Floreios e Borrões, onde as prateleiras estavam abarrotadas até o teto com livros do tamanho de paralelepípedos encadernados em couro, livros do tamanho de selos postais com capas de seda; livros cobertos de símbolos curiosos e alguns livros sem nada. Até Duda, que nunca lia nada, teria ficado doido para pôr as mãos em alguns desses livros. Hagrid quase teve de arrastar Harry para longe do *Pragas e contrapragas* (*Encante os seus amigos e confunda os seus inimigos com*

as últimas vinganças: perda de cabelos, pernas bambas, língua presa e muitas, muitas mais) do Prof. Vindicto Viridiano.

– Eu estava tentando descobrir como rogar uma praga para o Duda.

– Não vou dizer que não é uma boa ideia, mas você não pode usar magia no mundo dos trouxas a não ser em situações muito especiais – disse Hagrid. – De qualquer modo, você ainda não poderia lançar nenhuma dessas pragas, vai precisar de muito estudo antes de chegar a esse nível.

Hagrid não deixou Harry comprar um caldeirão de ouro maciço, tampouco ("Diz estanho na sua lista"), mas compraram uma balança bonita para pesar os ingredientes das poções e um telescópio desmontável de latão. Visitaram a botica, que era bem fascinante para compensar seu cheiro horrível, uma mistura de ovo estragado e repolho podre. Havia no chão barricas de coisas viscosas, frascos com ervas, raízes secas e pós coloridos cobriam as paredes, feixes de penas, fieiras de dentes e garras retorcidas pendiam do teto. Enquanto Hagrid pedia ao homem atrás do balcão um conjunto de ingredientes básicos para preparar poções para Harry, o próprio Harry examinava chifres de prata de unicórnios, a vinte e um galeões cada, e minúsculos olhos faiscantes de besouros (cinco nuques uma concha).

Ao saírem da botica, Hagrid verificou a lista de Harry mais uma vez.

– Só falta a varinha. Ah, é, e ainda não comprei o seu presente de aniversário.

Harry sentiu o rosto corar.

– Você não precisa...

– Eu sei que não preciso. Vamos fazer o seguinte, vou comprar um bicho para você. Não vai ser sapo, os sapos saíram de moda há muitos anos, todo mundo ia rir de você, e não gosto de gatos, eles me fazem espirrar. Vou-lhe comprar uma coruja. Todos os garotos querem corujas, são muito úteis, levam cartas e tudo o mais.

Vinte minutos depois, eles saíram do Empório de Corujas, que era escuro e cheio de ruídos e olhos brilhantes que cintilavam como joias. Harry agora carregava uma grande gaiola com uma bela coruja branca como a neve, que dormia profundamente, a cabeça debaixo da asa. Ele não parava de agradecer, parecia até o Prof. Quirrell.

– Não tem do quê – respondia Hagrid, rouco. – Acho que você nunca ganhou muitos presentes dos Dursley. Agora só falta Olivaras, a única loja de varinhas, Olivaras, e você precisa ter a melhor varinha do mundo.

Uma varinha mágica... era realmente o que Harry andara desejando.

A última loja era estreita e feiosa. Letras douradas descascadas sobre a porta diziam Olivaras: Artesãos de Varinhas de Qualidade desde 382 a.C. Havia uma única varinha sobre uma almofada púrpura desbotada, na vitrine empoeirada.

Um sininho tocou em algum lugar no fundo da loja quando eles entraram. Era uma lojinha mínima, vazia, exceto por uma única cadeira alta e estreita em que Hagrid se sentou para esperar. Harry teve uma sensação esquisita como se tivesse entrado em uma biblioteca muito exclusiva; engoliu um monte de perguntas novas que tinham acabado de lhe ocorrer e ficou espiando os milhares de caixas estreitas arrumadas com cuidado até o teto. Por alguma razão, sentiu um arrepio na nuca. A própria poeira e o silêncio ali pareciam retinir com uma magia secreta.

— Boa tarde — disse uma voz suave. Harry se assustou. Hagrid devia ter-se assustado também, porque se ouviu um rangido alto e ele se levantou rapidamente da cadeira alta e estreita.

Havia um velho parado diante deles, os olhos grandes e muito claros brilhando como duas luas na penumbra da loja.

— Olá — disse Harry sem jeito.

— Ah, sim — disse o homem. — Sim, sim. Achei que ia vê-lo em breve. Harry Potter. — Não era uma pergunta. — Você tem os olhos de sua mãe. Parece que foi ontem que ela esteve aqui, comprando a primeira varinha. Vinte e seis centímetros de comprimento, farfalhante, feita de salgueiro. Uma boa varinha para encantamentos.

O Sr. Olivaras chegou mais perto de Harry. Harry desejou que ele piscasse. Aqueles olhos prateados lhe davam um pouco de medo.

— Já o seu pai deu preferência a uma varinha de mogno. Vinte e oito centímetros. Flexível. Um pouco mais de poder e excelente para transformações. Bom, digo que seu pai deu preferência, mas na realidade é a varinha que escolhe o bruxo, é claro.

O Sr. Olivaras chegara tão perto que ele e Harry estavam quase encostando os narizes. Harry viu-se refletido naqueles olhos.

— E foi aí que...

O Sr. Olivaras tocou a cicatriz em forma de raio na testa de Harry com um dedo branco e longo.

— Lamento dizer que vendi a varinha que fez isso — disse ele suavemente. — Trinta e cinco centímetros. Teixo. Uma varinha poderosa, muito poderosa nas mãos erradas... Bom, se eu soubesse o que a varinha ia sair fazendo por aí...

Ele sacudiu a cabeça e então, para alívio de Harry, viu Hagrid.

— Rúbeo! Rúbeo Hagrid! Que bom ver você de novo... Carvalho, quarenta centímetros, meio mole, não era?

— Era, sim senhor.

– Boa varinha, aquela. Mas suponho que a tenham partido ao meio quando o expulsaram? – disse o Sr. Olivaras, repentinamente sério.

– Hum... partiram, é verdade – disse Hagrid, arrastando os pés. – Mas ainda guardo os pedaços – acrescentou animado.

– Mas você não os usa, certo? – perguntou o Sr. Olivaras, severo.

– Ah, não, senhor – respondeu depressa Hagrid. Harry reparou que ele apertou o guarda-chuva cor-de-rosa com força ao responder.

– Hum – resmungou o Sr. Olivaras, lançando um olhar penetrante a Hagrid. – Bom, agora, Sr. Potter, vamos ver. – E tirou uma longa fita métrica com números prateados do bolso. – Qual é o braço da varinha?

– Hum, bom, sou destro – respondeu Harry.

– Estique o braço. Isso. – Ele mediu Harry do ombro ao dedo, depois do pulso ao cotovelo, do ombro ao chão, do joelho à axila e ao redor da cabeça. Enquanto media, disse: – Toda varinha Olivaras tem o miolo feito de uma poderosa substância mágica, Sr. Potter. Usamos pelos de unicórnio, penas de cauda de fênix e fibra de coração de dragão. Não há duas varinhas Olivaras iguais, como não há unicórnios, dragões nem fênix iguais. E é claro, o senhor jamais conseguirá resultados tão bons com a varinha de outro bruxo.

Harry de repente percebeu que a fita métrica, que o media entre as narinas, estava medindo sozinha. O Sr. Olivaras andava rapidamente em volta das prateleiras, descendo caixas.

– Já chega – falou, e a fita métrica afrouxou e caiu formando um montinho no chão. – Certo, então, Sr. Potter. Experimente esta. Faia e fibra de coração de dragão. Vinte e três centímetros. Boa e flexível. Apanhe e experimente.

Harry apanhou a varinha e (sentindo-se bobo) fez alguns movimentos com ela, mas o Sr. Olivaras a tirou de sua mão quase imediatamente.

– Bordo e pena de fênix. Dezoito centímetros. Bem elástica. Experimente.

Harry experimentou – mas mal erguera a varinha quando, mais uma vez, o Sr. Olivaras a tirou de sua mão.

– Não, não. Tome, ébano e pelo de unicórnio, vinte e dois centímetros, flexível. Vamos, vamos, experimente.

Harry experimentou. E experimentou. Não fazia ideia do que é que o Sr. Olivaras estava esperando. A pilha de varinhas experimentadas estava cada vez maior em cima da cadeira alta e estreita, mas, quanto mais varinhas o Sr. Olivaras tirava das prateleiras, mais feliz parecia ficar.

– Freguês difícil, hein? Não se preocupe, vamos encontrar a varinha perfeita para o senhor em algum lugar, estou em dúvida, agora... É, por que não?, uma combinação incomum, azevinho e pena de fênix, vinte e oito centímetros, boa e maleável.

Harry apanhou a varinha. Sentiu um repentino calor nos dedos. Ergueu a varinha acima da cabeça, baixou-a cortando o ar empoeirado com um zunido, e uma torrente de faíscas douradas e vermelhas saíram da ponta como fogos de artifício, atirando fagulhas luminosas que dançavam nas paredes. Hagrid gritou entusiasmado e bateu palmas e o Sr. Olivaras exclamou:

— Bravo! Mesmo, ah, muito bom. Ora, ora, ora... que curioso... curiosíssimo...

Repôs a varinha de Harry na caixa e embrulhou-a em papel pardo, ainda resmungando:

— Curioso... curioso...

— O senhor me desculpe — disse Harry —, mas *o que* é curioso?

O Sr. Olivaras encarou Harry com aqueles olhos claros.

— Lembro-me de cada varinha que vendi, Sr. Potter. De cada uma. Acontece que a fênix cuja pena está na sua varinha produziu mais uma pena, apenas mais uma. É muito curioso que o senhor tenha sido destinado para esta varinha porque a irmã dela, ora, a irmã dela produziu a sua cicatriz.

Harry engoliu em seco.

— É, tinha trinta e cinco centímetros. Puxa. É realmente curioso como essas coisas acontecem. A varinha escolhe o bruxo, lembre-se... Acho que podemos esperar grandes feitos do senhor, Sr. Potter... Afinal, Aquele-Que--Não-Deve-Ser-Nomeado realizou grandes feitos, terríveis, sim, mas grandes.

Harry estremeceu. Não tinha muita certeza se gostava do Sr. Olivaras. Pagou sete galeões pela varinha e o Sr. Olivaras curvou-se à saída deles.

O sol de fim de tarde quase chegara ao horizonte quando Harry e Hagrid refizeram o caminho para sair do Beco Diagonal, atravessar a parede e passar novamente pelo Caldeirão Furado, agora vazio. Harry não disse uma palavra enquanto caminhavam pela rua; nem ao menos reparou quantas pessoas se boquiabriam para eles no metrô, carregados que estavam com todos aqueles pacotes de formatos esquisitos, a coruja branca adormecida no colo de Harry. Subiram a escada rolante para a estação de Paddington; Harry só percebeu onde estavam quando Hagrid bateu em seu ombro.

— Temos tempo para comer alguma coisa antes de o trem sair — falou.

Comprou um hambúrguer para Harry e se sentaram em bancos de plástico para comê-los. Harry não parava de olhar a toda volta. Por alguma razão tudo parecia tão estranho.

— Você está bem, Harry? Está muito calado — comentou Hagrid.

Harry não tinha muita certeza de poder explicar. Tivera o melhor aniversário de sua vida, porém... Ele mastigava o hambúrguer, tentando encontrar as palavras.

— Todo mundo acha que sou especial — disse finalmente. — Todas aquelas pessoas no Caldeirão Furado, o Prof. Quirrell, o Sr. Olivaras... mas eu não conheço nadinha de magia. Como podem esperar grandes feitos de mim? Sou famoso e nem ao menos me lembro do porquê. Não sei o que aconteceu quando Vol... desculpe... quero dizer, na noite que meus pais morreram.

Hagrid se debruçou sobre a mesa. Por trás da barba e das sobrancelhas desgrenhadas tinha um sorriso bondoso.

— Não se preocupe, Harry. Você vai aprender bem depressa. Todos começam pelo começo em Hogwarts, você vai se dar bem. Seja você mesmo. Sei que é difícil. Você vai chamar atenção e isso é muito duro. Mas vai se divertir a valer em Hogwarts. Eu me diverti; e ainda me divirto, para dizer a verdade.

Hagrid ajudou Harry a embarcar no trem que o levaria de volta aos Dursley, então lhe entregou um envelope.

— A sua passagem para Hogwarts. Primeiro de setembro, na estação de King's Cross, está tudo na passagem. Qualquer problema com os Dursley, me mande uma carta pela coruja, ela saberá onde me encontrar... Vejo você em breve, Harry.

O trem parou na estação. Harry queria ficar espiando Hagrid até ele desaparecer de vista; levantou-se, espremeu o nariz contra o vidro da janela, mas, quando piscou os olhos, Hagrid tinha desaparecido.

# 6

## O EMBARQUE NA PLATAFORMA 9¾

O último mês de Harry na casa dos Dursley não foi nada divertido. É verdade que Duda agora estava tão apavorado com Harry que não queria nem ficar no mesmo aposento que ele, e tia Petúnia e tio Válter não trancaram Harry no armário nem o obrigaram a fazer nada, tampouco gritaram com ele – na verdade, nem sequer falaram com ele. Meio aterrorizados, meio furiosos, agiam como se a cadeira em que Harry se sentava estivesse vazia. Embora isso fosse sob muitos aspectos um progresso, tornou-se um tanto deprimente depois de algum tempo.

Harry ficava em seu quarto, com a nova coruja por companhia. Decidira chamá-la Edwiges, um nome que encontrara no livro *História da magia*. Seus livros de escola eram muito interessantes. Deitava-se na cama e lia até tarde da noite. Edwiges voava para dentro e para fora da janela quando queria. Era uma sorte que tia Petúnia não aparecesse mais para passar o aspirador de pó, porque Edwiges não parava de trazer ratos mortos para o quarto. Toda noite, antes de se deitar para dormir, Harry riscava mais um dia no pedaço de papel que pregara na parede, para contar os dias que faltavam até primeiro de setembro.

No último dia de agosto, ele achou melhor falar com os tios sobre a ida à estação no dia seguinte, por isso desceu à sala de estar onde eles estavam assistindo a um programa de auditório na televisão. Pigarreou para avisar que estava ali e Duda deu um berro e saiu correndo da sala.

– Hum... tio Válter?

Tio Válter resmungou para indicar que estava escutando.

– Hum... preciso estar amanhã na estação para... embarcar para Hogwarts.

Tio Válter resmungou outra vez.

– Será que o senhor podia me dar uma carona?

Resmungo. Harry supôs que quisesse dizer sim.

— Muito obrigado.

E já ia voltando para cima quando tio Válter falou de verdade:

— Que modo engraçado de ir para a escola de magia, de trem. Os tapetes mágicos furaram todos?

Harry não respondeu.

— Onde fica essa escola afinal?

— Não sei — disse Harry pensando nisso pela primeira vez. Tirou do bolso o bilhete de passagem que Hagrid lhe dera. — Vou tomar o trem na plataforma 9¾ às onze horas — leu.

A tia e o tio arregalaram os olhos.

— Plataforma o quê?

— Nove e ¾.

— Não diga bobagens — repreendeu tio Válter. — Não existe plataforma 9¾.

— Está no meu bilhete.

— Loucos — disse tio Válter —, doidos de pedra, todos eles. Você vai ver. É só esperar. Está bem, levaremos você até a estação. De qualquer maneira tínhamos de ir a Londres amanhã ou nem me daria ao trabalho.

— Por que o senhor vai a Londres? — perguntou Harry, tentando manter a conversa cordial.

— Vamos levar Duda ao hospital — rosnou tio Válter. — Precisamos mandar cortar aquele rabo vermelho antes de mandá-lo para Smeltings.

Harry acordou às cinco horas na manhã seguinte e estava demasiado animado e nervoso para voltar a dormir. Levantou-se e vestiu o jeans porque não queria entrar na estação com as vestes de bruxo — mudaria de roupa no trem. Verificou novamente a lista de Hogwarts para se certificar de que tinha tudo de que precisava, viu se Edwiges estava bem trancada na gaiola e então ficou andando pelo quarto à espera de que os Dursley se levantassem. Duas horas mais tarde, o malão enorme e pesado de Harry fora colocado no carro dos Dursley. Tia Petúnia convencera Duda a se sentar ao lado do primo e eles partiram.

Chegaram à estação de King's Cross às 10h30. Tio Válter jogou o malão de Harry num carrinho e empurrou-o até a estação para ele. Harry achou o gesto curiosamente bondoso até tio Válter parar diante das plataformas com um sorriso maldoso.

— Bom, aqui estamos, moleque. Plataforma nove, plataforma dez. A sua plataforma devia estar aí no meio, mas parece que ainda não a construíram, não é mesmo?

Ele tinha razão, é claro. Havia um grande número nove de plástico no alto de uma plataforma e um grande número dez no alto da plataforma seguinte, mas no meio, não havia nada.

– Tenha um bom período letivo – disse tio Válter com um sorriso ainda mais maldoso. E foi-se embora sem dizer mais nada. Harry se virou e viu o carro dos Dursley partir. Os três estavam rindo. Harry sentiu a boca seca. O que iria fazer? Estava começando a atrair uma porção de olhares curiosos por causa de Edwiges. Teria que perguntar a alguém.

Parou um guarda que ia passando, mas não mencionou a plataforma 9¾. O guarda nunca ouvira falar em Hogwarts e, quando Harry não soube lhe dizer em que parte do país a escola ficava, ele começou a mostrar aborrecimento, como se Harry estivesse se fazendo de burro de propósito. Desesperado, Harry perguntou pelo trem que partia às onze horas, mas o guarda disse que não havia nenhum. Ao fim, o guarda se afastou, resmungando contra pessoas que o faziam perder tempo. Harry tentou por tudo no mundo não entrar em pânico. Pelo grande relógio em cima do quadro que anunciava os trens que chegavam, só lhe restavam mais dez minutos para embarcar no trem de Hogwarts e ele não tinha ideia de como ia fazer isso; estava perdido no meio da estação com um malão que mal podia levantar, o bolso cheio de dinheiro de bruxo e uma corujona.

Hagrid devia ter se esquecido de lhe dizer alguma coisa que tinha de fazer, como bater no terceiro tijolo à esquerda para entrar no Beco Diagonal. Perguntou-se se deveria tirar a varinha do malão e começar a bater no coletor de bilhetes entre as plataformas nove e dez.

Naquele instante um grupo de pessoas passou às suas costas e ele entreouviu algumas palavras que diziam.

– ... cheio de trouxas, é claro...

Harry deu meia-volta. Era uma mulher gorda que falava com quatro meninos, todos de cabelos cor de fogo. Cada um deles estava empurrando à frente um malão como o de Harry – e levavam uma *coruja*. O coração aos saltos, Harry os seguiu empurrando o carrinho. Eles pararam e ele também, bem próximo para ouvir o que diziam.

– Agora, qual é o número da plataforma? – perguntou a mãe dos meninos.

– Nove e ¾ – ouviu-se a voz fina de uma menininha, também de cabelos ruivos, que estava segurando a mão da mulher. – Mamãe, não posso ir...

– Você ainda não tem idade, Gina, agora fique quieta. Está bem, Percy, você vai primeiro.

O que parecia o menino mais velho marchou em direção às plataformas nove e dez. Harry observou-o, tomando o cuidado de não piscar para não perder nada – mas assim que o menino chegou à linha divisória entre as duas plataformas, um grande grupo de turistas invadiu a plataforma à frente dele e quando a última mochila acabou de passar, o menino havia desaparecido.

– Fred, você agora – mandou a mulher gorda.
– Eu não sou Fred, sou Jorge – retrucou o menino. – Francamente, mulher, você diz que é nossa mãe? Não consegue ver que sou o Jorge?
– Desculpe, Jorge, querido.
– É brincadeira, eu sou o Fred – disse o menino, e foi. O irmão gêmeo gritou para ele se apressar, e ele deve ter atendido, porque um segundo depois, sumiu, mas como fizera aquilo?

Agora o terceiro irmão estava se encaminhando rapidamente para a barreira – estava quase lá – e, então, de repente, não estava mais em parte alguma.

E foi só.

– Com licença – dirigiu-se Harry à mulher gorda.
– Olá, querido. É a primeira vez que vai a Hogwarts? O Rony é novo também.

Ela apontou o último filho, o mais moço. Era alto, magro e desengonçado, com sardas, mãos e pés grandes e um nariz comprido.

– É – respondeu Harry. – A coisa é... a coisa é que não sei como...
– Como chegar à plataforma? – disse ela com bondade, e Harry concordou com a cabeça. – Não se preocupe. Basta caminhar diretamente para a barreira entre as plataformas nove e dez. Não pare e não tenha medo de bater nela, isto é muito importante. Melhor fazer isso meio correndo se estiver nervoso. Vá, vá antes de Rony.
– Hum... OK.

E Harry virou o carrinho e encarou a barreira. Parecia muito sólida.

Ele começou a andar em direção a ela. As pessoas a caminho das plataformas nove e dez o empurravam. Harry apressou o passo. Ia bater direto no coletor de bilhetes e então ia se complicar – curvando-se para o carrinho ele desatou a correr – a barreira estava cada vez mais próxima – não poderia parar – o carrinho estava descontrolado – ele estava a um passo de distância – fechou os olhos se preparando para a colisão...

E ela não aconteceu... ele continuou correndo... abriu os olhos.

Uma locomotiva vermelha a vapor estava parada à plataforma apinhada de gente. Um letreiro no alto informava *Expresso de Hogwarts, 11 horas*. Harry olhou para trás e viu um arco de ferro forjado no lugar onde estivera o coletor de bilhetes, com os dizeres *Plataforma 9¾*. Conseguira.

A fumaça da locomotiva se dispersava sobre as cabeças das pessoas que conversavam, enquanto gatos de todas as cores trançavam por entre as pernas delas. Corujas piavam umas para as outras, descontentes, sobrepondo-se à balbúrdia e ao barulho dos malões pesados que eram arrastados.

Os primeiros vagões já estavam cheios de estudantes, uns debruçados às janelas conversando com as famílias, outros brigando por causa dos lugares. Harry empurrou o carrinho pela plataforma procurando um lugar vago. Passou por um garoto de rosto redondo que estava dizendo:

— Vó, perdi meu sapo outra vez.

— Ah, *Neville* — ele ouviu a senhora suspirar.

Um garoto com cabelos em dreads estava cercado por um pequeno grupo de meninos.

— Deixe a gente espiar, Lino, vamos.

O menino levantou a tampa de uma caixa que carregava nos braços e as pessoas em volta deram gritos e berros quando uma coisa dentro da caixa esticou para fora uma perna comprida e peluda.

Harry continuou andando pela aglomeração até que encontrou um compartimento vago no final do trem. Primeiro pôs Edwiges para dentro e começou a empurrar e a forçar com o malão em direção à porta do trem. Tentou erguê-lo pelos degraus acima mas mal conseguia suspender uma ponta, e duas vezes deixou-o cair dolorosamente em cima do pé.

— Quer uma ajuda? — Era um dos gêmeos ruivos que ele seguira para atravessar a barreira.

— Por favor — Harry ofegou.

— Ei, Fred! Vem dar uma ajuda aqui!

Com a ajuda dos gêmeos, o malão de Harry finalmente foi colocado a um canto do compartimento.

— Obrigado — disse Harry, afastando os cabelos suados dos olhos.

— Que é isso? — perguntou de repente um dos gêmeos apontando para a cicatriz de Harry.

— Caramba — disse o outro gêmeo. — Você é…?

— Ele é — disse o outro gêmeo. — Não é? — acrescentou para Harry.

— O quê? — indagou Harry.

— *Harry Potter* — disseram os gêmeos em coro.

— Ah, ele — disse Harry. — Quero dizer, é, sou.

Os dois garotos olharam boquiabertos e Harry sentiu que estava corando. Então, para seu alívio, ouviram uma voz pela porta aberta do trem.

— Fred? Jorge? Vocês estão aí?

— Estamos indo, mamãe.

Dando uma última espiada em Harry, os gêmeos saltaram para fora do trem.

Harry sentou-se à janela onde, meio escondido, podia observar a família de cabelos ruivos na plataforma e ouvir o que diziam. A mãe tinha acabado de puxar o lenço.

— Rony, você está com uma coisa no nariz.

O menino mais novo tentou fugir, mas ela o agarrou e começou a limpar a ponta do nariz dele.

— *Mamãe*, sai para lá. — Desvencilhou-se.

— Aaaah, o Roniquinho está com uma coisa no nariz? — caçoou um dos gêmeos.

— Cale a boca — disse Rony.

— Onde está o Percy? — perguntou a mãe.

— Está vindo aí.

O garoto mais velho vinha vindo. Já vestira as vestes largas e pretas de Hogwarts e Harry reparou que tinha um distintivo de prata reluzente com a letra M.

— Não posso demorar, mãe — falou ele. — Estou lá na frente, os monitores têm dois vagões separados...

— Ah, você é *monitor*, Percy? — perguntou um dos gêmeos, com ar de grande surpresa. — Devia ter avisado, não fazíamos ideia.

— Espere aí, acho que me lembro de ter ouvido ele dizer alguma coisa — disse o outro gêmeo. — Uma vez...

— Ou duas...

— Por minuto...

— O verão todo.

— Ah, calem a boca — disse Percy, o monitor.

— Afinal por que foi que o Percy ganhou vestes novas? — disse um dos gêmeos.

— Porque é *monitor* — disse a mãe com carinho. — Está bem, querido, tenha um bom ano letivo... mande-me uma coruja quando chegar.

Ela beijou Percy no rosto e ele foi embora. Então virou-se para os gêmeos.

— Agora, vocês dois: este ano, se comportem. Se receber mais uma coruja dizendo que vocês... vocês explodiram um banheiro ou...
— Explodiram um banheiro? Nunca explodimos um banheiro.
— Mas é uma grande ideia, obrigado, mamãe.
— Não tem graça. E cuidem do Rony.
— Não se preocupe, Roniquinho está seguro com a gente.
— Cale a boca — mandou Rony outra vez. Já era quase tão alto quanto os gêmeos e seu nariz continuava vermelho onde a mãe o esfregara.
— Ei, mãe, adivinha? Adivinha quem acabamos de encontrar no trem?
Harry recuou o corpo rápido para que eles não o vissem olhando.
— Sabe aquele menino de cabelos pretos que estava perto da gente na estação? Sabe quem ele é?
— Quem?
— Harry Potter!
Harry ouviu a voz da garotinha:
— Ah, mamãe, posso subir no trem para ver ele, mamãe, ah, por favor...
— Você já o viu, Gina, e o coitado não é um bicho de zoológico para você ficar olhando. É ele mesmo, Fred? Como é que você sabe?
— Perguntei a ele. Vi a cicatriz. Está lá mesmo, parece um raio.
— *Coitadinho*. Não admira que estivesse sozinho. Foi tão educado quando me perguntou como entrar na plataforma.
— Deixa para lá, você acha que ele se lembra como era o Você-Sabe--Quem?
De repente a mãe ficou muito séria.
— Proíbo-lhe de perguntar a ele, Fred. Não, não se atreva. Como se ele precisasse de alguém para lhe lembrar uma coisa dessas no primeiro dia de escola.
— Está bem, não precisa ficar nervosa.
Ouviu-se um apito.
— Depressa! — disse a mãe, e os três garotos subiram no trem. Debruçaram-se na janela para a mãe lhes dar um beijo de despedida e a irmãzinha começou a chorar.
— Não chore, Gina, vamos lhe mandar um monte de corujas.
— Vamos lhe mandar uma tampa de vaso de Hogwarts.
— *Jorge!*
— Estou só brincando, mamãe.
O trem começou a andar. Harry viu a mãe dos garotos acenando e a irmã, meio risonha, meio chorosa, correndo para acompanhar o trem até ele ganhar velocidade e ela ficar para trás acenando.

Harry observou a menina e a mãe desaparecerem quando o trem fez a curva. As casas passaram num relâmpago pela janela. Harry sentiu uma grande animação. Não sabia aonde estava indo mas tinha de ser melhor do que o lugar que estava deixando para trás.

A porta da cabine se abriu e o ruivinho mais moço entrou.

– Tem alguém sentado aqui? – perguntou, apontando para o assento em frente ao de Harry. – O resto do trem está cheio.

Harry respondeu que não, com um aceno de cabeça, e o garoto se sentou. Olhou para Harry e em seguida desviou o olhar depressa para fora, fingindo que não tinha feito isso. Harry reparou que ele ainda tinha uma mancha preta no nariz.

– Oi, Rony.

Os gêmeos estavam de volta.

– Escuta aqui, vamos para o meio do trem. Lino Jordan trouxe uma tarântula gigante.

– Certo – resmungou Rony.

– Harry – disse o outro gêmeo –, nós já nos apresentamos? Fred e Jorge Weasley. E este é o Rony, nosso irmão. Vejo vocês mais tarde, então.

– Tchau – disseram Harry e Rony. Os gêmeos fecharam a porta da cabine ao passar.

– Você é Harry Potter mesmo? – Rony deixou escapar.

Harry confirmou com a cabeça.

– Ah, bom, pensei que fosse uma brincadeira do Fred e do Jorge. E você tem mesmo... sabe...

Apontou para a testa de Harry.

Harry afastou a franja para mostrar a cicatriz em forma de raio. Rony olhou.

– Então foi aí que Você-Sabe-Quem...?

– Foi, mas não me lembro.

– De nada? – perguntou Rony, ansioso.

– Bom... lembro de muita luz verde, mas nada mais.

– Uau. – Ele ficou parado uns minutos encarando Harry, depois, como se de repente tivesse se dado conta do que estava fazendo, olhou depressa para fora da janela outra vez.

– Todos na sua família são bruxos? – perguntou Harry, que achava Rony tão interessante quanto Rony o achava.

– Hum... são, acho que sim. Acho que mamãe tem um primo em segundo grau que é contador, mas ninguém nunca fala nele.

— Então você já deve saber muita magia.

Os Weasley aparentemente eram uma dessas antigas famílias de bruxos de que o menino pálido no Beco Diagonal falara.

— Ouvi dizer que você foi viver com os trouxas. Como é que eles são?

— Horríveis... bom, nem todos. Mas minha tia e meu tio e meu primo são. Eu gostaria de ter tido três irmãos bruxos.

— Cinco. — Por alguma razão, ele pareceu triste. — Sou o sexto de minha família a ir para Hogwarts. Pode-se dizer que tenho de fazer justiça ao nosso nome. Gui e Carlinhos já terminaram a escola. Gui foi chefe dos monitores e Carlinhos foi capitão do time de quadribol. Agora Percy é monitor. Fred e Jorge fazem muita bagunça, mas tiram notas muito boas e todo mundo acha que eles são realmente engraçados. Todos esperam que eu me saia tão bem quanto os outros, mas, se eu me sair bem, não será nada de mais, porque eles fizeram isso primeiro. E também não se ganha nada novo quando se tem cinco irmãos. Uso as vestes velhas de Gui, a varinha velha de Carlinhos e o rato velho de Percy.

Rony meteu a mão no bolso interno do paletó e tirou um rato cinzento e gordo que estava dormindo.

— O nome dele é Perebas e ele é inútil, quase nunca acorda. Percy ganhou uma coruja de meu pai por ter sido escolhido monitor, mas eles não podiam com... quero dizer, em vez disso ganhei Perebas.

As orelhas de Rony ficaram vermelhas. Parecia estar achando que falara demais, porque voltou a olhar para fora pela janela.

Harry não achava nada de mais que alguém não tivesse dinheiro para comprar uma coruja. Afinal, ele nunca tivera dinheiro algum na vida até um mês atrás, e disse isso a Rony, contando que era obrigado a usar as roupas velhas de Duda e que jamais ganhara um presente de aniversário decente. Isto pareceu animar Rony um pouco.

— ... e até Hagrid me contar, eu não sabia o que era ser bruxo, nem quem eram meus pais, nem o Voldemort.

Rony ficou pasmo.

— Que foi?

— *Você disse o nome do Você-Sabe-Quem!* — exclamou Rony parecendo ao mesmo tempo chocado e impressionado. — Eu achava que, de todas as pessoas, você...

— Não estou tentando ser corajoso nem nada dizendo o nome dele. É que nunca soube que não se podia dizer. Está vendo o que quero dizer? Tenho muito o que aprender... Aposto... — acrescentou, pondo pela primeira vez em palavras algo que o andava preocupando muito ultimamente. — Aposto que vou ser o pior da classe.

— Não vai ser, não. Tem uma porção de gente que vem de famílias de trouxas e aprende bem depressa.

Enquanto conversavam, o trem saiu de Londres. Agora corriam por campos cheios de vacas e carneiros. Ficaram calados por um tempo, contemplando os campos e as estradinhas passarem num lampejo.

Por volta de 12h30 ouviram um grande barulho no corredor e uma mulher toda sorrisos e covinhas abriu a porta e perguntou:

— Querem alguma coisa do carrinho, queridos?

Harry, que não tomara café da manhã, ergueu-se de um salto, mas as orelhas de Rony ficaram vermelhas outra vez e ele murmurou que trouxera sanduíches. Harry foi até o corredor.

Nunca tivera dinheiro para doces na casa dos Dursley e agora que seus bolsos retiniam com moedas de ouro e prata, estava disposto a comprar quantas barrinhas de chocolate pudesse carregar — mas a mulher não tinha barrinhas. Tinha feijõezinhos de todos os sabores, balas de goma, chicles de bola, sapos de chocolate, tortinhas de abóbora, bolos de caldeirão, varinhas de alcaçuz e várias outras coisas estranhas que Harry nunca vira na vida. Não querendo perder nada, ele comprou uma de cada e pagou à mulher onze sicles de prata e sete nuques de bronze.

Rony arregalou os olhos quando Harry trouxe tudo para a cabine e despejou no assento vazio.

— Que fome, hein?

— Morrendo de fome — respondeu Harry, dando uma grande dentada na tortinha de abóbora.

Rony tirara um embrulho encaroçado e abriu-o. Havia quatro sanduíches dentro. Abriu um e disse:

— Ela sempre se esquece de que não gosto de carne enlatada.

— Troco com você por um desses — propôs Harry, oferecendo um pastelão de carne. — Tome...

— Você não vai querer isso, é muito seco. Ela não tem muito tempo — acrescentou depressa. — Você sabe, somos cinco.

— Tome, coma um pastelão — disse Harry, que nunca tivera nada para dividir com alguém antes, aliás, nem ninguém com quem dividir. Era uma sensação gostosa, sentar-se ali com Rony, acabar com todas as tortas e bolos de Harry (os sanduíches ficaram esquecidos).

– Que é isso? – perguntou Harry a Rony, mostrando um pacote de sapos de chocolate. – Eles não são sapos de verdade, são? – Estava começando a achar que nada o surpreenderia.

– Não. Mas vê qual é a figurinha, está me faltando a Agripa.

– O quê?

– Claro que você não sabe, os sapos de chocolate têm figurinhas dentro, sabe, para colecionar, bruxas e bruxos famosos. Tenho umas quinhentas, mas não tenho a Agripa nem o Ptolomeu.

Harry abriu o sapo de chocolate e puxou a figurinha. Era a cara de um homem. Usava óculos de meia-lua, tinha um nariz comprido e torto, esvoaçantes cabelos, barba e bigode prateados. Sob o retrato havia o nome *Alvo Dumbledore*.

– Então este é Dumbledore! – exclamou Harry.

– Não me diga que nunca ouviu falar de Dumbledore! Posso pegar um sapo? Quem sabe eu tiro a Agripa. Obrigado.

Harry virou o verso da figurinha e leu:

*Alvo Dumbledore, atualmente diretor de Hogwarts. Considerado por muitos o maior bruxo dos tempos modernos. Dumbledore é particularmente famoso por ter derrotado Grindelwald, o bruxo das trevas, em 1945, por ter descoberto os doze usos do sangue de dragão e por desenvolver um trabalho de alquimia em parceria com Nicolau Flamel. O Professor Dumbledore gosta de música de câmara e boliche.*

Harry virou de novo o cartão e viu, para seu espanto, que o rosto de Dumbledore havia desaparecido.

– Ele desapareceu!

– Ora, você não pode esperar que ele fique aí o dia todo. Depois ele volta. Não, tirei a Morgana outra vez e já tenho umas seis... você quer? Pode começar a colecionar.

Os olhos de Rony se desviaram para a pilha de sapos de chocolate que continuavam fechados.

– Sirva-se – disse Harry. – Mas, sabe, no mundo dos trouxas, as pessoas ficam paradas nas fotos.

– Ficam? O quê, elas não se mexem? – Rony parecia surpreso. – Que coisa esquisita!

Harry arregalou os olhos quando Dumbledore voltou para a figurinha e lhe deu um sorrisinho. Rony estava mais interessado em comer os sapos do que em olhar os bruxos e bruxas famosos, mas Harry não conseguia despregar os olhos deles. Logo não tinha só Dumbledore e Morgana, como também Hengisto de Woodcroft, Alberico Grunnion, Circe, Paracelso e Merlim. Por fim, ele despregou os olhos da druida Cliodna, que estava coçando o nariz, para abrir o saquinho de feijõezinhos de todos os sabores.

— Você vai ter que tomar cuidado com esses aí — alertou Rony. — Quando dizem todos os sabores, eles querem dizer *todos os sabores*. Sabe, os sabores comuns como chocolate, hortelã e laranja, mas também espinafre, fígado e bucho. Jorge achou que sentiu gosto de bicho-papão uma vez.

Rony apanhou uma balinha verde, examinou-a atentamente e mordeu uma ponta.

— Eca! Está vendo? Couve-de-bruxelas.

Eles se divertiram comendo as balas. Harry tirou torrada, coco, feijão cozido, morango, curry, capim, café, sardinha e chegou a reunir coragem para morder a ponta de uma bala cinzenta meio esquisita que Rony não queria pegar, e que era pimenta.

Os campos que passavam pela janela estavam ficando mais silvestres. As plantações tinham desaparecido. Agora havia matas, rios serpeantes e morros verde-escuros.

Ouviram uma batida à porta da cabine e o menino de rosto redondo, por quem Harry passara na plataforma 9¾, entrou. Parecia choroso.

— Desculpem, mas vocês viram um sapo?

Quando os dois sacudiram a cabeça, ele chorou.

— Perdi ele! Está sempre fugindo de mim!

— Ele vai aparecer — consolou Harry.

— Vai — disse o menino, infeliz. — Se vocês virem...

E saiu.

— Não sei por que ele está tão chateado — disse Rony. — Se eu tivesse trazido um sapo, ia querer perder ele o mais depressa que pudesse. Mas trouxe Perebas, por isso nem posso falar nada.

O rato continuava a tirar sua soneca no colo de Rony.

— Ele podia estar morto e ninguém ia saber a diferença — disse Rony, desgostoso. — Tentei mudar a cor dele para amarelo para deixar ele mais interessante, mas o feitiço não deu certo. Vou-lhe mostrar. Olhe...

Remexeu no malão e tirou uma varinha muito gasta. Estava lascada em alguns pontos e havia uma coisa branca brilhando na ponta.

— O pelo do unicórnio está quase saindo. Em todo o caso...

Tinha acabado de erguer a varinha quando a porta da cabine abriu outra vez. O menino sem o sapo estava de volta, mas desta vez vinha uma garota em sua companhia. Ela já estava usando as vestes novas de Hogwarts.

— Alguém viu um sapo? Neville perdeu o dele. — Tinha um tom de voz mandão, os cabelos castanhos muito cheios e os dentes da frente meio grandes.

— Já dissemos a ele que não vimos o sapo — respondeu Rony, mas a menina não estava escutando, olhava para a varinha na mão dele.

— Você está fazendo magia? Quero ver.

Sentou-se. Rony pareceu desconcertado.

— Hum... está bem.

Pigarreou.

— Sol, margaridas, amarelo maduro, muda para amarelo esse rato velho e burro.

Ele agitou a varinha, mas nada aconteceu. Perebas continuou cinzento e completamente adormecido.

— Você tem certeza de que esse feitiço está certo? — perguntou a menina. — Bem, não é muito bom, né? Experimentei uns feitiços simples só para praticar e deram certo. Ninguém na minha família é bruxo, foi uma surpresa enorme quando recebi a carta, mas fiquei tão contente, é claro, quero dizer, é a melhor escola de bruxaria que existe, me disseram. Já sei de cor todos os livros que nos mandaram comprar, é claro, só espero que seja suficiente; aliás, sou Hermione Granger, e vocês quem são?

Ela disse tudo isso muito depressa.

Harry olhou para Rony e sentiu um grande alívio ao ver, por sua cara espantada, que ele não aprendera todos os livros de cor tampouco.

— Sou Rony Weasley.

— Harry Potter.

— Verdade? Já ouvi falar de você, é claro. Tenho outros livros recomendados, e você está na *História da magia moderna* e em *Ascensão e queda das artes das trevas* e em *Grandes acontecimentos mágicos do século XX*.

— Estou? — admirou-se Harry sentindo-se confuso.

— Nossa, você não sabia, eu teria procurado saber tudo que pudesse se fosse comigo — disse Hermione. — Já sabem em que casa vão ficar? Andei perguntando e espero ficar na Grifinória, me parece a melhor, ouvi dizer que o próprio Dumbledore foi de lá, mas imagino que a Corvinal não seja muito ruim... Em todo o caso, acho melhor irmos procurar o sapo de Neville. E é melhor vocês se trocarem, sabe, vamos chegar daqui a pouco.

E foi-se embora, levando o menino sem sapo.

— Seja qual for a minha casa, espero que ela não esteja lá — comentou Rony. E jogou a varinha de volta no malão. — Feitiço besta. Foi o Jorge que me ensinou, aposto que sabia que não prestava.

– Em que casa estão os seus irmãos? – perguntou Harry.

– Grifinória. – A tristeza parecia estar se apoderando dele outra vez. – Mamãe e papai estiveram lá também. Não sei o que vão dizer se eu não entrar. Acho que a Corvinal não seria muito ruim, mas imagine se me puserem na Sonserina.

– É a casa em que Vol... quero dizer, Você-Sabe-Quem esteve?

– É. – E afundou novamente no assento, parecendo deprimido.

– Sabe, acho que as pontas dos bigodes de Perebas ficaram um pouquinho mais claras – disse Harry, tentando distrair o pensamento de Rony das casas. – Então, o que é que os seus irmãos mais velhos fazem agora que já terminaram?

Harry estava imaginando o que fazia um bruxo depois que terminava a escola.

– Carlinhos está na Romênia estudando dragões e Gui está na África fazendo um serviço para o Gringotes. Você soube o que aconteceu com o Gringotes? O Profeta Diário só fala nisso, mas acho que morando com os trouxas você não recebe o jornal. Uns caras tentaram roubar um cofre de segurança máxima.

Harry arregalou os olhos.

– Verdade? E o que aconteceu com eles?

– Nada, é por isso que é uma notícia tão importante. Não foram pegos. Papai disse que deve ter sido um bruxo das trevas poderoso para enganar Gringotes, mas estão achando que eles não levaram nada, isso é que é esquisito. É claro que todo mundo fica apavorado quando uma coisa dessas acontece porque Você-Sabe-Quem pode estar por trás da coisa.

Harry repassou as notícias mentalmente. Estava começando a sentir um arrepio de medo toda vez que Você-Sabe-Quem era mencionado. Supunha que isso fazia parte do ingresso no mundo bruxo, mas tinha sido muito mais confortável dizer Voldemort sem se preocupar.

– Qual é o seu time de quadribol? – perguntou Rony.

– Hum... não conheço nenhum – confessou Harry.

– O quê? – Rony parecia pasmo. – Ah, espere aí, é o melhor jogo do mundo. – E saiu explicando tudo sobre as quatro bolas e as posições dos sete jogadores, descreveu jogos famosos a que fora com os irmãos e a vassoura que gostaria de comprar se tivesse dinheiro. Estava mostrando a Harry as qualidades do jogo quando a porta da cabine se abriu mais uma vez, mas agora não era Neville, o menino sem sapo, nem Hermione Granger.

Três garotos entraram e Harry reconheceu o do meio na hora: era o garoto pálido da loja de vestes de Madame Malkin. Olhou para Harry com um interesse muito maior do que revelara no Beco Diagonal.

— É verdade? — perguntou. — Estão dizendo no trem que Harry Potter está nesta cabine. Então é você?

— Sou — respondeu Harry. Observava os outros garotos. Os dois eram fortes e pareciam muito maus. Postados dos lados do menino pálido, eles pareciam guarda-costas.

— Ah, este é Crabbe e este outro, Goyle — apresentou o garoto pálido displicentemente, notando o interesse de Harry. — E meu nome é Draco Malfoy.

Rony tossiu de leve, o que poderia estar escondendo uma risadinha. Malfoy olhou para ele.

— Acha o meu nome engraçado, é? Nem preciso perguntar quem você é. Meu pai me contou que na família Weasley todos têm cabelos ruivos e sardas e mais filhos do que podem sustentar.

Virou-se para Harry.

— Você não vai demorar a descobrir que algumas famílias de bruxos são bem melhores do que outras, Harry. Você não vai querer fazer amizade com as ruins. E eu posso ajudá-lo nisso.

Ele estendeu a mão para apertar a de Harry, mas Harry não a apertou.

— Acho que sei dizer qual é o tipo ruim sozinho, obrigado — disse com frieza.

Draco não ficou vermelho, mas um ligeiro rosado coloriu seu rosto pálido.

— Eu teria mais cuidado se fosse você, Harry — disse lentamente. — A não ser que seja mais educado, vai acabar como os seus pais. Eles também não tinham juízo. Você se mistura com gentinha como os Weasley e aquele Rúbeo e vai acabar se contaminando.

Harry e Rony se levantaram. O rosto de Rony estava vermelho como os cabelos.

— Repete isso.

— Ah, você vai brigar com a gente, vai? — Draco caçoou.

— A não ser que você se retire agora — disse Harry com uma coragem maior do que sentia, porque Crabbe e Goyle eram bem maiores do que ele ou Rony.

— Mas não estamos com vontade de nos retirar, estamos, garotos? Já comemos toda a nossa comida e parece que vocês ainda têm alguma coisa.

Goyle fez menção de apanhar os sapos de chocolate ao lado de Rony. Rony deu um pulo para a frente, mas, antes que encostasse em Goyle, este soltou um berro terrível.

Perebas, o rato, estava pendurado em seu dedo, os dentinhos afiados enterrados na junta de Goyle. Crabbe e Draco recuaram enquanto Goyle rodava e rodava o braço, urrando, e quando Perebas finalmente se soltou e bateu na janela, os três desapareceram na mesma hora. Talvez achassem que havia mais ratos escondidos nos doces, ou talvez tivessem ouvido passos, porque, um segundo depois, Hermione Granger entrou.

— Que foi que aconteceu? — perguntou, vendo os doces espalhados no chão e Rony apanhando Perebas pela cauda.

— Acho que apagaram ele — disse Rony a Harry. E examinou Perebas mais atentamente. — Não... Não acredito... Ele voltou a dormir.

E dormira mesmo.

— Você já conhecia Draco Malfoy?

Harry contou o encontro deles no Beco Diagonal.

— Já ouvi falar na família dele — disse Rony, sombrio. — Foram os primeiros a voltar para o nosso lado depois que Você-Sabe-Quem desapareceu. Disseram que tinham sido enfeitiçados. Papai não acredita nisso. Diz que o pai de Draco não precisou de desculpa para se bandear para o lado das trevas.

— E virou-se para Hermione. — Podemos fazer alguma coisa por você?

— É melhor vocês se apressarem e trocarem de roupa. Acabei de ir lá na frente perguntar ao maquinista e ele me disse que estamos quase chegando. Vocês andaram brigando? Vão se meter em encrenca antes mesmo de chegarmos lá!

— Perebas andou brigando, nós não — disse Rony, fazendo cara zangada.

— Você se importa de sair para podermos nos trocar?

— Está bem. Só vim para cá porque as pessoas nas outras cabines estão se comportando feito crianças, correndo pelos corredores — disse Hermione em tom choroso. — E você está com o nariz sujo, sabia?

Rony amarrou a cara quando ela se retirou. Harry espiou pela janela. Estava escurecendo. Viu montanhas e matas sob um céu arroxeado. O trem parecia estar diminuindo a velocidade.

Ele e Rony tiraram os casacos e puseram as vestes longas e pretas. A de Rony estava um pouco curta, dava para ver os tênis por baixo.

Uma voz ecoou pelo trem:

— Vamos chegar a Hogwarts dentro de cinco minutos. Por favor deixem a bagagem no trem, ela será levada para a escola.

O estômago de Harry revirou de nervoso e ele reparou que Rony parecia pálido sob as sardas. Os dois encheram os bolsos com o resto dos doces e se reuniram à garotada que apinhava os corredores.

O trem foi diminuindo a velocidade e finalmente parou. As pessoas se empurraram para chegar à porta e descer na pequena plataforma escura. Harry estremeceu ao ar frio da noite. Então apareceu uma lâmpada balançando sobre as cabeças dos estudantes e Harry ouviu uma voz conhecida.

— Alunos do primeiro ano! Primeiro ano aqui! Tudo bem, Harry?

O rosto grande e peludo de Rúbeo Hagrid sorria por cima de um mar de cabeças.

— Vamos, venham comigo. Mais alguém do primeiro ano? Cuidado onde pisam! Primeiro ano, comigo!

Aos escorregões e tropeços, eles seguiram Hagrid por um caminho de aparência íngreme e estreita. Estava tão escuro em volta que Harry achou que devia haver grandes árvores ali. Ninguém falou muito. Neville, o menino que vivia perdendo o sapo, fungou umas duas vezes.

— Vocês vão ter a primeira visão de Hogwarts em um segundo — Hagrid gritou por cima do ombro —, logo depois dessa curva.

Ouviu-se um "Aoooooh" muito alto.

O caminho estreito se abrira de repente até a margem de um grande lago escuro. Encarrapitado no alto de um penhasco na margem oposta, as janelas cintilando no céu estrelado, havia um imenso castelo com muitas torres e torrinhas.

— Só quatro em cada barco! — gritou Hagrid, apontando para uma flotilha de barquinhos parados na água junto à margem. Harry e Rony foram seguidos até o barco por Neville e Hermione.

"Todos acomodados?", gritou Hagrid, que tinha um barco só para si. "Então... VAMOS!"

E a flotilha de barquinhos largou toda ao mesmo tempo, deslizando pelo lago, que era liso como um vidro. Todos estavam silenciosos, os olhos fixos no grande castelo no alto. A construção se agigantava à medida que se aproximavam do penhasco em que estava situado.

— Abaixem as cabeças! — berrou Hagrid quando os primeiros barcos chegaram ao penhasco; todos abaixaram as cabeças e os barquinhos atravessaram uma cortina de hera que ocultava uma larga abertura na face do penhasco. Foram impelidos por um túnel escuro, que parecia levá-los para debaixo do castelo, até uma espécie de cais subterrâneo, onde desembarcaram pisando em pedras e seixos.

— Ei, você aí! É o seu sapo? — perguntou Hagrid, que verificava os barcos à medida que as pessoas desembarcavam.

— Trevo! — gritou Neville, feliz, estendendo as mãos.

Então eles subiram por uma passagem aberta na rocha, acompanhando a lanterna de Hagrid, e desembocaram finalmente em um gramado fofo e úmido à sombra do castelo.

Galgaram uma escada de pedra e se aglomeraram em torno da enorme porta de carvalho.

— Estão todos aqui? Você aí, ainda está com o seu sapo?

Hagrid ergueu um punho gigantesco e bateu três vezes na porta do castelo.

# 7

## O CHAPÉU SELETOR

A porta abriu-se de chofre. E apareceu uma bruxa alta de cabelos pretos e vestes verde-esmeralda. Tinha o rosto muito severo e o primeiro pensamento de Harry foi que era uma pessoa a quem não se devia aborrecer.

— Alunos do primeiro ano, Profª Minerva McGonagall — informou Hagrid.
— Obrigada, Hagrid. Eu cuido deles daqui em diante.

Ela escancarou a porta. O saguão era tão grande que teria cabido a casa dos Dursley inteira dentro. As paredes de pedra estavam iluminadas com archotes flamejantes como os de Gringotes, o teto era alto demais para se ver, e uma imponente escada de mármore em frente levava aos andares superiores.

Eles acompanharam a Profª Minerva pelo piso de lajotas de pedra. Harry ouviu o murmúrio de centenas de vozes que vinham de uma porta à direita — o restante da escola já devia estar reunido. Mas a Profª Minerva levou os alunos da primeira série a uma sala vazia ao lado do saguão. Eles se agruparam lá dentro, um pouco mais apertados do que o normal, olhando, nervosos, para os lados.

— Bem-vindos a Hogwarts — disse a Profª Minerva. — O banquete de abertura do ano letivo vai começar daqui a pouco, mas antes de se sentarem às mesas, vocês serão selecionados por casas. A Seleção é uma cerimônia muito importante porque, enquanto estiverem aqui, sua casa será uma espécie de família em Hogwarts. Vocês assistirão a aulas com o restante dos alunos de sua casa, dormirão no dormitório da casa e passarão o tempo livre na sala comunal.

"As quatro casas chamam-se Grifinória, Lufa-Lufa, Corvinal e Sonserina. Cada casa tem sua história honrosa e cada uma produziu bruxas e bruxos extraordinários. Enquanto estiverem em Hogwarts os seus acertos renderão pontos para sua casa, enquanto os erros a farão perder. No fim do ano, a casa com o maior número de pontos receberá a Taça das Casas, uma grande honra. Espero que cada um de vocês seja motivo de orgulho para a casa à qual vier a pertencer.

"A Cerimônia de Seleção vai se realizar dentro de alguns minutos na presença de toda a escola. Sugiro que vocês se arrumem o melhor que puderem enquanto esperam."

O olhar dela se demorou por um instante na capa de Neville, que estava afivelada debaixo da orelha esquerda, e no nariz sujo de Rony. Harry, nervoso, tentou achatar os cabelos.

— Voltarei quando estivermos prontos para receber vocês — disse a Prof$^a$ Minerva. — Por favor, aguardem em silêncio.

E se retirou da sala. Harry engoliu em seco.

— Mas como é que eles selecionam a gente para as casas? — Harry perguntou a Rony.

— Devem fazer uma espécie de teste, acho. Fred diz que dói à beça, mas acho que estava brincando.

O coração de Harry deu um pulo terrível. Um teste? Na frente da escola toda? Mas ele ainda nem conhecia magias — que diabo teria que fazer? Não previra nada do gênero assim logo na chegada. Olhou à volta, ansioso, e viu que os outros também pareciam apavorados. Ninguém falava muito a não ser Hermione, que cochichava muito depressa todos os feitiços que aprendera, sem saber o que precisaria mostrar. Harry fez força para não escutar o que ela dizia. Nunca se sentira tão nervoso, nunca, nem mesmo quando tivera que levar um boletim escolar para os Dursley dizendo que, não sabia como, ele fizera a peruca do professor ficar azul. Ele manteve os olhos grudados na porta. A qualquer segundo agora a Prof$^a$ Minerva voltaria e o conduziria ao seu triste fim.

Então aconteceu uma coisa que o fez pular bem uns trinta centímetros no ar — várias pessoas atrás dele gritaram.

— Que di...

Ele ofegou. E as pessoas à sua volta também. Uns vinte fantasmas passaram pela parede dos fundos. Brancos-pérola e ligeiramente transparentes, eles deslizaram pela sala conversando entre si, mal vendo os alunos do primeiro ano. Pareciam estar discutindo. O que lembrava um fradinho gorducho ia dizendo:

— Perdoar e esquecer, eu diria, vamos dar a ele uma segunda chance...

— Meu caro frei, já não demos a Pirraça todas as chances que ele merecia? Ele mancha a nossa reputação e, você sabe, ele nem ao menos é um fantasma. Nossa, o que é que essa garotada está fazendo aqui?

Um fantasma, que usava uma gola de rufos engomados e meiões, de repente reparou nos alunos do primeiro ano.

Ninguém respondeu.

— Alunos novos! — disse o Frei Gorducho, sorrindo para eles. — Estão esperando para ser selecionados, imagino?

Alguns garotos confirmaram com a cabeça, mudos.

— Espero ver vocês na Lufa-Lufa! — falou o frei. — A minha casa antiga, sabe?

— Vamos andando agora — disse uma voz enérgica. — A Cerimônia de Seleção vai começar.

A Prof.ª Minerva voltara. Um a um os fantasmas saíram voando pela parede oposta.

— Agora façam fila e me sigam.

Sentindo-se pouco à vontade como se suas pernas tivessem virado chumbo, Harry entrou na fila atrás de um garoto de cabelos cor de palha e na frente de Rony, e todos saíram da sala, tornaram a atravessar o saguão e as portas duplas que levavam ao Salão Principal.

Harry jamais imaginara um lugar tão diferente e esplêndido. Era iluminado por milhares de velas que flutuavam no ar sobre quatro mesas compridas, onde os demais estudantes já se encontravam sentados. As mesas estavam postas com pratos e taças dourados. No outro extremo do salão havia mais uma mesa comprida em que se sentavam os professores. A Prof.ª Minerva levou os alunos do primeiro ano até ali, de modo que eles pararam enfileirados diante dos outros, tendo os professores às suas costas. As centenas de rostos que os contemplavam pareciam lanternas fracas à luz trêmula das velas. Misturados aqui e ali aos estudantes, os fantasmas brilhavam como prata envolta em névoa. Principalmente para evitar os olhares fixos neles, Harry olhou para cima e viu um teto aveludado e preto, salpicado de estrelas. Ouviu Hermione cochichar:

— É enfeitiçado para parecer o céu lá fora, li em *Hogwarts, uma história*.

Era difícil acreditar que havia um teto ali e que o Salão Principal simplesmente não se abria para o infinito.

Harry baixou depressa os olhos quando a Prof.ª Minerva silenciosamente colocou um banquinho de quatro pernas diante dos alunos do primeiro ano. Em cima do banquinho ela pôs um chapéu pontudo de bruxo. O chapéu era remendado, esfiapado e sujíssimo. Tia Petúnia não teria permitido que um objeto nessas condições entrasse em casa.

Talvez tivessem que tentar tirar um coelho de dentro dele, Harry pensou delirando, parecia apropriado — reparando que todos no salão agora olhavam para o chapéu, ele olhou também. Por alguns segundos fez-se um silêncio total. Então o chapéu se mexeu. Um rasgo junto à aba se abriu como uma boca — e o chapéu começou a cantar:

*Ah, vocês podem me achar pouco atraente,*
*Mas não me julguem só pela aparência*
*Engulo a mim mesmo se puderem encontrar*
*Um chapéu mais inteligente do que o papai aqui.*
*Podem guardar seus chapéus-coco bem pretos,*
*Suas cartolas altas de cetim brilhoso*
*Porque sou o Chapéu Seletor de Hogwarts*
*E dou de dez a zero em qualquer outro chapéu.*
*Não há nada escondido em sua cabeça*
*Que o Chapéu Seletor não consiga ver,*
*Por isso é só me porem na cabeça que vou dizer*
*Em que casa de Hogwarts deverão ficar.*
*Quem sabe sua morada é a Grifinória,*
*Casa onde habitam os corações indômitos.*
*Ousadia e sangue-frio e nobreza*
*Destacam os alunos da Grifinória dos demais;*
*Quem sabe é na Lufa-Lufa que você vai morar,*
*Onde seus moradores são justos e leais,*
*Pacientes, sinceros, sem medo da dor;*
*Ou será a velha e sábia Corvinal,*
*A casa dos que têm a mente sempre alerta,*
*Onde os homens de grande espírito e saber*
*Sempre encontrarão companheiros seus iguais;*
*Ou quem sabe a Sonserina será a sua casa*
*E ali fará seus verdadeiros amigos,*
*Homens de astúcia que usam quaisquer meios*
*Para atingir os fins que antes colimaram.*
*Vamos, me experimentem! Não devem temer!*
*Nem se atrapalhar! Estarão em boas mãos!*
*(Mesmo que os chapéus não tenham pés nem mãos)*
*Porque sou único, sou um Chapéu Pensador!*

O salão inteiro irrompeu em aplausos quando o chapéu acabou de cantar. Ele fez uma reverência para cada uma das quatro mesas e em seguida ficou muito quieto outra vez.

— Então só precisamos experimentar o chapéu! — cochichou Rony a Harry. — Vou matar o Fred, ele não parou de falar numa luta contra um trasgo.

Harry deu um sorriso sem graça. É, experimentar um chapéu era bem melhor do que precisar fazer um feitiço, mas desejou que pudessem ter experimentado o chapéu sem toda aquela gente olhando. O chapéu parecia estar pedindo muito; Harry não se sentia corajoso, nem inteligente, nem qualquer outra coisa naquele momento. Se ao menos o chapéu tivesse mencionado uma casa para gente que se sentia meio nervosa, quem sabe teria sido a sua casa.

A Prof.ª Minerva então se adiantou, segurando um longo rolo de pergaminho.

— Quando eu chamar seus nomes, vocês porão o chapéu e se sentarão no banquinho para a seleção. Ana Abbott!

Uma garota de rosto rosado e marias-chiquinhas louras saiu aos tropeços da fila, pôs o chapéu, que lhe afundou direto até os olhos, e se sentou. Uma pausa momentânea...

— LUFA-LUFA! — anunciou o chapéu.

A mesa à direita deu vivas e bateu palmas quando Ana foi se sentar à mesa da Lufa-Lufa. Harry viu o fantasma do Frei Gorducho acenar alegremente para ela.

— Susana Bones!

— LUFA-LUFA! — anunciou o chapéu outra vez, e Susana saiu depressa e foi se sentar ao lado de Ana.

— Terêncio Boot!

— CORVINAL!

Desta vez foi a segunda mesa à esquerda que aplaudiu; vários alunos da Corvinal se levantaram para apertar a mão de Terêncio quando o menino se reuniu a eles.

Mádi Brocklehurst foi para a Corvinal também, mas Lilá Brown foi a primeira a ser escolhida para a Grifinória e a mesa na extrema esquerda explodiu em vivas; Harry viu os irmãos gêmeos de Rony assobiarem.

Mila Bulstrode se tornou uma Sonserina. Talvez fosse a imaginação de Harry, mas depois de tudo que ouvira sobre a Sonserina, achou que eles formavam um grupo de aparência desagradável.

Estava começando a se sentir decididamente mal agora. Lembrou-se da seleção para os times, nas aulas de esporte de sua velha escola. Sempre fora o último a ser escolhido, não porque não fosse bom, mas porque ninguém queria que Duda pensasse que gostavam dele.

— Justino Finch-Fletchley!
— LUFA-LUFA!
Às vezes, Harry reparou, o chapéu anunciava logo o nome da casa, mas outras levava um tempo para se decidir.

Simas Finnigan, o menino de cabelos cor de palha ao lado de Harry na fila, passou sentado no banquinho quase um minuto, antes de o chapéu anunciar que iria para a Grifinória.

— Hermione Granger!

Hermione saiu quase correndo até o banquinho e enfiou o chapéu, ansiosa.

— GRIFINÓRIA! — anunciou o chapéu. Rony gemeu.

Um pensamento horrível ocorreu a Harry, como fazem os pensamentos horríveis quando a pessoa está nervosa. E se ele não fosse escolhido? E se ficasse ali sentado com o chapéu na cabeça cobrindo seus olhos durante um tempão, até a Prof.ª Minerva arrancá-lo de sua cabeça e dizer que obviamente houvera um engano e era melhor ele pegar o trem de volta?

Quando Neville Longbottom, o menino que não parava de perder o sapo, foi chamado, levou um tombo a caminho do banquinho. O chapéu demorou muito tempo para se decidir sobre Neville. Quando finalmente anunciou "GRIFINÓRIA", Neville saiu correndo com o chapéu na cabeça, e teve de voltar em meio a uma avalanche de risadas para entregá-lo a Morag MacDougal.

Malfoy se adiantou, gingando, quando chamaram seu nome e teve seu desejo realizado imediatamente: o chapéu mal tocara sua cabeça quando anunciou:

— SONSERINA!

Malfoy foi se juntar aos amigos Crabbe e Goyle, parecendo muito satisfeito consigo mesmo.

Faltava pouca gente agora.

Moon..., Nott..., Parkinson..., depois duas gêmeas, Patil e Patil..., depois Perks, Sara... e então, finalmente...

— Harry Potter!

Quando Harry se adiantou, um burburinho correu por todo o salão como um fogo de rastilho.

— Potter, foi o que ela disse?

— O Harry Potter?

A última coisa que Harry viu antes de o chapéu lhe cair sobre os olhos foi um salão cheio de gente se espichando para lhe dar uma boa olhada. Em seguida só viu a escuridão dentro do chapéu.

– Difícil. Muito difícil. Bastante coragem, vejo. Uma mente nada má. Há talento, ah, minha nossa, sim, e uma sede razoável de se provar, ora, isso é interessante... Então, onde vou colocá-lo?

Harry apertou as bordas do banquinho e pensou "Sonserina, não, Sonserina, não".

– Sonserina, não, hein? – disse a vozinha. – Tem certeza? Você poderia ser grande, sabe, está tudo aqui na sua cabeça, e a Sonserina o ajudaria a alcançar essa grandeza, sem dúvida nenhuma... Não? Bem, se você tem certeza, ficará melhor na GRIFINÓRIA!

Harry ouviu o chapéu anunciar a última palavra para todo o salão. Tirou o chapéu e se encaminhou trêmulo para a mesa da Grifinória. Sentia tanto alívio por ter sido selecionado e ter escapado da Sonserina que nem reparou que estava recebendo a maior ovação da cerimônia. Percy, o Monitor, se levantou e apertou sua mão com energia, enquanto os gêmeos Weasley gritavam "Ganhamos Potter! Ganhamos Potter!", Harry sentou-se defronte ao fantasma com a gola de rufos que vira antes da cerimônia. O fantasma lhe deu uma palmadinha no braço, produzindo em Harry a sensação horrível e repentina de que acabara de mergulhar num balde de água gelada.

Agora ele via bem a Mesa Principal. Na extremidade mais próxima sentava-se Rúbeo Hagrid, cujo olhar encontrou o seu e lhe fez um sinal de aprovação. Harry retribuiu o seu sorriso. E ali, no centro da Mesa Principal, em um cadeirão dourado, encontrava-se Alvo Dumbledore. Harry o reconheceu imediatamente pela figurinha que tirara no sapo de chocolate comprado no trem. Os cabelos prateados de Dumbledore eram a única coisa no salão inteiro que brilhava tanto quanto os fantasmas. Harry viu o Prof. Quirrell também, o rapaz nervoso do Caldeirão Furado. Parecia muito extravagante num grande turbante púrpura.

E agora só faltavam três pessoas serem selecionadas. Lisa Turpin foi para a Corvinal e depois foi a vez de Rony. A essa altura ele estava branco-esverdeado. Harry cruzou os dedos sob a mesa para dar sorte e um segundo depois o chapéu anunciou GRIFINÓRIA!

Harry bateu palmas bem alto com os demais quando Rony se largou numa cadeira a seu lado.

– Muito bem, Rony, excelente – disse Percy Weasley pomposamente por cima de Harry, na mesma hora em que Blás Zabini era mandado para a Sonserina. A Profª Minerva enrolou o pergaminho e recolheu o Chapéu Seletor.

Harry baixou os olhos para o prato dourado e vazio diante dele. Acabara de perceber como estava faminto. Parecia ter comido as tortinhas de abóbora havia anos.

Alvo Dumbledore se levantara. Sorria radiante para os estudantes, os braços bem abertos, como se nada no mundo pudesse ter-lhe agradado mais do que vê-los todos reunidos ali.

— Sejam bem-vindos! — disse. — Sejam bem-vindos para um novo ano em Hogwarts! Antes de começarmos nosso banquete, eu gostaria de dizer umas palavrinhas: Pateta! Chorão! Destabocado! Beliscão! Obrigado.

E sentou-se. Todos bateram palmas e deram vivas. Harry não sabia se ria ou não.

— Ele é... um pouquinho maluco? — perguntou, incerto, a Percy.

— Maluco? — disse Percy, despreocupado. — Ele é um gênio! O melhor bruxo do mundo! Mas é um pouquinho maluco, sim. Batatas, Harry?

O queixo de Harry caiu. Os pratos diante dele agora estavam cheios de comida. Ele nunca vira tantas coisas que gostava de comer em uma mesa só: rosbife, frango assado, costeletas de porco e de carneiro, linguiças, bifes com bacon, batatas cozidas, fritas e assadas, pães de leite, ervilhas, cenouras, caldo de carne, ketchup e, por alguma estranha razão, docinhos de hortelã.

Não é que os Dursley tivessem deixado Harry passar fome, mas nunca lhe permitiram comer tanto quanto quisesse. Duda sempre tirava tudo que Harry realmente queria, mesmo que acabasse doente. Harry encheu o prato com um pouco de cada coisa exceto os docinhos e começou a comer. Estava tudo uma delícia.

— Isto está com uma cara ótima — disse o fantasma de gola de rufos observando, tristemente, Harry cortar o rosbife.

— O senhor não pode...?

— Não como há quase quatrocentos anos — explicou o fantasma. — Não preciso, é claro, mas a pessoa sente falta. Acho que ainda não me apresentei. Cavalheiro Nicholas de Mimsy-Porpington às suas ordens. Fantasma residente da torre da Grifinória.

— Eu sei quem o senhor é! — disse Rony inesperadamente. — Meus irmãos me falaram do senhor. O senhor é o Nick Quase Sem Cabeça.

— Eu prefiro que você me chame de cavalheiro Nicholas de Mimsy... — o fantasma começou muito formal, mas o louro Simas Finnigan o interrompeu.

— *Quase* Sem Cabeça? Como é que alguém pode ser *quase* sem cabeça?

Sir Nicholas parecia muitíssimo aborrecido, como se aquela conversinha não estivesse tomando o rumo que ele queria.

— *Assim* — disse com irritação. E agarrou a orelha esquerda e puxou. A cabeça toda girou para fora do pescoço e caiu por cima do ombro como se estivesse presa por uma dobradiça. Era óbvio que alguém tentara decapitá-lo, mas não fizera o serviço direito. Satisfeito com a cara de espanto dos garotos, Nick Quase Sem Cabeça empurrou a cabeça de volta ao pescoço, tossiu e disse:

"Então, novos moradores da Grifinória! Espero que nos ajudem a ganhar o campeonato das casas este ano! Grifinória nunca passou tanto tempo sem ganhar a Taça. Sonserina tem ganhado nos últimos seis anos! O Barão Sangrento está ficando quase insuportável. Ele é o fantasma da Sonserina."

Harry deu uma olhada na mesa da Sonserina e viu um fantasma horroroso sentado lá, os olhos vidrados, uma cara muito magra e vestes sujas de sangue prateado. Estava ao lado de Malfoy, que, Harry ficou contente de ver, não parecia muito satisfeito com a distribuição dos lugares.

– Como foi que ele ficou coberto de sangue? – perguntou Simas muito interessado.

– Nunca perguntei – respondeu Nick Quase Sem Cabeça, educadamente.

Depois que todos comeram tudo o que podiam, as sobras desapareceram dos pratos, deixando-os limpinhos como no início. Logo depois surgiram as sobremesas. Tijolos de sorvete de todos os sabores que se possa imaginar, tortas de maçãs, tortinhas de caramelo, bombas de chocolate, roscas fritas com geleia, bolos de frutas com calda de vinho, morangos, gelatinas, pudim de arroz...

Quando Harry se serviu das tortinhas de caramelo, a conversa se voltou para as famílias.

– Eu sou meio a meio – disse Simas. – Papai é trouxa. Mamãe não contou a ele que era bruxa até depois de casarem. Teve um choque horrível.

Os outros riram.

– E você, Neville? – perguntou Rony.

– Bom, minha avó me criou e ela é bruxa, mas a família achou durante anos que eu fosse completamente trouxa. Meu tio-avô Algie vivia tentando me pegar desprevenido e me forçar a recorrer à magia. Ele me empurrou pela borda de um cais uma vez, eu quase me afoguei. Mas nada aconteceu até eu completar oito anos. Meu tio Algie veio tomar chá conosco e tinha me pendurado pelos calcanhares para fora de uma janela do segundo andar, quando a minha tia-avó Enid lhe ofereceu um merengue e ele sem querer me deixou cair. Mas eu desci quicando até o jardim e pela estrada sem me machucar. Todos ficaram realmente satisfeitos. Minha avó chorou de tanta felicidade. E vocês deviam ter visto a cara deles quando entrei para Hogwarts. Achavam que eu não fazia magia suficiente para entrar, entendem. Meu tio Algie ficou tão contente que me comprou um sapo.

Do outro lado de Harry, Percy Weasley e Hermione conversavam sobre as aulas.

— Espero que elas comecem logo, tem tanta coisa para a gente aprender, estou muito interessada em Transfiguração, sabe, transformar uma coisa em outra, claro, dizem que é muito difícil...

— Ah, a pessoa começa aos poucos, fósforos em agulhas e coisas pequenas assim.

Harry, que estava começando a se sentir aquecido e cheio de sono, olhou outra vez para a Mesa Principal. Hagrid tomava um grande gole de sua taça. A Profª Minerva conversava com o Prof. Dumbledore. O Prof. Quirrell, com aquele turbante ridículo, conversava com um professor de cabelos pretos e oleosos, nariz de gancho e pele macilenta.

Aconteceu muito de repente. O olhar do professor de nariz de gancho passou pelo turbante de Quirrell e se fixou nos olhos de Harry, e uma pontada aguda e ardida correu pela testa de Harry.

— Ui! — Harry levou a mão à testa.

— Que foi? — perguntou Percy.

— N-nada.

A dor se foi com a mesma rapidez com que viera. Mais difícil foi se livrar da sensação que Harry teve sob o olhar do professor — uma sensação de que ele não gostava nada de Harry.

— Quem é aquele professor que está conversando com o Prof. Quirrell? — perguntou a Percy.

— Ah, você já conhece Quirrell, é? Não admira que ele pareça tão nervoso, aquele é o Prof. Snape. Ele ensina Poções, mas não é o que ele quer. Todo mundo sabe que está cobiçando o cargo de Quirrell. Conhece um bocado as artes das trevas, o Snape.

Harry observou o professor por algum tempo, mas Snape não voltou a olhar em sua direção.

Finalmente, as sobremesas também desapareceram, e o Prof. Dumbledore ficou de pé mais uma vez. O salão silenciou.

— Hum... só mais umas palavrinhas agora que já comemos e bebemos. Tenho alguns avisos de início de ano letivo para vocês. Os alunos do primeiro ano devem observar que é proibido andar na floresta da propriedade. E alguns dos nossos estudantes mais antigos fariam bem em se lembrar dessa proibição.

Os olhos cintilantes de Dumbledore faiscaram na direção dos gêmeos Weasley.

— O Sr. Filch, o zelador, me pediu para lembrar a todos que não devem fazer magia no corredor durante os intervalos das aulas. Os testes de quadribol serão realizados na segunda semana de aulas. Quem estiver interessado em entrar para o time de sua casa deverá procurar Madame Hooch. E, por último, é preciso avisar que, este ano, o corredor do terceiro andar do lado direito está proibido a todos que não quiserem ter uma morte muito dolorosa.

Harry riu, mas foi um dos poucos que fez isso.

— Ele não está falando sério! — cochichou a Percy.

— Deve estar — respondeu Percy franzindo a testa para Dumbledore. — É estranho, porque em geral ele sempre nos diz a razão por que somos proibidos de ir a algum lugar. A floresta está cheia de animais selvagens, todo mundo sabe disso. Acho que poderia ter dito aos monitores, pelo menos.

— E agora, antes de irmos para a cama, vamos cantar o hino da escola! — exclamou Dumbledore. Harry reparou que os sorrisos dos outros professores tinham amarelado.

Dumbledore fez um pequeno aceno com a varinha como se estivesse tentando espantar uma mosca na ponta e surgiu no ar uma longa fita dourada, que esvoaçou para o alto das mesas e se enroscou como uma serpente formando palavras.

— Cada um escolha seu ritmo preferido — convidou Dumbledore —, e lá vamos nós!

E a escola entoou em altos brados:

> Hogwarts, Hogwarts, Hoggy Warty Hogwarts,
> Nos ensine algo por favor,
> Quer sejamos velhos e calvos
> Quer moços de pernas raladas,
> Temos as cabeças precisadas
> De ideias interessantes
> Pois estão ocas e cheias de ar,
> Moscas mortas e fios de cotão.
> Nos ensine o que vale a pena
> Faça lembrar o que já esquecemos
> Faça o melhor, faremos o resto,
> Estudaremos até o cérebro se desmanchar.

Todos terminaram a música em tempos diferentes. E por fim só restaram os gêmeos Weasley cantando sozinhos, ao som de uma lenta marcha fúnebre. Dumbledore regeu os últimos versos com sua varinha e, quando eles terminaram, foi um dos que aplaudiram mais alto.

— Ah, a música — disse secando os olhos. — Uma magia que transcende todas que fazemos aqui! E agora, hora de dormir. Andando!

Os novos alunos da Grifinória seguiram Percy por entre os grupos que conversavam, saíram do Salão Principal e subiram a escadaria de mármore. As pernas de Harry pareceram chumbo outra vez, mas só porque estava muito cansado e saciado. Estava cansado demais até para se surpreender que as pessoas nos retratos ao longo dos corredores murmurassem e apontassem quando eles passavam, ou que por duas vezes Percy os tivesse conduzido por portais escondidos atrás de painéis corrediços e tapeçarias penduradas. Subiram outras tantas escadas, bocejando e arrastando os pés, e Harry começou a se perguntar quanto ainda faltava para chegar quando de repente pararam.

Um feixe de bengalas flutuava no ar à frente deles, e quando Percy avançou um passo em sua direção, começaram a atacá-lo.

— Pirraça — cochichou Percy para os alunos do primeiro ano. — Um poltergeist. — E falou em voz alta: — Pirraça, mostre-se.

Um som alto e grosseiro, como o ar escapando de um balão, respondeu:

— Quer que eu vá procurar o Barão Sangrento?

Ouviram um estalo e um homenzinho com olhos escuros e maus e a boca escancarada apareceu, flutuando de pernas cruzadas no ar, segurando as bengalas.

— Ooooooooooh! — disse com uma risada malvada. — Calourinhos! Que divertido!

E mergulhou repentinamente contra eles. Todos se abaixaram.

— Vá embora, Pirraça, ou vou contar ao barão, e estou falando sério! — ameaçou Percy.

Pirraça estirou a língua e desapareceu, largando as bengalas na cabeça de Neville. Eles o ouviram partir zunindo, fazendo retinir os escudos de metal ao passar.

— Vocês tenham cuidado com o Pirraça — recomendou Percy, quando retomaram a caminhada. — O Barão Sangrento é o único que consegue controlá-lo, ele não dá confiança aos monitores. Chegamos.

No finzinho do corredor havia um retrato de uma mulher muito gorda vestida de rosa.

— Senha? — pediu ela.

— *Caput Draconis* — disse Percy, e o retrato se inclinou para a frente revelando um buraco redondo na parede. Todos passaram pelo buraco. Neville precisou de um calço. E se viram na sala comunal da Grifinória, um aposento redondo cheio de poltronas fofas.

Percy indicou às garotas a porta do seu dormitório e, aos meninos, a porta do deles. No alto de uma escada em caracol – era óbvio que estavam em uma das torres – encontraram finalmente suas camas: cinco com dosséis forrados de veludo vermelho-escuro. Os malões já haviam sido trazidos. Cansados demais para falar muito, eles enfiaram os pijamas e caíram na cama.

– Comida de primeira, não foi? – comentou Rony para Harry pelo dossel. – Se manda, Perebas! Ele está roendo os meus lençóis.

Harry ia perguntar a Rony se ele provara as tortinhas de caramelo, mas adormeceu quase imediatamente.

Talvez Harry tivesse comido demais, porque teve um sonho muito estranho. Estava usando o turbante do Prof. Quirrell, que não parava de conversar com ele, dizendo que devia se mudar para Sonserina imediatamente, porque era seu destino. Harry disse ao turbante que não queria ir para Sonserina; o turbante foi ficando cada vez mais pesado; Harry tentou tirá-lo mas ele começou a apertar sua cabeça até doer – e aí Malfoy apareceu, rindo do esforço dele. Depois Malfoy se transformou no professor de nariz de gancho, Snape, cuja gargalhada ecoou alta e fria – houve um clarão verde e Harry acordou, suado e trêmulo.

Mudou de posição e tornou a dormir, e quando acordou no dia seguinte, nem se lembrou que tinha sonhado.

## 8

## O MESTRE DAS POÇÕES

— Ali, olha.
— Onde?
— Ao lado do garoto alto de cabelos vermelhos.
— De óculos?
— Você viu a cara dele?
— Você viu a cicatriz?

Os murmúrios acompanharam Harry desde a hora em que ele saiu do dormitório no dia seguinte. A garotada que fazia fila do lado de fora das salas de aula ficava nas pontas dos pés para dar uma espiada, ou ia e vinha nos corredores para vê-lo duas vezes. Harry desejou que não fizessem isso, porque estava tentando se concentrar para encontrar o caminho para suas aulas.

Havia cento e quarenta e duas escadas em Hogwarts: largas e imponentes; estreitas e precárias; umas que levavam a um lugar diferente às sextas-feiras; outras com um degrau no meio que desaparecia e a pessoa tinha que se lembrar de saltar por cima. Além disso, havia portas que não abriam a não ser que a pessoa pedisse por favor, ou fizesse cócegas nelas no lugar certo, e portas que não eram bem portas, mas paredes sólidas que fingiam ser portas. Era também muito difícil lembrar onde ficavam as coisas, porque tudo parecia mudar frequentemente de lugar. As pessoas nos retratos saíam para se visitar e Harry tinha certeza de que as armaduras andavam.

Os fantasmas também não ajudavam nada. Era sempre um choque horrível quando um deles atravessava de repente uma porta que a pessoa estava querendo abrir. Nick Quase Sem Cabeça ficava sempre feliz de apontar a direção certa para os alunos da Grifinória, mas se a pessoa encontrasse Pirraça, o poltergeist, quando estava atrasada para uma aula, na certa isso significaria duas portas trancadas e uma escada falsa pelo seu caminho. Ele despejava cestas de papéis na cabeça das pessoas, puxava os tapetes debaixo de seus pés, acertava-as com pedacinhos de giz ou vinha sorrateiro por trás, invisível, agarrava-as pelo nariz e guinchava: "Peguei pela bicanca!"

Pior que o poltergeist, se é que era possível, era o zelador, Argo Filch. Harry e Rony conseguiram conquistar sua má vontade logo na primeira manhã. Filch encontrou-os tentando forçar caminho por uma porta que, por azar, era a entrada para o corredor proibido no terceiro andar. Ele não quis acreditar que estavam perdidos, pois tinha certeza de que estavam tentando arrombá-la de propósito, e ameaçava trancá-los nas masmorras quando foram salvos pelo Prof. Quirrell, que ia passando.

Filch tinha uma gata chamada Madame Nor-r-ra, um bicho magro, cor de poeira, com olhos saltados como lâmpadas iguais aos de Filch. Ela patrulhava os corredores sozinha. Se alguém desobedecesse a uma regra em sua presença, pusesse o dedão do pé fora da linha, ela corria a buscar Filch, que aparecia, asmático, em dois segundos. Filch conhecia as passagens secretas da escola melhor do que ninguém (exceto talvez os gêmeos Weasley) e podia surgir de repente como um fantasma. Os estudantes a detestavam e a ambição mais desejada de muitos era dar um bom pontapé em Madame Nor-r-ra.

Além disso, quando a pessoa conseguia encontrar o caminho das salas, havia as aulas em si. Magia era muito mais do que sacudir a varinha e dizer meia dúzia de palavras engraçadas, como Harry logo descobriu.

Tinham que estudar o céu da noite pelo telescópio toda quarta-feira à meia-noite e aprender os nomes das diferentes estrelas e os movimentos dos planetas. Três vezes por semana iam para as estufas de plantas atrás do castelo para estudar Herbologia, com uma bruxa baixa e gorda chamada Prof$^a$ Sprout, com quem aprendiam como cuidar de todas as plantas e fungos estranhos e descobriam para que eram usados.

De longe, a aula mais chata era a de História da Magia, a única matéria ensinada por um fantasma. O Prof. Binns já era muito velho quando adormeceu diante da lareira na sala dos professores e levantou na manhã seguinte para dar aulas, deixando o corpo para trás. Binns falava sem parar enquanto eles anotavam nomes e datas e acabavam confundindo Emerico, o Mau, com Urico, o Esquisitão.

O Prof. Flitwick, que ensinava Feitiços, era um bruxo miudinho que tinha que subir numa pilha de livros para enxergar por cima da mesa. No começo da primeira aula ele pegou a pauta e, quando chegou ao nome de Harry, soltou um gritinho animado e caiu da pilha, desaparecendo de vista.

Já a Prof$^a$ Minerva era diferente. Harry estava certo quando pensou que ela não era professora para aluno nenhum aborrecer. Severa e inteligente, fez um sermão no instante em que eles se sentaram para a primeira aula.

— A Transfiguração é uma das magias mais complexas e perigosas que vão aprender em Hogwarts. Quem fizer bobagens na minha aula vai sair e não vai voltar mais. Estão avisados.

Transformou, então, a mesa em porco e de volta em mesa. Todos ficaram muito impressionados e ansiosos para começar, mas logo perceberam que não iam transformar os móveis em animais ainda por muito tempo. Depois de fazerem anotações complicadas, receberam um fósforo e começaram a tentar transformá-lo em agulha. No fim da aula, somente Hermione Granger produzira algum efeito no fósforo; a Prof[a] Minerva mostrou à classe como o fósforo ficara todo prateado e pontiagudo e deu um raro sorriso à aluna.

A matéria que todos estavam realmente aguardando com ansiedade era a de Defesa Contra as Artes das Trevas, mas as aulas de Quirrell eram uma piada. Sua sala cheirava fortemente a alho, que todos diziam que era para espantar um vampiro que ele encontrara na Romênia e temia que viesse atacá-lo a qualquer dia. Seu turbante, contou ele, fora presente de um príncipe africano como agradecimento por tê-lo livrado de um zumbi incômodo, mas os alunos não tinham muita certeza se acreditavam na história. Primeiro porque, quando Simas Finnigan pediu ansioso para Quirrell contar como liquidara o zumbi, Quirrell ficou vermelho e começou a falar do tempo; segundo porque eles repararam que havia um cheiro engraçado em volta do turbante, e os gêmeos Weasley insistiam que devia estar cheio de alho também, de modo que Quirrell estava protegido em qualquer lugar.

Harry se sentiu aliviado ao descobrir que não estava muito atrasado em relação ao resto da turma. Muitos alunos tinham vindo de famílias de trouxas e, como ele, não faziam ideia de que eram bruxas e bruxos. Havia tanto para aprender que até gente como Rony não estava tão adiantada assim.

Sexta-feira foi um dia importante para Harry e Rony. Eles finalmente conseguiram encontrar o caminho para o Salão Principal e tomar o café da manhã sem se perder nem uma vez.

— O que temos hoje? — perguntou Harry a Rony enquanto punha açúcar no mingau de aveia.

— Dois tempos de Poções com o pessoal da Sonserina. Snape é diretor da Sonserina. Dizem que sempre protege eles. Vamos ver se é verdade.

— Gostaria que Minerva nos protegesse. — A professora era diretora da Grifinória, mas isso não a impedira de dar aos seus alunos uma montanha de dever de casa no dia anterior.

Naquele instante chegou o correio. Harry agora já se acostumara com isso, mas levara um susto na primeira manhã quando centenas de corujas entraram de repente no Salão Principal durante o café da manhã, circulando as mesas até verem seus donos e deixarem cair as cartas e os pacotes no colo deles.

Edwiges não trouxera nada para Harry até então. Às vezes entrava para beliscar sua orelha e comer um pedacinho de torrada antes de ir dormir no corujal com as outras corujas da escola. Naquela manhã, porém, ela esvoaçou entre a geleia e o açucareiro e deixou cair um bilhete no prato de Harry. Ele o abriu imediatamente.

*Prezado Harry, dizia, numa letra muito garranchosa.*

*Sei que tem as tardes de sexta-feira livres, então sera, que não gostaria de vir tomar uma xícara de chá, comigo por volta das três horas? Quero saber como foi a sua primeira semana. Mande-me uma resposta pela Edwiges.*

*Hagrid.*

Harry pediu emprestada a pena de Rony e escreveu "Sim, gostaria, vejo você mais tarde" no verso do bilhete e despachou Edwiges outra vez.

Foi uma sorte que Harry tivesse o convite de Hagrid com que se alegrar, porque a aula de Poções foi a pior coisa que lhe acontecera até ali.

No início do banquete de abertura do ano letivo, Harry tivera a impressão de que o Prof. Snape não gostava dele. No final da primeira aula de Poções, ele viu que se enganara. Não era bem que Snape não gostava de Harry — ele o *odiava*.

A aula de Poções foi em uma das masmorras. Era mais frio ali do que na parte principal do castelo e teria dado arrepios mesmo sem os animais embalsamados flutuando em frascos de vidro nas paredes à volta.

Snape, como Flitwick, começou a aula fazendo a chamada e, como Flitwick, ele parou no nome de Harry.

— Ah, sim — disse baixinho. — Harry Potter. A nossa nova *celebridade*.

Draco Malfoy e seus amigos Crabbe e Goyle deram risadinhas escondendo a boca com as mãos. Snape terminou a chamada e encarou a classe. Seus olhos eram pretos como os de Hagrid, mas não tinham o mesmo calor. Eram frios e vazios e lembravam túneis escuros.

— Vocês estão aqui para aprender a ciência sutil e a arte exata do preparo de poções — começou. Falava pouco acima de um sussurro, mas eles não perderam nenhuma palavra. Como a Prof[a] Minerva, Snape tinha o dom de manter uma classe silenciosa sem esforço. — Como aqui não fazemos gestos tolos com varinhas, muitos de vocês podem pensar que isto não é magia. Não espero que realmente entendam a beleza de um caldeirão cozinhando em fogo lento, com a fumaça a tremeluzir, o delicado poder dos líquidos que fluem pelas veias humanas e enfeitiçam a mente, confundem os sentidos... Posso ensinar-lhes a engarrafar fama, a cozinhar glória, até a decantar a morte, se não forem o bando de cabeças-ocas que geralmente me mandam ensinar.

Mais silêncio seguiu-se a esse pequeno discurso. Harry e Rony se entreolharam com as sobrancelhas erguidas. Hermione Granger estava sentada na beiradinha da carteira e parecia desesperada para começar a provar que não era uma cabeça-oca.

— Potter! — disse Snape de repente. — O que eu obteria se adicionasse raiz de asfódelo em pó a uma infusão de losna?

*Raiz do quê em pó a uma infusão do quê?* Harry olhou para Rony, que parecia tão embatucado quanto ele; a mão de Hermione se ergueu no ar.

— Não sei, não, senhor — disse Harry.

A boca de Snape se contorceu num riso de desdém.

— Tsc, tsc... a fama pelo visto não é tudo.

E não deu atenção à mão de Hermione.

— Vamos tentar outra vez, Potter. Se eu lhe pedisse, onde você iria buscar bezoar?

Hermione esticou a mão no ar o mais alto que pôde sem se levantar da carteira, mas Harry não tinha a menor ideia do que fosse bezoar. Tentou não olhar para Malfoy, Crabbe e Goyle, que se sacudiam de tanto rir.

— Não sei, não, senhor.

— Achou que não precisava abrir os livros antes de vir, hein, Potter?

Harry fez força para continuar olhando diretamente para aqueles olhos frios. *Folheara* os livros na casa dos Dursley, mas será que Snape esperava que ele se lembrasse de tudo que vira em *Mil ervas e fungos mágicos?*

Snape continuava a desprezar a mão trêmula de Hermione.

— Qual é a diferença, Potter, entre acônito licoctono e acônito lapelo?

Ao ouvir isso, Hermione se levantou, a mão esticada em direção ao teto da masmorra.

— Não sei — disse Harry em voz baixa. — Mas acho que Hermione sabe, por que o senhor não pergunta a ela?

Alguns garotos riram; os olhos de Harry encontraram os de Simas e este deu uma piscadela. Snape, porém, não gostou.

— Sente-se — disse com rispidez a Hermione. — Para sua informação, Potter, asfódelo e losna produzem uma poção para adormecer tão forte que é conhecida como a Poção do Morto-Vivo. O bezoar é uma pedra tirada do estômago da cabra e pode salvá-lo da maioria dos venenos. Quanto aos dois acônitos, são plantas do mesmo gênero botânico. Então? Por que não estão copiando o que estou dizendo?

Ouviu-se um ruído repentino de gente apanhando penas e pergaminhos. E acima desse ruído a voz de Snape:

— E vou descontar um ponto da Grifinória por sua impertinência, Potter.

As coisas não melhoraram para os alunos da Grifinória na aula de Poções. Snape separou-os em duplas e mandou-os misturar uma poção simples para curar furúnculos. Caminhava imponente com sua longa capa preta, observando-os pesar urtigas secas e pilar presas de cobras, criticando quase todos, exceto Draco, de quem parecia gostar. Tinha acabado de dizer a todos que olhassem a maneira perfeita com que Draco cozinhara as lesmas quando um silvo alto e nuvens de fumaça acre e verde invadiram a masmorra. Neville conseguira derreter o caldeirão de Simas transformando-o numa bolha retorcida e a poção dos dois estava vazando pelo chão de pedra, fazendo furos nos sapatos dos garotos. Em segundos, a classe toda estava trepada nos banquinhos enquanto Neville, que se encharcara de poção quando o caldeirão derreteu, tinha os braços e as pernas cobertos de furúnculos vermelhos que o faziam gemer de dor.

— Menino idiota! — vociferou Snape, limpando a poção derramada com um aceno de sua varinha. — Suponho que tenham adicionado as cerdas de porco-espinho antes de tirar o caldeirão do fogo?

Neville choramingou quando os furúnculos começaram a pipocar em seu nariz.

— Levem-no para a enfermaria — Snape ordenou a Simas. Em seguida voltou-se zangado para Harry e Rony, que estavam trabalhando ao lado de Neville. — Você, Potter, por que não disse a ele para não adicionar as cerdas? Achou que você pareceria melhor se ele errasse, não foi? Mais um ponto que você perdeu para Grifinória.

A injustiça foi tão grande que Harry abriu a boca para argumentar, mas Rony deu-lhe um pontapé por trás do caldeirão.

— Não force a barra — cochichou. — Ouvi dizer que Snape pode ser muito indigesto.

Quando subiam as escadas para sair da masmorra uma hora depois, os pensamentos se sucediam velozes na cabeça de Harry, que se sentia deprimido. Perdera dois pontos para Grifinória na primeira semana — por que Snape o odiava tanto?

— Ânimo — disse Rony. — Snape está sempre tirando pontos de Fred e Jorge. Posso ir com você à casa do Hagrid?

Às cinco para as três eles saíram do castelo e atravessaram a propriedade. Hagrid morava numa casinha de madeira na orla da Floresta Proibida. Uma besta e um par de galochas estavam à porta da casa.

Quando Harry bateu à porta eles ouviram uma correria frenética e latidos ferozes. Depois, a voz de Hagrid dizendo:

— Para trás, Canino. Atrás.

A cara barbuda de Hagrid apareceu na fresta quando a porta se abriu.

— Esperem aí. Para trás, Canino.

Ele os fez entrar, lutando para segurar com firmeza a coleira de um enorme cão de caçar javalis.

Havia apenas um aposento na casa. Presuntos e faisões pendiam do teto, uma chaleira de cobre fervia ao fogão e a um canto havia uma cama imensa coberta com uma colcha de retalhos.

— Estejam à vontade — falou Hagrid, soltando Canino, que pulou imediatamente para cima de Rony e começou a lamber-lhe as orelhas. Como Hagrid, parecia óbvio que Canino não era tão feroz quanto se esperava.

— Este é o Rony — Harry disse a Hagrid, que fora despejar água fervendo num grande bule de chá e arrumar biscoitos num prato.

— Mais um Weasley, hein?! — exclamou Hagrid vendo as sardas de Rony. — Passei metade da vida expulsando seus irmãos da floresta.

Os biscoitos quase quebraram os dentes deles, mas Harry e Rony fingiram gostar e contaram a Hagrid como tinham sido as primeiras aulas. Canino descansou a cabeça no colo de Harry e cobriu as vestes dele de baba.

Harry e Rony ficaram contentes de ouvir Hagrid chamar Filch de "velho caduco".

— Quanto àquela gata, Madame Nor-r-ra, às vezes eu tenho vontade de apresentar o Canino a ela. Sabe que todas as vezes que vou até a escola ela me segue por toda parte? Não consigo me livrar da gata. É Filch que manda ela fazer isso.

Harry contou a Hagrid da aula de Snape. Hagrid, como Rony, disse a Harry que não se preocupasse, que Snape não gostava praticamente de nenhum aluno.

— Mas ele parecia que realmente me odiava.

— Bobagem! Por que o odiaria?

Mas Harry não pôde deixar de pensar que Hagrid evitou encará-lo quando disse isso.

— Como vai seu irmão Carlinhos? — perguntou Hagrid a Rony. — Eu gostava muito dele. Tinha muito jeito com animais.

Harry se perguntou se Hagrid teria mudado de assunto de propósito. Enquanto Rony contava tudo sobre o trabalho de Carlinhos com dragões, Harry apanhou um pedaço de papel que estava na mesa sob o abafador de chá. Era uma notícia recortada do Profeta Diário.

### O CASO GRINGOTES

Prosseguem as investigações sobre o arrombamento de Gringotes, ocorrido em 31 de julho, que se acredita ter sido trabalho de bruxos e bruxas das trevas desconhecidos.

Os duendes de Gringotes insistiam hoje que nada foi roubado. O cofre aberto na realidade fora esvaziado mais cedo naquele dia.

"Mas não vamos dizer o que havia dentro, para que ninguém se meta, se tiver juízo", disse um porta-voz esta tarde.

Harry lembrou-se que Rony lhe contara no trem que alguém tentara roubar Gringotes, mas não mencionara a data.

— Hagrid! — exclamou Harry. — Aquele arrombamento de Gringotes aconteceu no dia do meu aniversário! Talvez estivesse acontecendo enquanto a gente estava lá!

Não havia a menor dúvida, daquela vez Hagrid decididamente evitara encarar Harry. Resmungou alguma coisa e lhe ofereceu mais um biscoito. Harry releu a notícia. *O cofre aberto na realidade fora esvaziado mais cedo naquele dia.* Hagrid esvaziara o cofre setecentos e treze, se é que se podia chamar esvaziar alguém levar aquele pacotinho encalombado. Seria aquilo que os ladrões estavam procurando?

Quando Harry e Rony voltaram ao castelo para jantar, tinham os bolsos pesados com os biscoitos que a educação os impedira de recusar. Harry pensou que nenhuma das aulas a que assistira até ali tinha-lhe dado tanto o que pensar quanto o chá com Rúbeo Hagrid. Será que Hagrid tinha apanhado o pacote bem a tempo? Onde estava o pacote agora? Será que ele sabia alguma coisa de Snape que não queria contar a Harry?

# 9

## O DUELO À MEIA-NOITE

Harry jamais acreditara que fosse encontrar um garoto que ele detestasse mais do que Duda, mas isto foi antes de conhecer Draco. Os alunos do primeiro ano da Grifinória, porém, só tinham uma aula com os da Sonserina, a de Poções, por isso não precisavam aturar Draco muito tempo. Ou pelo menos, não precisavam até verem um aviso pregado na sala comunal da Grifinória que fez todos gemerem. As aulas de voo começariam na quinta-feira – e os alunos das duas casas aprenderiam juntos.

– Típico – disse Harry, desanimado. – É o que eu sempre quis. Fazer papel de palhaço montado numa vassoura na frente do Draco.

Ele estivera ansioso para aprender a voar, mais do que qualquer outra coisa.

– Você não sabe se vai fazer papel de palhaço – disse Rony, sensato. – Em todo o caso, sei que Draco vive falando que é bom em quadribol, mas aposto que é conversa fiada.

Draco sem dúvida falava muito de voar. Queixava-se em voz alta que os alunos do primeiro ano nunca entravam para o time de quadribol e se gabava em longas histórias, que sempre pareciam terminar com ele escapando por um triz dos trouxas de helicópteros. Mas ele não era o único: pelo que Simas Finnigan contava, ele passara a maior parte da infância voando pelo campo montado numa vassoura. Até Rony contava para quem quisesse ouvir sobre a vez em que ele quase batera numa asa-delta montado na velha vassoura de Carlinhos. Todos os garotos de famílias de bruxos falavam o tempo todo de quadribol. Rony já tivera uma grande discussão sobre futebol com Dino Thomas, que também usava o dormitório deles. Rony não via nada excitante em um jogo em que ninguém podia voar e só tinha uma bola. Harry surpreendera Rony cutucando o pôster em que Dino aparecia com o time de futebol de West Ham, tentando fazer os jogadores se mexerem.

Neville nunca andara de vassoura na vida, porque a avó nunca o deixara chegar perto de uma. No fundo, Harry achava que ela estava certíssima, porque Neville conseguia sofrer um número impressionante de acidentes mesmo com os dois pés no chão.

Hermione Granger estava quase tão nervosa quanto Neville com a ideia de voar. Isto não era coisa que se aprendesse de cor em um livro – não que ela não tivesse tentado. No café da manhã de quinta-feira, deu um cansaço neles falando sobre macetes de voo que lera em um livro da biblioteca chamado *Quadribol através dos séculos*. Neville praticamente se pendurava em cada palavra que ela dizia, desesperado para aprender qualquer coisa que o ajudasse a se segurar na vassoura mais tarde, mas todos os outros ficaram muito felizes quando a conferência de Hermione foi interrompida pela chegada do correio.

Harry não recebera nenhuma carta desde o bilhete de Hagrid, uma coisa que Draco não demorara nada a notar, é claro. A coruja de Draco estava sempre lhe trazendo de casa pacotes de doces, que ele abria fazendo farol na mesa da Sonserina.

Uma coruja-das-torres trouxe para Neville um pacotinho da avó. Ele o abriu animado e mostrou a todos uma bolinha de vidro do tamanho de uma bola de gude grande, que parecia cheia de fumaça branca.

– É um Lembrol! – explicou ele. – Vovó sabe que sou esquecido. Isto serve para avisar que a gente esqueceu de fazer alguma coisa. Olhe, aperte assim e se ele ficar vermelho é... ah... – ele ficou sem graça, porque o Lembrol de repente emitiu uma luz escarlate – ... porque você esqueceu alguma coisa...

Neville estava tentando se lembrar do que esquecera quando Draco, que ia passando pela mesa da Grifinória, arrancou o Lembrol de sua mão.

Harry e Rony puseram-se imediatamente de pé. Andavam querendo um motivo para brigar com Draco, mas a Prof.ª Minerva, que era capaz de identificar uma confusão mais depressa do que qualquer outro professor da escola, num segundo estava lá.

– Que é que está acontecendo?

– Draco pegou o meu Lembrol, professora.

Mal-humorado, Draco mais do que depressa largou o Lembrol na mesa.

– Só estava olhando – falou, e saiu de fininho com Crabbe e Goyle na esteira.

Às três e meia, naquela tarde, Harry, Rony e os outros garotos da Grifinória desceram correndo as escadas que levavam para fora do castelo para a primeira aula de voo. Era um dia claro, com uma brisa fresca, e a grama ondeava pelas encostas sob seus pés ao caminharem em direção a um gramado plano que havia do lado oposto à Floresta Proibida, cujas árvores balançavam sinistramente a distância.

Os garotos da Sonserina já estavam lá, bem como as vinte vassouras arrumadas em fileiras no chão. Harry ouvira Fred e Jorge Weasley se queixarem das vassouras da escola, dizendo que havia umas que começavam a vibrar quando voavam muito alto, ou sempre repuxavam ligeiramente para a esquerda.

A professora, Madame Hooch, chegou. Tinha cabelos curtos e grisalhos e olhos amarelos como os de um falcão.

– Vamos, o que é que estão esperando? – perguntou com rispidez. – Cada um ao lado de uma vassoura. Vamos, andem logo.

Harry olhou para a vassoura. Era velha e tinha algumas palhas espetadas para fora em ângulos estranhos.

– Estiquem a mão direita sobre a vassoura – mandou Madame Hooch diante deles – e digam "Em pé!".

– EM PÉ! – gritaram todos.

A vassoura de Harry pulou imediatamente para sua mão, mas foi uma das poucas que fez isso. A de Hermione Granger simplesmente se virou no chão e a de Neville nem se mexeu. Talvez as vassouras, como os cavalos, percebessem quando a pessoa estava com medo, pensou Harry; havia um tremor na voz de Neville, que dizia com demasiada clareza que ele queria manter os pés no chão.

Madame Hooch, em seguida, mostrou-lhes como montar as vassouras sem escorregar pela outra extremidade, e passou pelas fileiras de alunos corrigindo a maneira de segurá-las. Harry e Rony ficaram contentes quando ela disse a Draco que ele segurava a vassoura errado havia anos.

– Agora, quando eu apitar, deem um impulso forte com os pés – disse a professora. – Mantenham as vassouras firmes, saiam alguns centímetros do chão e voltem a descer curvando o corpo um pouco para a frente. Quando eu apitar... três... dois...

Mas Neville, nervoso, assustado e com medo que a vassoura o largasse no chão, deu um impulso forte antes mesmo de o apito tocar os lábios de Madame Hooch.

– Volte, menino! – gritou ela, mas Neville subiu como uma rolha que sai sob pressão da garrafa, quatro metros, seis metros. Harry viu a cara de Neville branca de medo espiando para o chão enquanto ganhava altura, viu-o exclamar, escorregar de lado para fora da vassoura e...

BLAM! Um baque surdo, um estalo feio e Neville caído de borco na grama, estatelado. Sua vassoura continuou a subir cada vez mais e começou a flutuar sem pressa em direção à Floresta Proibida e desapareceu de vista.

Madame Hooch se debruçou sobre Neville, o rosto tão pálido quanto o dele.

– Pulso quebrado – Harry ouviu-a murmurar. – Vamos, menino, levante-se.

Virou-se para o restante da classe.

– Nenhum de vocês vai se mexer enquanto levo este menino à enfermaria! Deixem as vassouras onde estão ou vão ser expulsos de Hogwarts antes de poderem dizer "quadribol". Vamos, querido.

Neville, o rosto manchado de lágrimas, segurando o pulso, saiu mancando em companhia de Madame Hooch, que o abraçava pelos ombros.

Assim que se distanciaram e ficaram fora do campo de audição da classe, Draco caiu na gargalhada.

– Vocês viram a cara dele, o panaca?

Os outros alunos da Sonserina fizeram coro.

– Cala a boca, Draco – retrucou Parvati Patil.

– Uuuuh, defendendo o Neville? – disse Pansy Parkinson, uma aluna da Sonserina de feições duras. – Nunca pensei que *você* gostasse de manteiguinhas derretidas, Parvati.

– Olhe! – disse Draco, atirando-se para a frente e recolhendo alguma coisa na grama. – É aquela porcaria que a avó do Neville mandou.

O Lembrol cintilou ao sol quando o garoto o ergueu.

– Me dá isso aqui, Draco – falou Harry em voz baixa. Todos pararam de conversar para espiar.

Draco soltou uma risadinha malvada.

– Acho que vou deixá-la em algum lugar para Neville apanhar. Que tal... em cima de uma árvore?

– Me dá isso *aqui* – berrou Harry, mas Draco montara na vassoura e saíra voando. Ele não mentira, *sabia* voar bem, e planando ao nível dos ramos mais altos de um carvalho desafiou:

– Venha buscar, Potter!

Harry agarrou a vassoura.

– Não! – gritou Hermione Granger. – Madame Hooch disse para a gente não se mexer. Vocês vão nos meter numa enrascada.

Harry não lhe deu atenção. O sangue palpitava em suas orelhas. Ele montou a vassoura, deu um impulso com força e subiu, subiu alto, o ar passou veloz pelo seu cabelo e suas vestes se agitaram com força para trás – e numa onda de feroz alegria ele percebeu que encontrara alguma coisa que era capaz de fazer sem ninguém lhe ensinar – isto era fácil, era *maravilhoso*. Puxou a vassoura para o alto para subir ainda mais e ouviu gritos e exclamações das garotas lá no chão e um viva de admiração do Rony.

Virou a vassoura com um gesto brusco, ficando de frente para Draco, que planava no ar. O garoto estava abobalhado.

– Me dá isso aqui – mandou Harry – ou vou derrubar você dessa vassoura!

– Ah, é? – retrucou Draco, tentando caçoar, mas parecendo preocupado.

Harry de alguma maneira sabia o que fazer. Curvou-se para a frente, segurou a vassoura com firmeza com as duas mãos e ela disparou na direção de Draco como uma lança. Draco só conseguiu escapar por um triz; Harry fez uma curva fechada e manteve a vassoura firme. Algumas pessoas no chão aplaudiram.

– Aqui não tem Crabbe nem Goyle para salvarem sua pele, Draco – berrou Harry.

O mesmo pensamento parecia ter ocorrido a Draco.

– Apanhe se puder, então! – gritou, atirou a bolinha transparente no ar e voltou para o chão.

Harry viu, como se fosse em câmara lenta, a bolinha subir no ar e começar a cair. Ele se curvou para a frente e apontou o cabo da vassoura para baixo – no instante seguinte estava ganhando velocidade num mergulho quase vertical, apostando corrida com a bolinha – o vento assobiava em suas orelhas, misturado aos gritos das pessoas que olhavam – ele esticou a mão – a uns trinta centímetros do solo agarrou-a, bem em tempo de levar a vassoura à posição vertical, e caiu suavemente na grama com o Lembrol salvo e seguro na mão.

– HARRY POTTER!

Ele perdeu a animação mais depressa do que quando mergulhara. A Prof<sup>a</sup> Minerva vinha correndo em direção à turma. Ele se levantou tremendo.

– *Nunca*... em todo o tempo que estou em Hogwarts...

A Prof<sup>a</sup> Minerva quase perdeu a fala de espanto e seus óculos cintilavam sem parar, "... como é que você se *atreve*... podia ter partido o pescoço...".

– Não foi culpa dele, professora...

– Calada, Srta. Patil...

– Mas Draco...

– *Chega*, Sr. Weasley. Potter, me acompanhe, agora.

Harry viu as caras vitoriosas de Draco, Crabbe e Goyle ao sair acompanhando, espantado, a Profª Minerva, que seguiu para o castelo. Ia ser expulso, sabia. Queria dizer alguma coisa para se defender, mas parecia ter acontecido alguma coisa com a sua voz. A Profª Minerva caminhava decidida, sem nem olhar para trás; ele tinha que correr para acompanhar seu passo. Agora se enrascara. Não tinha durado nem duas semanas. Estaria fazendo as malas dali a dez minutos. Que iriam dizer os Dursley quando ele aparecesse à porta da casa?

Subiram os degraus da entrada, depois a escadaria de mármore, e a Profª Minerva continuava a não dizer nada. Escancarava portas e marchava pelos corredores com Harry trotando infeliz atrás dela. Talvez ela o levasse a Dumbledore. Pensou em Hagrid, aluno expulso a quem tinham permitido continuar na escola como guarda-caça. Talvez virasse assistente de Hagrid. Seu estômago revirava só de pensar, observando Rony e os outros se tornarem bruxos enquanto ele andava pela propriedade carregando a bolsa de Hagrid.

A Profª Minerva parou do lado de fora de uma sala de aula. Abriu a porta e meteu a cabeça para dentro.

– Com licença, Prof. Flitwick, posso pegar o Wood emprestado por um instante?

Wood?, pensou Harry, intrigado; Wood seria alguma coisa que ela ia usar para castigá-lo?

Mas Wood afinal era uma pessoa, um menino forte do quinto ano, que saiu da sala de Flitwick parecendo confuso.

– Vocês dois me sigam – disse a Profª Minerva, e continuaram todos pelo corredor, Wood examinando Harry com curiosidade.

– Entrem.

A Profª Minerva indicou uma sala de aula que estava vazia exceto por Pirraça, que se ocupava em escrever palavrões no quadro de giz.

– Fora, Pirraça! – ordenou ela. Pirraça atirou o giz em uma cesta, produzindo um eco metálico e alto e saiu xingando. A Profª Minerva bateu a porta atrás dele e virou-se para encarar os dois garotos.

– Harry Potter, este é Olívio Wood. Olívio... encontrei um apanhador para você.

A expressão de Olívio mudou de confusão para prazer.

– Está falando sério, professora?

– Seriíssimo – resumiu a Profª Minerva. – O menino tem um talento natural. Nunca vi nada parecido. Foi a primeira vez que montou numa vassoura, Harry?

Harry confirmou com a cabeça. Não tinha a menor ideia do que estava acontecendo, mas parecia que não estava sendo expulso, e começou a recuperar um pouco da sensibilidade nas pernas.

– Ele apanhou aquela coisa com a mão depois de um mergulho de mais de 15 metros – a Prof³ Minerva contou a Wood. – Não sofreu um único arranhão. Nem Carlinhos Weasley seria capaz de fazer igual.

Olívio parecia agora alguém cujos sonhos tinham virado realidade, todos ao mesmo tempo.

– Você já assistiu a um jogo de quadribol, Potter? – perguntou animado.

– Wood é o capitão do time da Grifinória – explicou a Prof³ Minerva.

– E tem o físico perfeito para um apanhador – acrescentou Olívio, agora andando à volta de Harry, examinando-o. – Leve, veloz... Vamos ter que arranjar uma vassoura decente para ele, professora, uma Nimbus 2000 ou uma Cleansweep 7, na minha opinião.

– Vou conversar com o professor Dumbledore e ver se podemos contornar o regulamento para o primeiro ano. Deus sabe que precisamos de um time melhor do que o do ano passado. *Esmagados* naquele último jogo contra a Sonserina. Mal consegui encarar Severo Snape durante semanas...

A Prof³ Minerva espiou Harry com severidade por cima dos óculos.

– Quero ouvir falar que você está treinando com vontade, Potter, ou posso mudar de ideia quanto ao castigo que merece.

Então, inesperadamente, ela sorriu.

– Seu pai teria ficado orgulhoso. Era um excelente jogador de quadribol.

– Você está *brincando*.

Era hora do jantar. Harry acabara de contar a Rony o que acontecera quando deixara os jardins da propriedade com a Prof³ Minerva. Rony tinha um pedaço de empadão de carne a meio caminho da boca, mas esqueceu o que estava fazendo.

– *Apanhador?!* – exclamou. – Mas os alunos do primeiro ano *nunca*... Você vai ser o jogador da casa mais novo do último...

– Século – completou Harry, enfiando o empadão na boca. Sentia-se particularmente faminto depois da agitação da tarde. – Olívio me disse.

Rony estava tão admirado, tão impressionado, que ficou ali sentado de boca aberta para Harry.

– Vou começar a treinar na próxima semana – anunciou Harry. – Só não conte a ninguém, Olívio quer fazer segredo.

Fred e Jorge Weasley entraram nesse momento no salão, viram Harry e foram depressa falar com ele.

— Grande lance — falou Jorge em voz baixa. — Olívio nos contou. Estamos no time também... batedores.

— Sabe de uma coisa, tenho certeza de que vamos ganhar a Taça de Quadribol deste ano — disse Fred. — Não ganhamos desde que Carlinhos terminou a escola, mas o time deste ano vai ser brilhante. Você deve ser bom, Harry, Olívio estava quase dando pulinhos quando nos contou.

— Em todo o caso, temos de ir, Lino Jordan acha que encontrou uma nova passagem secreta para sair da escola.

Fred e Jorge mal tinham desaparecido quando alguém menos bem-vindo apareceu: Draco, ladeado por Crabbe e Goyle.

— Comendo a última refeição, Harry? Quando vai pegar o trem de volta para a terra dos trouxas?

— Você está bem mais corajoso agora que voltou ao chão e está acompanhado por seus amiguinhos — disse Harry, tranquilo. Não havia nada "inho" em Crabbe nem em Goyle, mas como a mesa principal estava repleta de professores, os garotos só podiam estalar as juntas e fazer cara feia.

— Enfrento você sozinho a qualquer hora — disse Draco. — Hoje à noite, se você quiser. Duelo de bruxos. Só varinhas, sem contato. Que foi? Nunca ouviu falar de duelo de bruxos, suponho?

— Claro que já — respondeu Rony virando-se. — Vou ser o padrinho dele, quem vai ser o seu?

Draco mirou Crabbe e Goyle, medindo-os.

— Crabbe. Meia-noite, está bem? Nos encontramos na sala de troféus, está sempre destrancada.

Quando Draco foi embora, Rony e Harry se entreolharam.

— O que é um duelo de bruxos? — perguntou Harry. — E o que você quis dizer quando se ofereceu para ser meu padrinho?

— Bom, o padrinho fica lá para tomar o seu lugar se você morrer — disse Rony com displicência, começando finalmente a comer o empadão frio. Surpreendendo a expressão no rosto de Harry, acrescentou bem depressa: — Mas as pessoas só morrem em duelos de verdade, sabe, com bruxos de verdade. O máximo que você e Draco conseguirão fazer será atirar fagulhas um no outro. Nenhum dos dois conhece magia suficiente para fazer estragos. Mas aposto que ele esperava que você recusasse.

— E se eu agitar minha varinha e nada acontecer?

— Jogue a varinha fora e meta-lhe um soco na cara — sugeriu Rony.

— Com licença.

Os dois ergueram os olhos. Era Hermione Granger.

— Será que a pessoa não pode comer sossegada neste lugar?! – exclamou Rony.

Hermione não ligou para ele e se dirigiu a Harry.

— Não pude deixar de ouvir o que você e Draco estavam dizendo...

— Aposto que podia – resmungou Rony.

— ... e você não *deve* andar pela escola à noite, pense nos pontos que vai perder para a Grifinória se for pego, e você vai ser. É muito egoísmo da sua parte.

— E, para falar a verdade, não é da sua conta – respondeu Harry.

— Tchau – disse Rony.

Em todo o caso, não era o que se poderia chamar de um final perfeito para o dia, pensou Harry, muito mais tarde, deitado na cama sem dormir, percebendo Dino e Simas adormecerem (Neville não voltara da ala hospitalar). Rony passou a noite toda lhe dando conselhos do tipo "Se ele tentar lançar um feitiço, é melhor você tirar o corpo fora, porque não consigo me lembrar como se fecha o corpo". Havia uma boa chance de serem pegos por Filch ou por Madame Nor-r-ra, e Harry sentiu que estava abusando da sorte, desrespeitando mais um regulamento da escola no mesmo dia. Por outro lado, a cara de deboche de Draco não parava de lhe aparecer no escuro – essa era sua grande oportunidade de vencer Draco cara a cara. Não podia perdê-la.

— Onze e trinta – Rony cochichou finalmente –, é melhor irmos.

Eles vestiram os robes, apanharam as varinhas e atravessaram sorrateiros o quarto da torre, desceram a escada em espiral e entraram na sala comunal da Grifinória. Algumas brasas ainda rutilavam na lareira, transformando todas as poltronas em sombras corcundas. Tinham quase chegado à abertura no retrato quando uma voz falou da poltrona mais próxima.

— Não posso acreditar que você vai fazer isso, Harry.

Uma lâmpada se acendeu. Era Hermione Granger, de robe cor-de-rosa e cara fechada.

— *Você!* – exclamou Rony, furioso. – Volte para a cama!

— Quase contei ao seu irmão – retorquiu Hermione. – Percy, ele é monitor, ia acabar com essa história.

Harry não conseguiu acreditar que alguém pudesse ser tão intrometido.

— Vamos – chamou Rony. Afastou o retrato da Mulher Gorda com um empurrão e passou pela abertura.

Hermione não ia desistir com tanta facilidade. Seguiu Rony pela abertura do retrato, sibilando para os dois como um ganso raivoso.

— Vocês não se importam com a Grifinória, vocês só se importam com vocês mesmos, eu não quero que a Sonserina ganhe a Taça das Casas, e vocês vão perder todos os pontos que ganhei com a Prof$^a$ Minerva por conhecer Feitiços de Substituição.

— Vai embora.

— Tudo bem, mas eu preveni vocês, lembrem-se do que eu disse quando estiverem amanhã no trem voltando para casa, vocês são tão...

Mas o que eram, eles não chegaram a saber. Hermione se virara para o retrato da Mulher Gorda para tornar a entrar e se viu diante de um quadro vazio. A Mulher Gorda tinha saído para fazer uma visita noturna e Hermione ficou trancada do lado de fora da torre da Grifinória.

— Agora o que é que eu vou fazer? — perguntou com a voz esganiçada.

— O problema é seu — disse Rony. — Nós temos de ir, senão vamos nos atrasar.

Nem tinham chegado ao fim do corredor quando Hermione os alcançou.

— Vou com vocês.

— Não vai, não.

— Vocês acham que vou ficar parada aqui, esperando o Filch me pegar? Se ele nos encontrar, conto a verdade, que eu estava tentando impedir vocês de saírem, e vocês podem confirmar.

— Mas que cara de pau — disse Rony bem alto.

— Calem a boca, vocês dois — disse Harry bruscamente. — Ouvi uma coisa.

Era como se alguém estivesse farejando.

— Madame Nor-r-ra? — murmurou Rony, apertando os olhos para enxergar no escuro.

Não era Madame Nor-r-ra. Era Neville. Estava enroscado no chão, dormindo a sono solto, mas acordou repentinamente assustado quando eles se aproximaram.

— Graças a Deus que vocês me encontraram! Estou aqui há horas, não consegui me lembrar da nova senha para entrar no quarto.

— Fale baixo, Neville. A senha é "focinho de porco", mas não vai lhe adiantar nada agora, a Mulher Gorda saiu.

— Como está o braço? — perguntou Harry.

— Ótimo — disse Neville mostrando-o. — Madame Pomfrey me curou na hora.

– Que bom, olhe, Neville, temos de ir a um lugar, vemos você depois.

– Não me deixem aqui! – pediu Neville pondo-se de pé. – Não quero ficar sozinho, o Barão Sangrento já passou por aqui duas vezes.

Rony consultou o relógio e em seguida fez uma cara furiosa para Hermione e Neville.

– Se formos pegos por causa de vocês, não vou sossegar até aprender aquela Poção do Morto-Vivo que Snape falou e vou usá-la contra vocês.

Hermione abriu a boca, talvez para dizer a Rony exatamente como usar a Poção do Morto-Vivo, mas Harry mandou-a ficar quieta e fez sinal para prosseguirem.

Passaram quase voando pelos corredores listrados pelo luar que entrava pelas grades das janelas altas. A cada curva Harry esperava topar com Filch ou com Madame Nor-r-ra, mas tiveram sorte. Subiram correndo uma escada até o terceiro andar e, nas pontas dos pés, dirigiram-se à sala dos troféus.

Draco e Crabbe ainda não tinham chegado. As vitrines de cristal onde estavam guardados os troféus refulgiam quando tocadas pelo luar. Taças, escudos, pratos e estátuas piscavam no escuro com lampejos prateados e dourados. Eles caminharam rente às paredes, mantendo os olhos nas portas de cada lado da sala. Harry tirou a varinha da caixa para o caso de Draco aparecer de repente e começar a duelar. Os minutos passaram vagarosos.

– Ele está atrasado, quem sabe se acovardou – Rony sussurrou.

Então um ruído na sala ao lado os sobressaltou. Harry acabara de erguer a varinha quando ouviram alguém falar e não era Draco.

– Vá farejando, minha querida, eles podem estar escondidos em algum canto.

Era Filch falando com Madame Nor-r-ra. Horrorizado, Harry fez sinais frenéticos para os outros três o seguirem o mais depressa possível, e fugiram silenciosos em direção à porta mais distante da voz de Filch. As vestes de Neville mal tinham acabado de passar a curva quando ouviram Filch entrar na sala dos troféus.

– Eles estão por aqui – ouviram-no resmungar –, provavelmente escondidos.

– Por aqui! – disse Harry, apenas mexendo a boca, para os outros e, petrificados, eles começaram a descer uma longa galeria cheia de armaduras. Podiam ouvir Filch se aproximando. Neville, de repente, soltou um guincho assustado e saiu correndo. Tropeçou, agarrou Rony pela cintura e os dois desabaram em cima de uma armadura.

A queda e o estrépito foram suficientes para acordar o castelo inteiro.

— Corram! — gritou Harry e os quatro desembestaram pela galeria, sem virar a cabeça para ver se Filch os seguia. Fizeram a curva firmando-se no batente da porta e saíram galopando por um corredor atrás do outro, Harry na liderança, sem a menor ideia de onde estavam nem que direção tomavam. Atravessaram uma tapeçaria, rasgando-a, e encontraram uma passagem secreta, precipitaram-se por ela e foram sair perto da sala de aula de Feitiços, que sabiam estar a quilômetros da sala dos troféus.

"Acho que o despistamos", ofegou Harry, apoiando-se na parede fria e enxugando a testa. Neville estava dobrado em dois, chiava e falava desconexamente.

— Eu... disse... a vocês — Hermione falou sem fôlego, apertando o coração disparado. — Eu... disse... a vocês.

—Temos de voltar à torre da Grifinória — lembrou Rony — o mais rápido possível.

— Draco enganou você — disse Hermione a Harry. — Já percebeu isso, não? Não ia enfrentar você. Filch sabia que alguém ia estar na sala dos troféus. Draco deve ter contado a ele.

Harry achou que ela provavelmente tinha razão, mas não ia dar o braço a torcer.

— Vamos.

Não ia ser tão simples. Não tinham caminhado nem dez passos quando ouviram o barulho de uma maçaneta e alguma coisa disparou da sala de aula à frente deles.

Era Pirraça. Avistou os garotos e soltou um guincho de prazer.

— Cale a boca, Pirraça, por favor, você vai fazer a gente ser expulso.

Pirraça soltou uma gargalhada.

— Passeando por aí à meia-noite, aluninhos? Tsc, tsc. Que feinhos, vão ser apanhadinhos.

— Não se você não nos denunciar, Pirraça, por favor.

— Devia contar ao Filch, devia — disse Pirraça bem-comportado, mas seus olhos cintilaram de maldade. — É para o seu próprio bem, sabem?

— Saia da frente — disse Rony com rispidez, baixando o braço em Pirraça. Foi um grande erro.

— Alunos fora da cama! — berrou Pirraça. — Alunos fora da cama no corredor de feitiços!

Passando por baixo de Pirraça, eles saíram desembalados até o final do corredor onde depararam com uma porta... trancada.

— Acabou-se! — gemeu Rony, empurrando inutilmente a porta. — Estamos ferrados! É o fim!

Ouviram passos, Filch correndo a toda em direção aos gritos de Pirraça.
— Ah, sai da frente — Hermione resmungou aborrecida. Agarrando a varinha de Harry, bateu na fechadura e murmurou: — *Alohomora!*

A fechadura deu um estalo e a porta se abriu — eles se atropelaram por ela, fecharam-na e apuraram os ouvidos, à escuta.

— Para que lado eles foram, Pirraça? — era Filch perguntando. — Depressa, me diga.

— Peça "por favor".

— Não me enrole, Pirraça, vamos, para que lado eles foram?

— Não digo nada se você não pedir "por favor" — disse Pirraça na cantilena irritante com que falava.

— Está bem, *por favor*.

— NADA! Ha haaa! Eu disse a você que não dizia nada se você não pedisse por favor! Ha ha! Haaaaaa! — E ouviram Pirraça voar rápido para longe e Filch xingar com raiva.

— Ele acha que a porta está trancada! — Harry falou. — Acho que escapamos. Sai para lá, Neville! — Neville puxava a manga do robe de Harry fazia um minuto. — *Que foi?*

Harry se virou — e viu, muito claramente, o que era. Por um instante teve a certeza de que entrara num pesadelo — era demais depois de tudo o que já acontecera.

Não estavam numa sala, conforme ele supusera. Achavam-se num corredor. O corredor proibido do terceiro andar. E agora sabiam por que era proibido.

Estavam encarando os olhos de um cachorro monstruoso, um cachorro que ocupava todo o espaço entre o teto e o piso. Tinha três cabeças. Três pares de olhos que giravam enlouquecidos; três narizes, que franziam e estremeciam farejando-os; três bocas babosas, a saliva escorrendo em cordões viscosos das presas amarelas.

Estava muito firme, os seis olhos a observá-los, e Harry sabia que a única razão por que ainda estavam vivos era porque o seu repentino aparecimento apanhara o cachorro de surpresa, mas ele já estava se recuperando e depressa; não havia dúvida quanto ao significado daqueles rosnados de ensurdecer.

Harry tateou à procura da maçaneta — entre Filch e a morte, ficava com o Filch.

Retrocederam. Harry bateu a porta e eles correram, quase voaram pelo corredor. Filch devia ter tido pressa para procurá-los em outro lugar porque não o viram em parte alguma, mas nem se importaram — a única coisa que queriam era abrir a maior distância possível entre eles e o monstro. Não pararam de correr até chegarem ao retrato da Mulher Gorda no sétimo andar.

— Por onde foi que vocês andaram? — perguntou ela, olhando para os robes que caíam soltos dos ombros e os rostos vermelhos e suados.

— Não interessa. Focinho de porco, focinho de porco — ofegou Harry, e o quadro girou para a frente. Eles entraram aos tropeços na sala comunal e desmontaram, trêmulos, nas poltronas.

Levou algum tempo até um deles falar alguma coisa. Neville, então, parecia que nunca mais voltaria a falar.

— Que é que vocês acham que eles estão querendo, com uma coisa daquelas trancada numa escola? — perguntou Rony finalmente. — Se existe um cachorro que precisa de exercícios é aquele.

Hermione tinha recuperado tanto o fôlego quanto o mau humor.

— Vocês não usam os olhos, nenhum de vocês, usam? — perguntou com rispidez. — Não viram em cima do que ele estava?

— No chão? — arriscou Harry. — Eu não fiquei olhando para as patas, estava ocupado demais com as cabeças.

— Não, não estou falando do chão. Ele estava em cima de um alçapão. É claro que está guardando alguma coisa.

Ela se levantou olhando feio para eles.

— Espero que estejam satisfeitos com o que fizeram. Podíamos ter sido mortos, ou pior, expulsos. Agora, se vocês não se importam, eu vou me deitar.

Rony ficou olhando para ela, de boca aberta.

— Não, não nos importamos. Qualquer um pensaria que nós a arrastamos conosco, não é mesmo?

Mas Hermione tinha dado a Harry algo em que pensar quando voltou para a cama. O cachorro estava guardando alguma coisa... Que era que Hagrid tinha dito? Gringotes era o lugar mais seguro do mundo quando se queria esconder alguma coisa — com exceção talvez de Hogwarts.

Parecia que Harry descobrira onde o pacotinho encalombado do cofre setecentos e treze tinha ido parar.

# 10

## O DIA DAS BRUXAS

Draco não conseguiu acreditar em seus olhos quando viu que Harry e Rony continuavam em Hogwarts no dia seguinte, parecendo cansados mas absolutamente felizes. De fato, na manhã seguinte Harry e Rony começaram a achar que o encontro com o cachorro de três cabeças fora uma excelente aventura e estavam prontos para outra. Entrementes Harry contou a Rony sobre o pacotinho que parecia ter sido levado de Gringotes para Hogwarts, e passaram muito tempo pensando no que poderia precisar de tanta proteção.

– Ou é uma coisa realmente valiosa ou realmente perigosa – falou Rony.

– Ou as duas – acrescentou Harry.

Mas como só o que sabiam com certeza sobre o misterioso objeto era que media uns cinco centímetros, não tinham muita possibilidade de adivinhar o seu conteúdo sem outras pistas.

Nem Neville nem Hermione mostraram o menor interesse pelo que estava sob os pés do cachorro e do alçapão. Neville só estava interessado em se certificar de que não iria chegar perto do cachorro outra vez.

Hermione agora se recusava a falar com Harry e Rony, mas era uma menina tão mandona e metida a sabichona que eles encararam sua atitude como um prêmio. Agora só o que realmente queriam era descobrir um jeito de se vingar do Draco, e para sua grande satisfação, a oportunidade chegou pelo correio mais ou menos uma semana depois.

Quando as corujas invadiram o salão como de costume, a atenção de todos foi atraída por um longo pacote carregado por seis corujonas. Harry sentiu tanta curiosidade quanto os outros para ver o que havia no pacote e se surpreendeu quando as corujas desceram planando e o largaram bem diante dele, derrubando o seu bacon no chão. Mal tinham se afastado quando outra coruja deixou cair uma carta em cima do pacote.

Harry abriu a carta primeiro, o que foi uma sorte, porque ela dizia:

Não abra o pacote à mesa.
Ele contém a sua nova Nimbus 2000,
mas não quero que todo o mundo saiba que você
ganhou uma vassoura ou todos vão querer uma.
Olívio Wood vai esperá-lo hoje à noite,
às sete horas, no campo de quadribol, para
a sua primeira sessão de treinamento.
Prof$^a$ Minerva McGonagall

Harry teve dificuldade em esconder a alegria quando passou o bilhete para Rony ler.

— Uma Nimbus 2000! — Rony gemeu de inveja. — Eu nunca nem pus a mão em uma.

Os dois saíram depressa do salão, querendo desembrulhar a vassoura sozinhos antes da primeira aula, mas no meio do saguão de entrada encontraram o caminho barrado por Crabbe e Goyle. Draco tirou o pacote de Harry e apalpou-o.

— É uma vassoura — falou, atirando-o de volta a Harry com uma expressão de inveja e despeito no rosto. — Você vai se ferrar desta vez, Potter, alunos do primeiro ano não podem ter vassouras.

Rony não conseguiu resistir.

— Não é uma vassoura velha qualquer, é uma Nimbus 2000. Que foi que você disse que tem em casa, Draco, uma Comet 260? — Rony riu para Harry. — A Comet enche os olhos, mas não tem a mesma potência da Nimbus.

— Que é que você entende disso, Weasley? Você não poderia comprar nem a metade do cabo. Vai ver você e seus irmãos têm que economizar para comprar palha por palha.

Antes que Rony pudesse responder, o professor Flitwick apareceu ao lado de Draco.

— Não estão brigando, meninos, espero — falou com voz esganiçada.

— Potter recebeu uma vassoura, professor — disse Draco depressa.

— Eu sei — respondeu o professor Flitwick, abrindo um grande sorriso para Harry. — A Prof$^a$ Minerva me falou das circunstâncias especiais, Potter. E qual é o modelo?

— Uma Nimbus 2000, professor — informou Harry, lutando para não rir da expressão horrorizada no rosto de Draco. — E, para falar a verdade, foi graças ao Draco aqui que ganhei a vassoura — acrescentou.

Harry e Rony subiram as escadas sufocando o riso diante da raiva e confusão visíveis de Draco.

— É verdade — disse Harry, caindo na gargalhada, quando chegaram ao alto da escadaria de mármore. — Se ele não tivesse roubado o Lembrol do Neville, eu não estaria no time.

— Então suponho que você ache que ganhou um prêmio por desobedecer ao regulamento? — Ouviu-se uma voz zangada logo atrás deles. Hermione subia com passos decididos a escadaria, olhando com desaprovação para o pacote nas mãos de Harry.

— Pensei que você não estava falando com a gente — comentou Harry.

— É, continue a não falar — falou Rony —, está fazendo tanto bem à gente.

Hermione se afastou com o nariz empinado.

Harry teve muita dificuldade em se concentrar nas aulas daquele dia. Seus pensamentos não paravam de vagar até o dormitório onde guardara a vassoura debaixo da cama, ou de se desviarem para o campo de quadribol onde iria aprender a jogar à noite. Jantou depressa, sem ao menos reparar no que estava comendo e, em seguida, correu até o quarto com Rony para finalmente desembrulhar a Nimbus 2000.

— Uau — suspirou Rony, quando a vassoura rolou para a cama de Harry.

Até Harry, que não entendia nada de vassouras e suas diferenças, achou que a Nimbus tinha uma aparência fantástica. Aerodinâmica e reluzente com um cabo de mogno, a vassoura tinha uma longa cauda de palhas bem-arrumadas e retas e a marca Nimbus 2000 escrita em dourado próximo ao punho.

Quando eram quase sete horas, Harry saiu do castelo e se dirigiu ao campo de quadribol no lusco-fusco. Nunca estivera no estádio antes. Havia centenas de lugares em uma arquibancada em volta do campo de modo que os espectadores viam o que acontecia do alto. Em cada ponta do campo havia três balizas douradas com aros no topo. Lembraram a Harry os canudinhos de plástico que as crianças trouxas usavam para soprar bolinhas de sabão, só que tinham mais de 15 metros de altura.

Ansioso demais para esperar Olívio sem voar, Harry montou a vassoura e deu um impulso. Que sensação — ele mergulhou pelas balizas, subiu e desceu pelo campo. A Nimbus 2000 ia aonde ele queria ao menor toque.

— Ei, Potter, desça!

Olívio Wood chegara. Carregava uma grande caixa de madeira debaixo do braço. Harry pousou ao lado dele.

— Muito bom — comentou Olívio, os olhos brilhando. — Estou vendo o que foi que Minerva quis dizer... você realmente tem um talento natural. Hoje à noite só vou lhe ensinar as regras do jogo, depois você vem aos treinos do time três vezes por semana.

Ele abriu a caixa. Dentro havia quatro bolas de tamanhos diferentes.

— Certo — disse Olívio. — O quadribol é muito fácil de entender, mesmo que não seja fácil de jogar. Tem sete jogadores de cada lado. Três deles são artilheiros.

— Três artilheiros — Harry repetiu, enquanto Olívio apanhava uma bola muito vermelha do tamanho aproximado de uma bola de futebol.

— Esta bola se chama goles — explicou Olívio. — Os artilheiros atiram a goles um para o outro e tentam metê-la em um dos aros para marcar um gol. Dez pontos todas as vezes que a goles passa por um dos arcos. Está me acompanhando?

— Os artilheiros atiram a goles pelos aros para marcar pontos — repetiu Harry. — Então é como um basquete com seis cestas e vassouras, não é?

— O que é basquete? — perguntou Olívio, curioso.

— Deixa pra lá — disse Harry na mesma hora.

— Agora, tem outro jogador, um para cada lado, que é chamado goleiro. Eu sou o goleiro da Grifinória. Tenho que voar em volta dos aros para impedir que o outro time marque pontos.

— Três artilheiros, um goleiro — disse Harry, que estava decidido a decorar tudo. — E jogam uma goles. OK, entendi. E essas, para que servem? — Apontou para as três bolas restantes na caixa.

— Vou lhe mostrar agora. Segure aqui.

Ele entregou um pequeno bastão a Harry, meio parecido com um bastão de beisebol.

— Vou lhe mostrar o que os balaços fazem. Essas duas aqui são os balaços.

E mostrou a Harry duas bolas iguais, pretas e ligeiramente menores do que a goles vermelha. Harry reparou que elas pareciam estar fazendo força para se livrar das correias que as prendiam na caixa.

— Fique longe — Olívio preveniu Harry. Ele se curvou e soltou um dos balaços.

Na mesma hora, a bola preta saiu voando e em seguida desceu direto contra o rosto de Harry. Harry golpeou-a com o bastão para impedi-la de quebrar o seu nariz e mandou-a ziguezagueando para longe — ela passou veloz pelas cabeças deles e, em seguida, atirou-se contra Olívio, que mergulhou sobre ela e conseguiu imobilizá-la no chão.

— Está vendo? — Olívio ofegou, forçando o balaço indócil de volta à caixa e passando a correia para prendê-lo. — Os balaços voam pelo ar tentando derrubar os jogadores das vassouras. É por isso que tem dois batedores em cada time. Os gêmeos Weasley são os nossos. A função deles é proteger o time dos balaços e tentar rebatê-los para o outro time. Então: acha que guardou tudo?

— Três artilheiros tentam marcar pontos com a goles; o goleiro guarda as balizas; os batedores afastam os balaços do seu time — Harry repetiu como um gravador.

— Muito bem.

— Hum... os balaços já mataram alguém? — perguntou Harry, esperando parecer displicente.

— Nunca em Hogwarts. Já tivemos uns queixos quebrados, mas nada mais sério. Agora, o último membro da equipe é o apanhador. Você. E você não tem que se preocupar com a goles nem com os balaços.

— A não ser que rachem a minha cabeça.

— Não se preocupe, os Weasley são mais que páreo para os balaços: quero dizer, eles parecem uns balaços humanos.

Olívio meteu a mão no caixote e tirou a quarta e última bola. Comparada com a goles e os balaços, era pequenininha, mais ou menos do tamanho de uma noz. Era de ouro polido e tinha asinhas de prata que se agitavam.

— Esta é o pomo de ouro, e é a bola mais importante de todas. É muito difícil de se apanhar porque é veloz e pouco visível. A função dos apanhadores é agarrá-la. Eles têm que se meter entre os artilheiros, batedores, balaços e a goles para agarrá-lo antes do apanhador do time contrário, porque o apanhador que agarra o pomo ganha para o seu time mais cento e cinquenta pontos, o que praticamente lhe dá a vitória. É por isso que os apanhadores levam tantas faltas. Um jogo de quadribol só termina quando o pomo é apanhado, o que pode demorar uma eternidade. Acho que o recorde é três meses, e precisaram arranjar substitutos para os jogadores poderem dormir um pouco — explicou Olívio. — É isso aí, alguma pergunta?

Harry sacudiu a cabeça. Compreendeu muito bem o que tinha de fazer. Fazer é que ia ser o problema.

— Não vamos praticar com o pomo — disse Olívio, guardando-o cuidadosamente de volta na caixa. — Está escuro demais e poderíamos perdê-lo. Vamos experimentar com outras bolas.

E tirou do bolso um saco de bolas comuns de golfe e alguns minutos depois ele e Harry estavam no ar, Olívio atirando as bolas com toda a força para todos os lados e Harry apanhando-as.

Harry não perdeu nenhuma, e Olívio ficou encantado. Passou-se meia hora, a noite chegou e eles não puderam continuar.

— Aquela Taça de Quadribol terá o nosso nome este ano — disse Olívio feliz quando voltaram cansados ao castelo. — Eu não me espantaria se você se saísse melhor que Carlinhos, e ele poderia ter jogado na seleção da Inglaterra se não tivesse ido embora caçar dragões.

Talvez fosse porque agora andava muito ocupado com o treino de quadribol três noites por semana além dos deveres de casa, mas Harry nem acreditou quando se deu conta de que já estava em Hogwarts havia dois meses. O castelo parecia mais sua casa do que a casa da rua dos Alfeneiros. As aulas também estavam se tornando cada dia mais interessantes, agora que dominara os conhecimentos básicos.

Na manhã do Dia das Bruxas eles acordaram com um delicioso cheiro de abóbora assada que se espalhava pelos corredores. E, o que era ainda melhor, o Prof. Flitwick anunciou na aula de Feitiços que, em sua opinião, os alunos estavam prontos para começar a fazer objetos voarem, uma coisa que andavam morrendo de vontade de experimentar desde que viram o professor fazer o sapo de Neville sair voando pela sala. O Prof. Flitwick dividiu a turma em pares para praticar. O parceiro de Harry foi Simas Finnigan (um alívio, porque Neville tinha tentado atrair sua atenção). Mas Rony teria que trabalhar com Hermione Granger. Era difícil dizer se era Rony ou Hermione que estava mais aborrecido com isso. Ela não falava com nenhum dos dois desde o dia em que a vassoura de Harry chegara.

— Agora, não se esqueçam daquele movimento com o pulso que praticamos! — falou esganiçado o Prof. Flitwick, como sempre empoleirado no alto da pilha de livros. — Gira e sacode, lembrem-se, gira e sacode. E digam as palavras mágicas corretamente, é muito importante, também, lembrem-se do bruxo Barrufo, que disse "s" em vez de "f" e quando viu estava no chão com um búfalo em cima do peito.

Era muito difícil. Harry e Simas giraram e sacudiram o pulso, mas a pena que deviam mandar para o alto continuava parada em cima da mesa. Simas ficou tão impaciente que a empurrou com a varinha e tocou fogo nela — Harry teve que apagar o fogo com o chapéu.

Rony, na mesa ao lado, não estava tendo muita sorte.

— *Wingardium leviosa!* — ordenou, sacudindo os braços compridos como pás de moinho.

— Você está dizendo o feitiço errado — Harry ouviu Hermione corrigir aborrecida. — É *Wing-gar-dium levi-o-sa*, o "gar" é bem pronunciado e longo.

— Diz você então, que é tão sabichona — retrucou Rony.

Hermione enrolou as mangas das vestes, bateu a varinha e disse:

— *Wingardium leviosa!*

A pena se ergueu da mesa e pairou mais de um metro acima da cabeça deles.

— Ah, muito bem! — exclamou o professor Flitwick, batendo palmas. — Pessoal, olhe aqui, a Hermione Granger conseguiu!

Rony estava de muito mau humor na altura em que a aula terminou.

— Não admira que ninguém suporte ela — disse a Harry quando procuravam chegar ao corredor. — Francamente, ela é um pesadelo.

Alguém deu um esbarrão em Harry ao passar. Era Hermione. Harry viu seu rosto de relance — e ficou assustado ao ver que ela estava chorando.

— Acho que ela ouviu o que você disse.

— E daí? — Mas pareceu meio sem graça. — Ela já deve ter reparado que não tem amigos.

Hermione não apareceu na aula seguinte e ninguém a viu a tarde inteira.

Ao descerem ao Salão Principal para o banquete do Dia das Bruxas, Harry e Rony ouviram Parvati contar à amiga Lilá que Hermione estava chorando no banheiro das meninas e queria que a deixassem em paz. Rony ficou ainda mais sem graça ao ouvir isso, mas no momento seguinte entraram no Salão Principal, onde as decorações do Dia das Bruxas tiraram Hermione de suas cabeças.

Mil morcegos vivos esvoaçavam nas paredes e no teto, e outros mil mergulhavam sobre as mesas em nuvens escuras e baixas, fazendo dançarem as velas dentro das abóboras. A comida apareceu de repente nos pratos de ouro, como acontecera no banquete de início das aulas.

Harry estava se servindo de uma batata assada na casca quando o Prof. Quirrell entrou correndo no salão, o turbante torto na cabeça e o terror estampado no rosto. Todos olharam quando ele se aproximou da cadeira de Dumbledore, escorou-se na mesa e ofegou:

— Trasgo... nas masmorras... Achei que devia lhe dizer.

Em seguida, desabou no chão desmaiado.

Houve um alvoroço. Foi preciso explodirem várias bombinhas da ponta da varinha do Prof. Dumbledore para as pessoas fazerem silêncio.

— Monitores — disse ele com voz grave e retumbante —, levem os alunos de suas casas de volta aos dormitórios, imediatamente!

Era com Percy mesmo.

— Me acompanhem! Fiquem juntos, alunos do primeiro ano! Não precisam ter medo do trasgo se seguirem as minhas ordens! Agora fiquem bem atrás de mim. Abram caminho para os alunos do primeiro ano passarem! Com licença, sou monitor!

— Como é que um trasgo pôde entrar? — perguntou Harry enquanto subiam a escadaria.

— Não me pergunte, dizem que eles são bem burros — respondeu Rony.

— Vai ver o Pirraça deixou ele entrar para pregar uma peça no Dia das Bruxas.

Eles passaram por diferentes grupos de pessoas que se apressavam em diferentes direções. Enquanto lutavam para passar por um grupinho de alunos confusos da Lufa-Lufa, Harry de repente agarrou o braço de Rony.

— Acabei de me lembrar da Hermione.

— O que tem ela?

— Ela não sabe que tem um trasgo aqui.

Rony mordeu o lábio.

— Ah, está bem — falou ríspido. — Mas é melhor Percy não ver a gente.

Abaixando-se, eles se misturaram aos alunos da Lufa-Lufa que iam na direção contrária, escapuliram por um lado deserto do corredor e correram para os banheiros das meninas. Tinham acabado de virar um canto quando ouviram passos apressados atrás deles.

— Percy! — sibilou Rony, puxando Harry para trás de um enorme grifo de pedra.

Espiando para os lados, no entanto, viram não Percy mas Snape. Ele atravessou o corredor e desapareceu de vista.

— Que é que ele está fazendo? — cochichou Harry. — Por que não está lá embaixo com os outros professores?

— Não me pergunte.

O mais silenciosamente possível, eles se esgueiraram pelo próximo corredor seguindo as pegadas de Snape que se afastavam.

— Ele está indo para o terceiro andar — disse Harry, mas Rony levantou a mão.

— Você está sentindo um cheiro?

Harry fungou e um fedor horrível invadiu suas narinas, uma mistura de meias velhas e banheiro público que parece que nunca é limpo.

E em seguida ouviram — um grunhido baixo e passadas de pés gigantescos. Rony apontou: no fim do corredor, à esquerda, alguma coisa enorme estava vindo em sentido contrário. Eles se encolheram no escuro e procuraram ver o que era quando a coisa passou por um trecho iluminado pelo luar.

Era uma visão medonha. Quase quatro metros de altura, a pele cinzenta e baça, o corpanzil cheio de calombos como um pedregulho e uma cabecinha no alto, que mais parecia um coco. Tinha pernas curtas, grossas como um tronco de árvore, e pés chatos e calosos. Segurava um enorme bastão de madeira, que arrastava pelo chão, porque seus braços eram compridíssimos.

O trasgo parou próximo a uma porta e espiou para dentro. Abanou as longas orelhas, tentando fazer a cabeça minúscula pensar, depois entrou devagar na sala.

— A chave está na porta — murmurou Harry. — Podíamos trancá-lo lá dentro.

— Boa ideia — concordou Rony, nervoso.

Eles se esgueiraram até a porta aberta, as bocas secas, rezando para o trasgo não resolver sair naquele instante. Com um grande salto, Harry conseguiu agarrar a chave, bater a porta e trancá-la seguramente.

— Pronto!

Afogueados com a vitória, começaram a correr de volta pelo corredor, mas ao chegarem num canto ouviram uma coisa que fez seus corações pararem — um grito alto e enregelante que vinha da sala que tinham acabado de trancar.

— Ah, não! — exclamou Rony, pálido como o Barão Sangrento.

— Vem do banheiro das meninas.

— Hermione! — disseram os dois juntos.

Era a última coisa que queriam fazer, mas que escolha tinham? Dando meia-volta, correram até a porta e giraram a chave, atrapalhados de tanto pânico. Harry escancarou a porta e entraram correndo.

Hermione estava encolhida contra a parede oposta, parecendo prestes a desmaiar. O trasgo avançava para ela, derrubando as pias que estavam na parede em seu caminho.

— Distrai ele! — Harry pediu desesperado a Rony, e, agarrando uma torneira, atirou-a com toda a força contra a parede.

O trasgo parou a um metro de Hermione. Virou-se com lentidão, piscando sem entender, para ver que barulho era aquele. Seus olhinhos malvados encontraram Harry. Ele hesitou, em seguida partiu para cima de Harry, erguendo o bastão.

— Oi, cabeça de ervilha! — berrou Rony do outro lado do banheiro, e atirou contra ele um cano de metal. O trasgo nem pareceu sentir o cano bater no seu ombro, mas ouviu o berro e parou outra vez, virando o focinho feio para Rony, e dando a Harry tempo para correr em volta dele.

— Vamos, corra, *corra*! — Harry gritou para Hermione, tentando puxá-la na direção da porta, mas ela não conseguia se mexer, continuava achatada contra a parede, a boca aberta de terror.

Os gritos e os ecos pareciam estar deixando o trasgo enlouquecido. Ele rugiu de novo e avançou para Rony, que estava mais perto e não tinha jeito de escapar.

Harry então fez uma coisa que era ao mesmo tempo muito corajosa e muito idiota: tomou impulso e deu um salto, conseguindo abraçar o pescoço do trasgo pelas costas. O trasgo não sentiu Harry pendurar-se ali, mas até um trasgo percebe quando se espeta um pedaço comprido de pau dentro da narina, e a varinha de Harry ainda estava na mão quando ele saltou – e entrou direto na narina do trasgo.

Urrando de dor, o trasgo se virou e brandiu o bastão, enquanto Harry continuava agarrado nele tentando escapar da morte; a qualquer instante, o trasgo ia arrancá-lo do pescoço ou dar-lhe uma tremenda porretada.

Hermione afundara no chão de tanto medo; Rony puxou a própria varinha – sem saber o que ia fazer, ouviu-se gritando o primeiro feitiço que lhe veio à cabeça:

– *Wingardium leviosa!*

Na mesma hora o bastão voou da mão do trasgo, ergueu-se no ar, foi subindo, subindo, virou-se lentamente – e caiu, com um barulho feio, na cabeça do seu dono. O trasgo cambaleou e, em seguida, caiu de cara no chão, com um baque que fez o banheiro todo sacudir.

Harry se levantou. Tremia sem fôlego. Rony continuava parado com a varinha no ar, espantado com o que fizera.

Foi Hermione quem falou primeiro.

– Ele está... morto?

– Acho que não – respondeu Harry. – Acho que só perdeu os sentidos.

Ele se abaixou e puxou a varinha da narina do trasgo. Estava suja de uma coisa que parecia uma cola cinzenta e grumosa.

– Eca... meleca de trasgo.

E limpou a varinha nas calças do trasgo.

De repente o barulho de portas batendo e passos pesados fizeram os três erguerem a cabeça. Não haviam percebido a confusão que tinham aprontado, mas com certeza alguém lá embaixo ouvira a pancadaria e os urros do trasgo. Um instante depois a Prof[a] Minerva adentrou o banheiro, seguida de perto por Snape e Quirrell, que fechava a fila. Quirrell deu uma espiada no trasgo, soltou um gemidinho e sentou-se depressa em um vaso sanitário, apertando o peito.

Snape debruçou-se sobre o trasgo. A Prof[a] Minerva ficou olhando para Rony e Harry. Harry nunca a vira tão zangada. Seus lábios estavam brancos. A esperança de ganhar cinquenta pontos para Grifinória desapareceu logo da cabeça de Harry.

– O que é que vocês estavam pensando? – perguntou a Prof[a] Minerva, com uma fúria reprimida na voz. Harry olhou para Rony, que continuava parado com a varinha no ar. — Vocês tiveram sorte de não serem mortos. Por que é que não estão no dormitório?

Snape lançou a Harry um olhar rápido e penetrante. Harry olhou para o chão. Desejou que Rony baixasse a varinha.

Então ouviu-se uma vozinha que veio das sombras.

— Por favor, Prof$^a$ Minerva, eles vieram me procurar.

— Srta. Granger!

Hermione conseguira finalmente se levantar.

— Saí procurando o trasgo porque... achei que podia enfrentá-lo sozinha. Sabe, já li tudo sobre trasgos.

Rony deixou a varinha cair. Hermione Granger, contando uma mentira deslavada a um professor?

— Se eles não tivessem me encontrado, eu estaria morta agora. Harry enfiou a varinha no nariz do trasgo e Rony derrubou ele com o próprio bastão. Não tiveram tempo de chamar ninguém. O trasgo ia acabar comigo quando eles chegaram.

Harry e Rony tentaram fingir que a história não era novidade para eles.

— Bem... nesse caso... — disse a Prof$^a$ Minerva encarando os três —, Srta. Granger, que bobagem, como pôde pensar em enfrentar um trasgo montanhês sozinha?

Hermione baixou a cabeça. Harry perdera a fala. Hermione era a última pessoa do mundo que desobedeceria ao regulamento, e ali estava fingindo que desobedecera, para tirá-los de uma enrascada. Era o mesmo que Snape começar a distribuir balinhas.

— Hermione Granger, Grifinória vai perder cinco pontos por isso — disse a Prof$^a$ Minerva. — Estou muito desapontada. Se não estiver machucada, é melhor ir embora para a torre da Grifinória. Os alunos estão acabando de festejar o Dia das Bruxas em suas casas.

Hermione se retirou.

A Prof$^a$ Minerva virou-se para Harry e Rony.

— Bem, eu continuo achando que vocês tiveram sorte, mas não há muitos alunos do primeiro ano que poderiam enfrentar um trasgo montanhês adulto. Cada um de vocês ganha cinco pontos para Grifinória. O Prof. Dumbledore será informado. Podem ir.

Eles saíram depressa do banheiro e não falaram nada até subirem dois andares. Foi um alívio se afastarem do fedor do trasgo, para não falar do resto.

— Devíamos ter ganhado mais de dez pontos — resmungou Rony.

— Cinco, você quer dizer, depois de descontar os pontos que Hermione perdeu.

— Foi legal ela ter nos tirado do aperto — admitiu Rony. — Mas não se esqueça, *salvamos* a vida dela.

— Talvez ela não precisasse ser salva se não tivéssemos trancado a coisa com ela — lembrou Harry.

Tinham chegado ao retrato da Mulher Gorda.

— Focinho de porco — disseram e entraram.

A sala comunal estava cheia e barulhenta. Todo mundo estava comendo o jantar que fora mandado para lá. Hermione, porém, estava parada sozinha do lado da porta, esperando por eles. Houve um silêncio constrangido. Depois, sem se olharem, todos disseram "Obrigado" e correram para apanhar os pratos.

Mas, daquele momento em diante, Hermione Granger tornou-se amiga dos dois. Há coisas que não se pode fazer junto sem acabar gostando um do outro, e derrubar um trasgo montanhês de quase quatro metros de altura é uma dessas coisas.

## 11

QUADRIBOL

Quando entrou novembro o tempo esfriou muito. As serras em torno da escola viraram cinza-gelo e o lago parecia metal congelado. Toda manhã o chão se cobria de geada. Hagrid era visto das janelas dos andares superiores do castelo degelando vassouras no campo de quadribol, enrolado num casacão de pele de toupeira, com luvas de coelho e enormes botas de castor.

Começara a temporada de quadribol. No sábado, Harry estaria jogando sua primeira partida depois de semanas de treinamento: Grifinória contra Sonserina. Se a Grifinória ganhasse, subiria para o segundo lugar no campeonato das casas.

Quase ninguém vira Harry jogar porque Olívio decidira que, sendo uma arma secreta, a participação de Harry deveria ser mantida em segredo. Mas de alguma forma a notícia de que jogaria como apanhador vazara e Harry não sabia o que era pior – as pessoas dizerem que ele seria brilhante ou dizerem que iriam ficar correndo embaixo dele com um colchão.

Era realmente uma sorte que Harry agora tivesse Hermione como amiga. Não sabia como poderia ter dado conta dos deveres de casa sem ela, diante dos treinos de quadribol convocados por Olívio à última hora. Ela também lhe emprestara o livro *Quadribol através dos séculos*, que acabara rendendo uma leitura muito interessante.

Harry aprendera que havia setecentas maneiras de cometer faltas em quadribol e que todas haviam ocorrido durante a Copa Mundial de 1473; que os apanhadores eram em geral os jogadores menores e mais velozes e que a maioria dos acidentes graves no quadribol parecia acontecer com eles; que embora as pessoas raramente morressem jogando quadribol, havia juízes que tinham desaparecido e reaparecido meses depois no deserto do Saara.

Hermione tornara-se menos tensa com relação às infrações ao regulamento desde que Harry e Rony a tinham salvado do trasgo montanhês e se tornara uma pessoa mais simpática. Na véspera da primeira partida de quadribol de Harry, os três foram até a quadra congelada durante o intervalo das aulas, e ela fizera aparecer para eles um fogo azulado muito vivo que podia ser levado para toda parte em um frasco de geleia. Achavam-se parados de costas para o fogo, se esquentando, quando Snape atravessou o pátio. Harry reparou logo que Snape estava mancando. Harry, Rony e Hermione se aproximaram mais para esconder o fogo com o corpo; tinham certeza de que era proibido. Infelizmente alguma coisa em suas caras culpadas atraiu a atenção de Snape. Ele veio mancando até onde eles estavam. Não vira o fogo, mas parecia estar procurando uma razão para ralhar com eles.

— Que é que você tem aí, Potter?

Era o *Quadribol através dos séculos*. Harry mostrou-o.

— Os livros da biblioteca não podem ser levados para fora da escola — falou Snape. — Me dê aqui. Menos cinco pontos para Grifinória.

— Ele acabou de inventar essa regra — murmurou Harry com raiva, enquanto Snape se afastava. — Que será que houve com a perna dele?

— Não sei, mas espero que esteja realmente doendo — falou Rony com azedume.

A sala comunal da Grifinória estava muito barulhenta aquela noite. Harry, Rony e Hermione sentaram-se junto a uma janela. Hermione verificava os deveres de Harry e Rony para a aula de Feitiços. Ela nunca os deixava copiar ("Como é que vocês vão aprender?"), mas ao lhe pedirem para ler os trabalhos, eles recebiam as respostas certas do mesmo jeito.

Harry sentia-se inquieto. Queria de volta o *Quadribol através dos séculos*, para se distrair do nervosismo que a partida do dia seguinte estava lhe provocando. Por que deveria ter medo de Snape? Levantou-se e disse a Rony e Hermione que ia pedir a Snape para lhe devolver o livro.

— Antes você do que eu — responderam eles juntos, mas Harry tinha a impressão que Snape não iria recusar se houvesse outros professores ouvindo.

Ele foi à sala dos professores e bateu à porta. Não obteve resposta. Bateu outra vez. Nada.

Talvez Snape tivesse deixado o livro na sala? Valia a pena tentar. Entreabriu a porta e espiou para dentro — e deparou com uma cena horrível.

Snape e Filch estavam lá dentro sozinhos. Snape segurava as vestes acima do joelho. Uma das pernas sangrava, lacerada. Filch entregava ataduras a Snape.

— Maldito animal — dizia Snape. — Como é que se pode ficar de olho em três cabeças ao mesmo tempo?

Harry tentou fechar a porta sem fazer barulho, mas...

— POTTER!

O rosto de Snape contorceu-se de fúria ao mesmo tempo que ele largava as vestes para esconder a perna. Harry engoliu em seco.

— Eu vim saber se o senhor poderia devolver o meu livro.

— FORA! FORA!

Harry saiu antes que Snape pudesse descontar algum ponto da Grifinória. E voltou correndo para a torre.

— Conseguiu? — perguntou Rony quando Harry se reuniu a eles. — Que aconteceu?

Num murmúrio, Harry lhes contou o que vira.

— Sabe o que isso significa? — terminou sem fôlego. — Ele tentou passar pelo cachorro de três cabeças no Dia das Bruxas! Era para lá que estava indo quando o vimos. Ele quer a coisa que o cachorro está guardando! E aposto a minha vassoura como ele deixou aquele trasgo entrar, para distrair a atenção de todos!

Os olhos de Hermione estavam arregalados.

— Não. Ele não faria isso. Sei que ele não é muito simpático, mas não tentaria roubar uma coisa que Dumbledore estivesse guardando a sete chaves.

— Sinceramente, Hermione, você pensa que todos os professores são santos ou coisa parecida — disse-lhe Rony com rispidez. — Concordo com Harry, acho que Snape faria qualquer coisa. Mas o que é que ele está procurando? O que é que o cachorro está guardando?

Harry foi se deitar com a cabeça zunindo com aquela pergunta. Neville roncava alto e Harry não conseguia dormir. Tentou esvaziar a cabeça — precisava dormir, tinha de dormir, ia jogar sua primeira partida de quadribol dentro de algumas horas —, mas a expressão no rosto de Snape quando Harry vira sua perna era difícil de esquecer.

O dia seguinte amanheceu muito claro e frio. O Salão Principal estava impregnado com o cheiro delicioso de salsichas e com a conversa animada de todos que aguardavam ansiosos uma boa partida de quadribol.

— Você tem que comer alguma coisa.

— Não quero nada.

— Só um pedacinho de torrada — Hermione tentou persuadir.

— Não estou com fome.

Harry se sentia péssimo. Dentro de uma hora estaria entrando no campo.

— Harry, você precisa de energia — disse Simas Finnigan. — Os apanhadores são sempre os que acabam derrubados pelo outro time.

— Obrigado, Simas — respondeu Harry, observando Simas amontoar ketchup sobre as salsichas.

Aí pelas onze horas a escola inteira parecia estar nas arquibancadas que cercavam o campo de quadribol. Muitos estudantes tinham levado binóculos. Os lugares ficavam no alto mas, às vezes, ainda assim era difícil ver o que acontecia.

Rony e Hermione se reuniram a Neville, Simas e Dino, o torcedor do time West Ham, na fileira do alto. Como uma surpresa para Harry, eles tinham pintado uma grande bandeira em um dos lençóis que Perebas roera. Dizia: *Potter para Presidente*, e Dino, que era bom em desenho, tinha pintado o grande leão da Grifinória embaixo. Depois Hermione apelara para um feiticinho para fazer a tinta brilhar multicolorida.

Entrementes, nos vestiários, Harry e o restante do time estavam vestindo os uniformes vermelhos de quadribol (a Sonserina iria jogar de verde).

Olívio pigarreou pedindo silêncio.

— Muito bem, rapazes.

— E moças — acrescentou a artilheira Angelina Johnson.

— E moças — concordou Olívio. — Está na hora.

— O jogaço — disse Fred.

— O jogaço que estávamos esperando — explicou Jorge.

— Já conhecemos o discurso de Olívio de cor — comentou Fred para Harry. — Fizemos parte do time no ano passado.

— Calem a boca, vocês dois — mandou Olívio. — Este é o melhor time que Grifinória já teve nos últimos anos. Vamos vencer. Sei que vamos.

E encarou os jogadores como se dissesse "Ou vão ver".

— Certo. Está na hora. Boa sorte para todos.

Harry acompanhou Fred e Jorge na saída do vestiário e, esperando que seus joelhos não cedessem, entrou no campo debaixo de vivas.

Madame Hooch era a juíza. Estava parada no meio do campo esperando os dois times, de vassoura na mão.

— Quero ver um jogo limpo, meninos — disse quando estavam todos reunidos à sua volta. Harry reparou que ela parecia estar falando particularmente para o capitão da Sonserina, Marcos Flint, um aluno do quinto ano. Harry achou que Flint tinha algum antepassado trasgo na família. Pelo canto do olho viu a bandeira, que piscava "Potter para Presidente", tremulando sobre as cabeças dos espectadores. Seu coração perdeu um compasso. Ele se sentiu mais corajoso.

— Montem as vassouras, por favor.

Harry subiu na sua Nimbus 2000.

Madame Hooch puxou um silvo forte no seu apito de prata.

Quinze vassouras se ergueram no ar. Fora dada a partida.

— E a goles foi de pronto capturada por Angelina Johnson, da Grifinória... que ótima artilheira é essa menina, e bonita, também.

— JORDAN!

— Desculpe, professora.

O amigo dos gêmeos Weasley, Lino Jordan, estava irradiando a partida, vigiado de perto pela Prof$^a$ Minerva.

— E ela está realmente jogando com força total, um passe lindo para Alícia Spinnet, um bom achado de Olívio Wood, no ano passado ficou no time de reserva... De volta a Johnson e... Não, Sonserina tomou a goles, o capitão da Sonserina roubou a goles e saiu correndo... Marcos está voando como uma águia lá no alto, ele vai mar... Não, foi impedido por uma excelente intervenção do goleiro da Grifinória, Olívio, e Grifinória fica com a goles... No lance a artilheira Katie Bell, da Grifinória, dá um belo mergulho em volta de Marcos e sobe pelo campo e... AI, essa deve ter doído, ela levou um balaço na nuca e perdeu a goles para Sonserina... agora Adriano Pucey voa na direção do gol, mas é bloqueado por um segundo balaço, arremessado por Fred ou Jorge Weasley, é difícil dizer qual dos dois... Em todo o caso, uma boa jogada do batedor da Grifinória, e Johnson tem outra vez a posse da goles, o caminho está livre à sua frente e lá vai ela, realmente voando, desvia-se de um balaço veloz... As balizas estão à sua frente, vamos, agora, Angelina... O goleiro Bletchley mergulha, não chega em tempo... PONTO PARA GRIFINÓRIA!

A torcida da Grifinória encheu de berros o ar frio, e a torcida da Sonserina, de lamentos.

— Cheguem para lá, vamos.

— Hagrid!

Rony e Hermione se apertaram para abrir espaço para Hagrid se sentar com eles.

— Estive assistindo da minha casa — disse Hagrid, indicando um grande binóculo pendurado ao pescoço. — Mas não é a mesma coisa que assistir no meio da multidão. Nem sinal do pomo ainda, não é?

— Não — respondeu Rony. — Harry ainda não teve muito o que fazer.

— Pelo menos não se machucou, já é alguma coisa — disse Hagrid, levantando o binóculo e espiando o pontinho que era Harry lá no céu.

Muito acima deles, Harry sobrevoava o jogo, procurando um sinal do pomo. Isto fazia parte da estratégia montada por ele e Olívio.

— Fique fora do caminho até avistar o pomo — dissera Olívio. — Não queremos que você seja atacado sem necessidade.

Quando Angelina marcou, Harry fez uns *loops* para extravasar a emoção. Agora voltara a procurar o pomo. Uma vez avistou um lampejo dourado, mas era apenas um reflexo do relógio de um dos gêmeos, e outra vez um balaço resolveu disparar em sua direção e mais parecia uma bala de canhão, mas Harry se esquivou e Fred veio atrás dela.

— Tudo bem aí, Harry? — Ele tivera tempo de gritar ao rebater o balaço com fúria na direção de Marcos Flint.

— Sonserina de posse da goles — Lino Jordan continuava narrando. — O artilheiro Pucey se desvia de dois balaços, dos dois Weasley, da artilheira Bell e voa para... Esperem aí, será o pomo?

Correu um murmúrio pelas torcidas quando viram Adriano Pucey deixar cair a goles, ocupado demais em espiar por cima do ombro o lampejo dourado que passara por sua orelha esquerda.

Harry viu-a. Tomado de grande agitação, mergulhou em direção ao rastro dourado. O apanhador da Sonserina, Terêncio Higgs, vira o pomo também. Cabeça a cabeça, eles se precipitaram em direção ao pomo — todos os artilheiros pareciam ter esquecido o que deveriam fazer e pararam no ar para observar.

Harry foi mais rápido que Terêncio — estava vendo a bolinha redonda, as asas batendo, disparando para o alto —, imprimiu mais velocidade...

— Ohhh! — Um rugido de raiva saiu da torcida da Grifinória lá embaixo. Marcos Flint tinha bloqueado Harry de propósito e a vassoura de Harry perdeu o rumo, Harry segurando-se para não cair.

— Falta! — gritou a torcida da Grifinória.

Madame Hooch dirigiu-se aborrecida a Marcos e em seguida deu à Grifinória um lance livre diante das balizas. Mas, na confusão, é claro, o pomo de ouro desaparecera de vista outra vez.

Nas arquibancadas, Dino Thomas berrava:

— Fora com ele, juíza! Cartão vermelho!

— Isto não é futebol, Dino — lembrou Rony. — Você não pode expulsar jogadores de campo no quadribol, e o que é um cartão vermelho?

Mas Hagrid ficou do lado de Dino.

— Deviam mudar as regras, Marcos podia ter derrubado Harry no ar.

Lino Jordan estava achando difícil se manter neutro.

— Então, depois dessa desonestidade óbvia e repugnante...

— Jordan! — ralhou a Prof.ª Minerva.

– Quero dizer, depois dessa falta clara e revoltante...
– Jordan, estou-lhe avisando...
– Muito bem, muito bem. Marcos quase matou o apanhador da Grifinória, o que pode acontecer com qualquer um, tenho certeza, portanto uma penalidade a favor da Grifinória, Spinnet bate e faz, sem problema, e continuamos o jogo, Grifinória ainda com a posse da bola.

Foi quando Harry se desviou de mais um balaço, que passou com perigoso efeito ao lado de sua cabeça, que a coisa aconteceu. Sua vassoura deu uma perigosa e repentina guinada. Por uma fração de segundo ele achou que ia cair. Segurou a vassoura com firmeza com as mãos e os joelhos. Nunca sentira nada parecido antes.

Aconteceu outra vez. Era como se a vassoura estivesse tentando derrubá-lo. Mas uma Nimbus 2000 não decidia de repente derrubar seu cavaleiro. Harry tentou voltar em direção às balizas da Grifinória; tencionava avisar Olívio para pedir tempo – e então percebeu que a vassoura se descontrolara. Não conseguia virá-la. Não conseguia dirigi-la. Ela ziguezagueava pelo ar e de vez em quando fazia movimentos bruscos que quase o desequilibravam.

Lino ainda comentava.

– Sonserina ainda com a posse, Marcos com a goles, passa por Spinnet, por Bell, é atingido no rosto com força por um balaço, espero que tenha quebrado o nariz... É brincadeira, professora! Sonserina marca... Ah, não...

A torcida da Sonserina vibrava. Ninguém parecia ter notado que a vassoura de Harry estava se comportando de maneira estranha. Carregava-o lentamente cada vez mais alto, afastando-se do jogo, dando guinadas e corcoveando pelo caminho.

– Não sei o que Harry acha que está fazendo – resmungou Hagrid. E espiou pelo binóculo. – Se eu não entendesse da coisa, eu diria que perdeu o controle da vassoura... mas não pode ser...

De repente, as pessoas em todas as arquibancadas estavam apontando para Harry no alto. Sua vassoura começara a jogar para um lado e para outro, e ele mal conseguia se segurar. Então a multidão gritou. A vassoura dera uma guinada violenta e Harry desmontara. Estava agora pendurado, aguentando-se apenas com uma das mãos.

– Será que aconteceu alguma coisa à vassoura quando Marcos o bloqueou? – cochichou Simas.

– Não pode ser – respondeu Hagrid, a voz trêmula. – Nada pode interferir com uma vassoura a não ser uma magia das trevas muito poderosa, nenhum garoto poderia fazer isso com uma Nimbus 2000.

Ao ouvir isso, Hermione agarrou o binóculo de Hagrid, mas em vez de olhar para Harry no alto, começou a espiar agitadíssima para a multidão.

— Que é que você está fazendo? — gemeu Rony, o rosto branco.

— Eu sabia! — exclamou Hermione. — Snape. Olhe.

Rony agarrou o binóculo, Snape estava no centro das arquibancadas do lado oposto. Tinha os olhos fixos em Harry e movia os lábios sem parar.

— Ele está fazendo alguma coisa... azarando a vassoura — disse Hermione.

— Que vamos fazer?

— Deixem comigo.

Antes que Rony pudesse dizer mais alguma coisa, Hermione desapareceu. Rony tornou a apontar o binóculo para Harry. A vassoura vibrava com tanta força que era quase impossível Harry se aguentar por muito mais tempo. A multidão se levantara, acompanhando com os olhos, aterrorizada. Os gêmeos Weasley voaram para tentar transferir Harry a salvo para uma de suas vassouras, mas não adiantou — toda vez que se aproximavam dele, a vassoura subia mais. Mantiveram-se em um nível mais baixo fazendo círculos sob Harry, obviamente na esperança de apará-lo se caísse. Marcos Flint apoderou-se da goles e marcou cinco vezes sem ninguém reparar.

— Anda logo, Hermione — murmurou Rony, desesperado.

Hermione abrira caminho até a arquibancada onde estava Snape e agora corria pela fileira atrás dele; nem parou para pedir desculpas quando derrubou o Prof. Quirrell de cabeça na fileira da frente. Ao chegar perto de Snape, ela se agachou, puxou a varinha e disse algumas palavras bem escolhidas. Chamas vivas e azuladas voaram de sua varinha para a barra das vestes de Snape.

Levou talvez uns trinta segundos para Snape perceber que estava em chamas. Um grito súbito confirmou que Hermione conseguira o seu intento. Recolhendo o fogo num frasquinho que trazia no bolso, ela retrocedeu depressa pela mesma fileira — Snape nunca saberia o que acontecera.

Foi o suficiente. No alto, Harry conseguiu de repente voltar a montar a vassoura.

— Neville, pode olhar! — disse Rony. Neville passara os últimos cinco minutos soluçando no casaco de Hagrid.

Harry estava voando rápido de volta ao chão quando a multidão o viu levar a mão à boca como se fosse vomitar — ele pousou no campo apoiado nas mãos e nos joelhos — tossiu — e uma coisa dourada caiu em sua mão.

— Apanhei o pomo! — gritou, mostrando-o no alto, e o jogo terminou na mais completa confusão.

— Ele não *agarrou* o pomo, ele quase o *engoliu* — continuava a esbravejar Flint vinte minutos depois, mas não fez diferença, Harry não infringira nenhuma regra e Lino Jordan continuava a gritar alegremente o resultado:

Grifinória ganhara por cento e setenta pontos a sessenta. Harry, porém, não ouvia nada disso. Hagrid lhe preparava no casebre uma xícara de chá forte, em companhia de Rony e Hermione.

— Foi Snape — explicou Rony. — Hermione e eu vimos. Ele estava azarando a sua vassoura, murmurando, não despregava os olhos de você.

— Bobagens — disse Hagrid, que não ouvira uma única palavra do que se passara ao seu lado nas arquibancadas. — Por que Snape faria uma coisa dessas?

Harry, Rony e Hermione se entreolharam, imaginando o que lhe contar. Harry decidiu contar a verdade.

— Descobri uma coisa — falou a Hagrid. — Ele tentou passar pelo cachorro de três cabeças no Dia das Bruxas. Levou uma mordida. Achamos que estava tentando roubar o que o cachorro está guardando.

Hagrid deixou cair o bule de chá.

— Como é que vocês sabem da existência do Fofo?

— Fofo?

— É... é meu... comprei-o de um grego que conheci num bar no ano passado. Emprestei-o a Dumbledore para guardar a...

— O quê? — perguntou Harry, ansioso.

— Não me pergunte mais nada — retrucou Hagrid com impaciência. — É segredo.

— Mas Snape está tentando roubá-lo.

— Bobagens — repetiu Hagrid. — Snape é professor de Hogwarts, não faria uma coisa dessas.

— Então por que ele tentou matar Harry? — perguntou Hermione.

Os acontecimentos daquela tarde sem dúvida tinham mudado a opinião dela sobre Snape.

— Eu conheço uma azaração quando vejo uma, Rúbeo, já li tudo sobre o assunto! A pessoa precisa manter contato visual e Snape nem ao menos piscava, eu vi!

— Estou dizendo que vocês estão enganados! — falou Hagrid com veemência. — Não sei por que a vassoura de Harry estava agindo daquela forma, mas Snape não iria tentar matar um aluno! Agora, escutem bem, os três: vocês estão se metendo em coisas que não são de sua conta. Isto é perigoso. Esqueçam aquele cachorro e esqueçam o que ele está guardando, isto é coisa do Prof. Dumbledore com o Nicolau Flamel...

— Ah-ah! — exclamou Harry. — Então tem alguém chamado Nicolau Flamel metido na jogada, é?

Hagrid parecia furioso consigo mesmo.

# 12

## O ESPELHO DE OJESED

O Natal se aproximava. Certa manhã em meados de dezembro, Hogwarts acordou coberta com mais de um metro de neve. O lago congelou e os gêmeos Weasley receberam castigo por terem enfeitiçado várias bolas de neve fazendo-as seguir Quirrell aonde ele ia e quicarem na parte de trás do seu turbante. As poucas corujas que conseguiam se orientar no céu tempestuoso para entregar correspondência tinham que ser tratadas por Hagrid para recuperar a saúde antes de voltarem a voar.

Todos mal aguentavam esperar as férias de Natal. E embora a sala comunal da Grifinória e o Salão Principal tivessem grandes chamas nas lareiras, os corredores varridos por correntes de ar tinham se tornado gélidos e um vento cortante sacudia as janelas das salas de aulas. As piores eram as aulas do Prof. Snape nas masmorras, onde a respiração dos alunos virava uma névoa diante deles, que procuravam ficar o mais próximo possível dos seus caldeirões.

— Tenho tanta pena – disse Draco Malfoy, na aula de Poções – dessas pessoas que têm que passar o Natal em Hogwarts porque a família não as quer em casa.

Olhou para Harry ao dizer isso. Crabbe e Goyle riram. Harry, que estava medindo pó de espinha de peixe-leão, não lhes deu atenção. Malfoy andava muito mais desagradável do que de costume desde a partida de quadribol. Aborrecido porque Sonserina perdera, tentara fazer as pessoas rirem dizendo que um sapo iria substituir Harry como apanhador no próximo jogo. Então percebeu que ninguém achara graça, porque estavam todos muito impressionados com a maneira com que Harry conseguira se segurar na vassoura corcoveante. Por isso Draco, invejoso e zangado, voltara a aperrear Harry dizendo que não tinha família como os outros...

Era verdade que Harry não ia voltar à rua dos Alfeneiros para o Natal. A Profª Minerva passara a semana anterior fazendo uma lista dos alunos que iam ficar em Hogwarts no Natal, e Harry assinara seu nome na mesma hora.

Não sentia nenhuma pena de si mesmo; provavelmente aquele seria o melhor Natal que já tivera. Rony e os irmãos também iam ficar, porque o Sr. e a Sra. Weasley iam à Romênia visitar Carlinhos.

Quando deixaram as masmorras ao final da aula de Poções, encontraram um grande tronco de pinheiro bloqueando o corredor à frente. Dois pés enormes que apareciam por baixo do tronco e alguém bufando alto denunciaram a todos que Hagrid estava por trás dele.

– Oi, Hagrid, quer ajuda? – perguntou Rony, metendo a cabeça por entre os ramos.

– Não, estou bem, obrigado, Rony.

– Você se importaria de sair do caminho? – Ouviu-se a voz arrastada e seca de Draco atrás deles. – Está tentando ganhar uns trocadinhos, Weasley? Vai ver quer virar guarda-caça quando terminar Hogwarts. A cabana de Rúbeo deve parecer um palácio comparada ao que sua família está acostumada.

Rony avançou para Draco justamente na hora em que Snape subia as escadas.

– WEASLEY!

Rony largou a frente das vestes de Draco.

– Ele foi provocado, Prof. Snape – explicou Hagrid, deixando aparecer por trás da árvore a cara barbada. – Draco ofendeu a família dele.

– Seja por que for, brigar é contra o regulamento de Hogwarts, Hagrid – disse Snape, insinuante. – Cinco pontos a menos para Grifinória, Weasley, e dê graças a Deus por não ser mais. Agora, vamos andando, todos vocês.

Draco, Crabbe e Goyle passaram pela árvore com brutalidade, espalhando folhas para todo lado com sorrisos nos rostos.

– Eu pego ele – prometeu Rony, rilhando os dentes às costas de Draco –, um dia desses, eu pego ele.

– Odeio os dois – disse Harry. – Draco e Snape.

– Vamos, ânimo, o Natal está aí – disse Hagrid. – Vou lhes dizer o que vamos fazer, venham comigo ver o Salão Principal, está lindo.

Então os três acompanharam Hagrid e sua árvore até o Salão Principal, onde a Prof.ª Minerva e o Prof. Flitwick estavam trabalhando na decoração para o Natal.

– Ah, Hagrid, a última árvore... ponha naquele canto ali, por favor.

O salão estava espetacular. Festões de azevinho e visco pendurados a toda a volta das paredes e nada menos que doze enormes árvores de Natal estavam dispostas pelo salão, umas cintilando com cristais de neve, outras iluminadas por centenas de velas.

— Quantos dias ainda faltam até as férias? — perguntou Hagrid.

— Um — respondeu Hermione. — Ah, isso me lembra: Harry, Rony, falta meia hora para o almoço, devíamos estar na biblioteca.

— Ih, é mesmo — disse Rony, despregando os olhos do Prof. Flitwick, que fazia sair bolhas douradas da ponta da varinha e as levava para cima dos galhos da árvore que acabara de chegar.

— Biblioteca? — espantou-se Hagrid, acompanhando-os para fora da sala.

— Na véspera das férias? Não estão estudando demais?

— Ah, não estamos estudando — respondeu Harry, animado. — Desde que você mencionou o Nicolau Flamel estamos tentando descobrir quem ele é.

— Vocês o quê? — Hagrid parecia chocado. — Ouçam aqui: já disse a vocês, parem com isso. Não é da sua conta o que o cachorro está guardando.

— Só queremos saber quem é Nicolau Flamel, só isso — falou Hermione.

— A não ser que você queira nos dizer e nos poupar o trabalho — acrescentou Harry. — Já devemos ter consultado uns cem livros e não o encontramos em lugar nenhum. Que tal nos dar uma pista? Sei que já li o nome dele em algum lugar.

— Não digo uma palavra — respondeu Hagrid, decidido.

— Então vamos ter que descobrir sozinhos — disse Rony, e saíram depressa para a biblioteca, deixando Hagrid desapontado.

Andavam realmente procurando o nome de Flamel nos livros desde que Hagrid o deixara escapar, porque de que outra maneira iam descobrir o que Snape estava tentando roubar? O problema é que era muito difícil saber por onde começar, sem saber o que Flamel poderia ter feito para aparecer em um livro. Não se encontrava em *Grandes sábios do século XX*, nem em *Nomes notáveis da mágica do nosso tempo*, não era encontrável tampouco em *Importantes descobertas modernas da magia* nem em *Um estudo dos avanços recentes na magia*. E, é claro, havia também o tamanho da biblioteca em si, dezenas de milhares de livros; milhares de prateleiras; centenas de corredores estreitos.

Hermione puxou uma lista de assuntos e títulos que decidira pesquisar enquanto Rony se dirigiu a uma carreira de livros e começou a tirá-los da prateleira aleatoriamente. Harry vagou até a Seção Reservada. Vinha pensando havia algum tempo se Flamel não estaria ali. Infelizmente, o estudante precisava de um bilhete assinado por um professor para consultar qualquer livro restrito, e ele sabia que nenhum jamais lhe daria o bilhete. Eram livros que continham poderosa magia das trevas jamais ensinada em Hogwarts e somente lida por alunos mais velhos que estudavam no curso avançado de Defesa Contra as Artes das Trevas.

— O que é que você está procurando, menino?

— Nada — disse Harry.

Madame Pince, a bibliotecária, apontou-lhe um espanador de penas.

— Então é melhor sair daqui. Vamos, fora!

Desejando ter sido um pouco mais rápido em inventar alguma história, Harry saiu da biblioteca. Ele, Rony e Hermione já tinham concordado que era melhor não perguntar a Madame Pince onde poderiam encontrar Flamel. Tinham certeza de que ela saberia informar, mas não podiam arriscar que Snape ouvisse o que andavam tramando.

Harry esperou do lado de fora no corredor para saber se os outros dois tinham encontrado alguma coisa, mas não alimentava muitas esperanças. Afinal, estavam procurando havia quinze dias, mas como só tinham breves momentos entre as aulas, não era surpresa que não tivessem achado nada. O que realmente precisavam era de uma longa busca sem Madame Pince bafejar o pescoço deles.

Cinco minutos depois, Rony e Hermione se reuniram a ele balançando negativamente a cabeça. E foram almoçar.

— Vocês vão continuar procurando enquanto eu estiver fora, não vão? — recomendou Hermione. — E me mandem uma coruja se encontrarem alguma coisa.

— E você poderia perguntar aos seus pais se sabem quem é Flamel — disse Rony. — Não haveria perigo em perguntar a eles.

— Nenhum perigo, os dois são dentistas.

Uma vez começadas as férias, Rony e Harry estavam se divertindo à beça para se lembrar de Flamel. Tinham o dormitório só para eles e a sala comunal estava muito mais vazia do que o normal, por isso podiam usar as poltronas confortáveis ao pé da lareira. Sentavam-se a toda hora para comer tudo que pudessem espetar em um garfo de assar — pão, bolinhos, marshmallows — e tramavam maneiras de fazer Draco ser expulso, o que se divertiam em discutir mesmo que não fosse produzir resultados.

Rony também começou a ensinar Harry a jogar xadrez de bruxo. Era exatamente igual a xadrez de trouxa, exceto que as peças eram vivas, o que fazia parecer que a pessoa estava dirigindo tropas em uma batalha. O jogo de Rony era muito velho e gasto. Como tudo o mais que possuía, costumava pertencer a alguém da família — no caso, ao seu avô. No entanto, a velhice das peças não era de forma alguma um empecilho. Rony as conhecia tão bem que nunca tinha dificuldade de mandá-las fazer o que ele queria.

Harry jogava com peças que Simas Finnigan lhe emprestara e estas não confiavam nada nele. Ainda não era um bom jogador e elas não paravam de gritar conselhos variados, o que o confundia: "Não me mande para lá, não está vendo o cavalo dele? Mande ele, podemos nos dar ao luxo de perder ele."

Na noite de Natal, Harry foi para a cama pensando com ansiedade na comida e na diversão do dia seguinte, mas sem esperar nenhum presente. Quando acordou cedo na manhã seguinte, porém, a primeira coisa que viu foi uma pequena pilha de embrulhos ao pé de sua cama.

– Feliz Natal – disse Rony, sonolento, quando Harry pulou da cama e vestiu o roupão.

– Para você também – falou Harry. – Olhe só isso! Ganhei presentes?

– E o que é que você esperava, nabos? – respondeu Rony, virando-se para a sua pilha, que era bem maior do que a de Harry.

Harry apanhou o pacote de cima. Estava embrulhado em papel pardo grosso e trazia escrito em garranchos *Para Harry, de Hagrid*. Dentro havia uma flauta tosca de madeira. Era óbvio que Hagrid a entalhara pessoalmente. Harry soprou-a – parecia um pouco com um pio de coruja.

Um segundo embrulho, muito pequeno, continha um bilhete.

*Recebemos sua mensagem e estamos enviando o seu presente. Tio Válter e Tia Petúnia.*

Presa com fita adesiva no bilhete havia uma moeda de cinquenta pence.

– Que simpático – exclamou Harry.

Rony ficou fascinado pela moeda.

– Que esquisito! – disse. – Que formato! Isso é *dinheiro*?

– Pode ficar com ela – disse Harry rindo-se ao ver a satisfação de Rony.

– Rúbeo, minha tia e meu tio. E quem mandou esses?

– Acho que sei quem mandou esse – disse Rony, ficando um pouco vermelho e apontando para um embrulho disforme. – Mamãe. Eu disse a ela que você não estava esperando receber presentes... Ah, não... – gemeu. – Ela fez para você um suéter Weasley.

Harry rasgou o papel e encontrou um suéter tricotado com linha grossa verde-esmeralda e uma grande caixa de barras de chocolate artesanal.

– Todos os anos ela faz para nós um suéter – disse Rony, desembrulhando o dele –, e o meu é *sempre* cor de tijolo.

– Foi realmente muita gentileza dela – disse Harry, experimentando as barrinhas de chocolate, que estavam muito gostosas.

O presente seguinte também continha doces – uma grande caixa de sapos de chocolate dados por Hermione.

Restava apenas um embrulho. Harry apanhou-o e apalpou-o. Era muito leve. Desembrulhou-o.

Uma coisa sedosa e prateada escorregou para o chão onde se acomodou em dobras refulgentes. Rony soltou uma exclamação:
— Já ouvi falar nisso — disse em voz baixa, deixando cair a caixa de feijõezinhos de todos os sabores que ganhara de Hermione. — Se isso é o que eu penso que é, é realmente raro e *realmente* valioso.
— E o que é?
Harry apanhou o pano brilhoso e prateado do chão. Tinha uma textura estranha, parecia tecida com fios de água.
— É uma Capa da Invisibilidade — disse Rony, com uma expressão de assombro no rosto. — Tenho certeza de que é. Experimente.
Harry jogou a Capa em volta dos ombros e Rony deu um berro.
— É, sim! Olhe para baixo!
Harry olhou para os pés, mas eles tinham desaparecido. Correu então para o espelho. Não deu outra, o espelho refletiu sua imagem, só a cabeça suspensa no ar, o corpo completamente invisível. Ele cobriu a cabeça e a imagem desapareceu completamente.
— Tem um cartão! — disse Rony de repente. — Caiu um cartão!
Harry tirou a capa e apanhou o cartão. Escritas numa caligrafia fina e rebuscada que ele nunca vira antes, estavam as seguintes palavras:

*Seu pai deixou isto comigo antes de morrer.*
*Está na hora de devolvê-la a você.*
*Use-a bem.*
*Um Natal muito feliz para você.*

Não havia assinatura. Harry ficou olhando o cartão. Rony admirava a capa.
— Eu daria *qualquer coisa* para ter uma dessas. *Qualquer coisa...* Que foi?
— Nada. — Harry estava se sentindo muito estranho. Quem mandara a capa? Será que pertencera mesmo ao seu pai?
Antes que pudesse dizer ou pensar qualquer outra coisa, a porta do dormitório se escancarou e Fred e Jorge Weasley entraram aos pulos. Harry rapidamente deu um sumiço na capa. Por ora não tinha vontade de compartilhá-la com mais ninguém.
— Feliz Natal!
— Ei, olhe só, o Harry ganhou um suéter Weasley também!
Fred e Jorge estavam usando suéteres azuis, um com um grande F, o outro com um J amarelos.

— Mas o do Harry é melhor do que o nosso — comentou Fred, erguendo o suéter de Harry. — Ela com certeza capricha mais se a pessoa não é da família.

— Por que você não está usando o seu? — perguntou Jorge. —Vamos, vista logo, eles são ótimos e quentes.

— Detesto cor de tijolo — lamentou-se Rony, desanimado enquanto vestia o suéter.

— Pelo menos você não tem uma letra no seu — comentou Jorge. — Ela deve pensar que você não esquece o seu nome. Mas nós não somos burros, sabemos que nos chamamos Jred e Forge.

— Que barulheira é essa?

Percy Weasley meteu a cabeça para dentro da porta, com um olhar de censura. Era visível que já desembrulhara parte dos seus presentes porque trazia também um suéter grosso pendurado no braço, que Fred logo agarrou.

— P de perfeitinho! Vista logo, Percy, todos estamos usando os nossos, até Harry ganhou um.

— Eu... não... quero — disse Percy com a voz bloqueada, enquanto os gêmeos forçavam o suéter por sua cabeça, entortando seus óculos.

— E você hoje não vai se sentar com os monitores — disse Jorge. — Natal é uma festa da família.

E os dois carregaram Percy para fora do quarto, com os braços presos dos lados pelo suéter.

Harry nunca tivera em toda a vida um almoço de Natal igual àquele. Cem perus gordos assados, montanhas de batatas assadas e cozidas, travessas de salsichas, terrinas de ervilhas passadas na manteiga, molheiras com caldo de carne e molho de cranberry espesso e bem temperado — e, a pequenos intervalos sobre a mesa, pilhas de bombinhas de bruxo. Essas bombinhas fantásticas não se pareciam nada com as bombinhas fracas dos trouxas que os Dursley em geral compravam, cheias de brinquedinhos de plástico e chapéus de papel fino. Harry puxou a ponta de uma bombinha de bruxo com Fred e ela não deu apenas um estalinho; com o ruído de um canhão e envolveu-os em uma nuvem de fumaça azul enquanto caíam de dentro um chapéu de almirante e vários camundongos brancos, vivos. Na mesa principal, Dumbledore tinha trocado o chapéu de bruxo por um toucado florido e ria alegremente de uma piada que o Prof. Flitwick acabara de ler para ele.

Pudins de Natal flamejantes seguiram-se ao peru. Percy quase quebrou os dentes em um sicle de prata que estava escondido em sua fatia. Harry observava o rosto de Hagrid ficar cada vez mais vermelho à medida que pedia mais vinho e acabou beijando a bochecha da Prof.ª Minerva, a qual, para espanto de Harry, rira e corara, o chapéu de bruxa enviesado na cabeça.

Quando Harry finalmente saiu da mesa, estava levando uma montanha de brinquedos das bombinhas, inclusive uma embalagem de balões luminosos e não explosivos, um kit para cultivar capixingui, a planta símbolo de Hogwarts, e um jogo de xadrez de bruxo. Os camundongos brancos tinham desaparecido e Harry teve a desagradável sensação de que eles iam acabar virando jantar de Natal para Madame Nor-r-ra.

Harry e os Weasley passaram uma tarde muito alegre ocupados em uma furiosa guerra de bolas de neve. Depois, frios, molhados e ofegantes, voltaram para junto da lareira na sala comunal da Grifinória, onde Harry estreou o seu novo jogo de xadrez perdendo espetacularmente para Rony. Suspeitou que não teria levado uma surra tão grande se Percy não tivesse tentado ajudá-lo tanto.

Depois de lancharem sanduíches de peru, bolinhos, gelatina e bolo de frutas, todos se sentiram demasiado fartos e sonolentos para fazer outra coisa senão sentar e assistir a Percy correr atrás de Fred e Jorge por toda a torre da Grifinória porque eles tinham furtado seu crachá de monitor.

Fora o melhor Natal da vida de Harry. No entanto, no fundinho da cabeça alguma coisa o incomodara o dia inteiro. Somente quando finalmente se deitou é que teve tempo para pensar nela: a Capa da Invisibilidade e a pessoa que a mandara.

Rony, cheio de peru e bolo e sem nenhum mistério para perturbá-lo, caiu no sono assim que puxou as cortinas de sua cama de dossel. Harry debruçou-se pela borda da cama e puxou a capa que escondera ali.

Do seu pai... aquilo fora do seu pai. Ele deixou o tecido escorregar pelas mãos, mais macio do que seda, leve como o ar. *Use-a bem,* dissera o cartão.

Tinha que experimentá-la agora. E saiu da cama e se enrolou na capa. Olhando para as pernas, viu apenas o luar e as sombras. Era uma sensação muito engraçada.

*Use-a bem.*

De repente, Harry se sentiu completamente acordado. Toda a Hogwarts se abria para ele com a capa. Sentiu-se tomado de ânimo em pé ali na escuridão silenciosa. Podia ir a qualquer lugar com a capa, qualquer lugar, e Filch jamais saberia.

Rony resmungou adormecido. Será que Harry devia acordá-lo? Alguma coisa o deteve – a capa do seu pai –, sentiu que daquela vez – a primeira – queria usá-la sozinho.

E saiu sorrateiro do dormitório, desceu as escadas, atravessou a sala comunal e passou pelo buraco do retrato.

– Quem está aí? – perguntou esganiçada a Mulher Gorda. Harry não respondeu. Saiu depressa pelo corredor.

Aonde deveria ir? Parou, o coração acelerado, e pensou. E então lhe ocorreu. A seção reservada na biblioteca. Poderia ler o tempo que quisesse, o tempo que precisasse para descobrir quem era Flamel. Foi, então, puxando a capa para bem junto do corpo ao andar.

A biblioteca estava escura como breu e muito estranha. Harry acendeu uma luz para enxergar o caminho entre as fileiras de livros. A lâmpada parecia que estava flutuando no ar, e embora Harry sentisse que seu braço a sustentava, aquela visão lhe deu arrepios.

A seção reservada era bem no fundo da biblioteca. Saltando com cautela a corda que separava esses livros do resto da biblioteca, ele ergueu a lâmpada para ler os títulos.

Eles não lhe informavam muita coisa. Suas letras descascadas e esmaecidas formavam dizeres em línguas que Harry não entendia. Alguns nem sequer tinham título. Um livro tinha uma mancha escura que o fazia se lembrar horrivelmente de sangue. Os pelos na nuca de Harry ficaram em pé. Talvez fosse imaginação dele, talvez não, mas achou que ouvia um sussurro baixo vindo dos livros, como se eles soubessem que havia alguém ali que não deveria estar.

Precisava começar por alguma parte. Pousando com cuidado a lâmpada no chão, ele procurou na prateleira mais baixa um livro que parecesse interessante. Um grande volume preto e prata chamou sua atenção. Puxou-o com esforço, porque era muito pesado, e equilibrando-o nos joelhos, deixou-o abrir ao acaso.

Um grito agudo de coalhar o sangue cortou o silêncio – o livro estava gritando! Harry fechou-o depressa, mas o grito não parou, uma nota alta, contínua, de furar os tímpanos. Ele tropeçou para trás e derrubou a lâmpada, que se apagou na mesma hora. Em pânico, ouviu passos que vinham pelo corredor do lado de fora – enfiando o livro gritador de qualquer jeito no lugar, ele correu para valer. Passou por Filch quase à porta. Os olhos claros e arregalados de Filch atravessaram-no, Harry escorregou por debaixo dos seus braços estendidos e saiu desabalado pelo corredor, os gritos do livro ainda ecoando em seus ouvidos.

Parou subitamente diante de uma alta armadura. Estivera tão ocupado em fugir da biblioteca que não prestara atenção aonde estava indo. Talvez porque estivesse escuro, ele nem sequer reconheceu onde se encontrava. Havia uma armadura perto das cozinhas, ele sabia, mas ele devia estar uns cinco andares acima.

— O senhor me pediu para eu vir direto ao senhor, professor, se alguém estivesse perambulando durante a noite, e alguém esteve na biblioteca, na seção reservada.

Harry sentiu o sangue se esvair do seu rosto. Onde quer que estivesse, Filch devia conhecer um atalho, porque sua voz baixa e untuosa estava se aproximando, e, para seu horror, foi Snape quem respondeu:

— A seção reservada? Bom, eles não podem estar longe, vamos apanhá--los.

Harry ficou imóvel no lugar em que estava quando Filch e Snape viraram o canto do corredor à frente. Eles não podiam vê-lo, é claro, mas era um corredor estreito e se chegassem mais perto esbarrariam nele — a capa não o impedia de ser sólido.

Recuou o mais silenciosamente que pôde. Havia uma porta entreaberta à sua esquerda. Era sua única esperança. Esgueirou-se por ela, prendendo a respiração, tentando não empurrá-la e, para seu alívio, conseguiu entrar no aposento sem que percebessem nada. Eles passaram direto e Harry apoiou-se na parede, respirando profundamente, ouvindo os passos dos dois morrerem a distância. Fora por pouco, por um triz. Passaram-se alguns segundos até ele reparar em alguma coisa no aposento em que se escondera.

Parecia uma sala de aula fechada. Os vultos escuros das mesas e cadeiras se amontoavam contra as paredes e havia uma cesta de papéis virada — mas escorada na parede à sua frente havia uma coisa que não parecia pertencer ao lugar, alguma coisa que parecia que alguém acabara de pôr ali para tirá-la do caminho.

Era um magnífico espelho, da altura do teto, com uma moldura de talha dourada, aprumado sobre dois pés em garra. Havia uma inscrição entalhada no alto: *Oãça rocu esme ojesed osamo tso rueso ortso moãn.*

Já livre do pânico, agora que não ouvia sinal de Filch e Snape, Harry aproximou-se do espelho, querendo mirar-se sem ver nenhuma imagem como antes. Adiantou-se para o espelho.

Teve que levar as mãos à boca para não gritar. Virou-se. Seu coração batia com muito mais fúria do que quando o livro gritara — porque não vira somente a própria imagem no espelho, mas a de uma verdadeira multidão por trás dele.

Mas a sala estava vazia. Respirando muito depressa, ele se virou lentamente para o espelho.

Lá estava ele, refletido, parecendo pálido e assustado, e lá estavam, refletidos às suas costas, pelo menos outras dez pessoas. Harry espiou por cima do ombro – mas continuava a não haver ninguém mais. Ou será que eram todos invisíveis também? Será que estava de fato em um aposento cheio de gente invisível e o truque desse espelho era que ele refletia tudo, invisível ou não?

Olhou para o espelho outra vez. Uma mulher parada logo atrás de sua imagem sorria e lhe acenava. Ele esticou a mão e sentiu o ar atrás dele. Se ela estivesse realmente ali, ele a tocaria, pois suas imagens estavam muito próximas, mas ele pegou apenas ar – ela e os outros só existiam no espelho.

Era uma mulher muito bonita. Tinha cabelos ruivos e os olhos – os olhos são iguaizinhos aos meus, Harry pensou, acercando-se um pouco mais do espelho. Verde-vivo – exatamente do mesmo formato, mas então reparou que ela estava chorando; sorrindo, mas chorando ao mesmo tempo. O homem alto, magro, de cabelos pretos, parado ao lado dela abraçou-a. Usava óculos e seu cabelo era muito rebelde. Espetava na parte de trás, como o de Harry.

Harry estava tão perto do espelho agora que seu nariz quase encostava em sua imagem.

– Mamãe? – murmurou. – Papai?

Eles apenas olharam para o menino, sorrindo, e lentamente Harry olhou para os rostos das outras pessoas no espelho e viu outros pares de olhos verdes iguais aos seus, outros narizes como o seu, até mesmo um velhote que parecia ter os mesmos joelhos ossudos que ele – Harry estava olhando para sua família, pela primeira vez na vida.

Os Potter sorriram e acenaram para Harry, e ele retribuiu o olhar, carente, as mãos pressionando o espelho como se esperasse entrar nele e alcançá-los. Sentiu uma dor muito forte no peito, em que se misturavam a alegria e uma terrível tristeza.

Quanto tempo esteve parado ali, ele não sabia. As imagens não esmaeceram e ele continuou mirando-as até que um ruído distante o trouxe de volta ao presente. Não podia ficar ali, tinha que encontrar o caminho de volta para a cama. Com esforço, desviou os olhos do rosto de sua mãe, sussurrando "Eu volto" e saiu depressa do aposento.

\* \* \*

— Você podia ter me acordado — falou Rony, aborrecido.
— Você pode vir hoje à noite. Vou voltar, quero lhe mostrar o espelho.
— Eu gostaria de ver sua mãe e seu pai — disse Rony, animado.
— E eu quero ver toda a sua família, todos os Weasley, você vai poder me mostrar os seus outros irmãos e todo mundo.
— Você pode vê-los a qualquer hora. É só vir à minha casa neste verão. Em todo o caso, talvez o espelho só mostre gente morta. Mas é uma pena você não ter achado o Flamel. Coma um pouco de bacon ou outra coisa qualquer, por que é que você não está comendo nada?
Harry não conseguia comer. Vira os pais e iria vê-los de novo à noite. Quase se esquecera de Flamel. Já não lhe parecia tão importante. Quem ligava para o que o cachorro de três cabeças estava guardando? Quem ligava realmente que Snape fosse roubar a coisa?
— Você está bem? — perguntou Rony. — Está com uma cara tão estranha.

O que Harry mais temia era não conseguir encontrar o aposento do espelho outra vez. Com Rony coberto pela capa também, eles tiveram de andar muito mais devagar na noite seguinte. Tentaram refazer o caminho de Harry ao sair da biblioteca, andando a esmo pelos corredores escuros durante quase uma hora.
— Estou congelando — disse Rony. — Vamos esquecer tudo e voltar.
— Não! — sibilou Harry. — Sei que é em algum lugar por aqui.
Passaram pelo fantasma de uma bruxa alta que deslizava na direção oposta, mas não viram mais ninguém. Na hora em que Rony começou a reclamar que seus pés estavam dormentes de frio, Harry identificou a armadura.
— É aqui... logo aqui... Isso!
Eles empurraram a porta. Harry deixou cair a capa dos ombros e correu para o espelho.
Lá estavam eles. Sua mãe e seu pai sorriram ao vê-lo.
— Está vendo? — Harry cochichou.
— Não consigo ver nada.
— Olhe! Olhe eles todos... ali, tanta gente...
— Só consigo ver você.
— Olhe direito, vamos, fique aqui onde eu estou.

Harry deu um passo para o lado, mas com Rony diante do espelho, não conseguiu mais ver sua família, apenas Rony com o seu pijama de lã escocesa.

Rony, porém, estava mirando a própria imagem, petrificado.

— Olhe só para mim! — exclamou.

— Você está vendo toda a sua família à sua volta?

— Não, estou sozinho, mas estou diferente... pareço mais velho, e sou chefe dos monitores.

— O quê?

— Estou... estou usando um crachá igual ao do Gui... e estou segurando a Taça das Casas e a Taça de Quadribol... sou capitão do time de quadribol também!

Rony despregou os olhos dessa visão magnífica para olhar animado para Harry.

— Você acha que esse espelho mostra o futuro?

— Como pode mostrar? A minha família está toda morta. Me deixe dar outra espiada.

— Você teve o espelho só para você a noite passada, me deixa olhar mais um pouco.

— Você só está segurando a Taça de Quadribol, que interesse tem isso? Eu quero ver os meus pais.

— Não me empurre...

Um ruído repentino do lado de fora no corredor pôs fim à discussão dos dois. Não tinham se dado conta de como estavam falando alto.

— Depressa!

Rony atirou a capa de volta para cobri-los na hora em que os olhos luminosos de Madame Nor-r-ra apareceram à porta. Rony e Harry ficaram imóveis, ambos pensando a mesma coisa — será que a capa fazia efeito para os gatos? Passado um tempo que pareceu uma eternidade, ela se virou e foi embora.

— Isto é perigoso. Ela pode ter ido buscar o Filch, aposto que nos ouviu. Vamos.

E Rony puxou Harry para fora da sala.

A neve ainda não derretera na manhã seguinte.

— Quer jogar xadrez, Harry? — convidou Rony.

— Não.

— Por que não descemos para visitar Hagrid?

— Não... vai você...
— Sei no que é que você está pensando, Harry, naquele espelho. Não volte lá hoje à noite.
— Por que não?
— Não sei, estou com uma intuição ruim, e de qualquer forma você já escapou por um triz muitas vezes, demais. Filch, Snape e Madame Nor-r-ra estão andando por lá. E daí se eles não conseguem ver você? E se esbarrarem em você? E se você derrubar alguma coisa?
— Você está falando igual à Hermione.
— Estou falando sério, Harry, não vai, não.
Mas Harry só tinha um pensamento na cabeça: voltar para a frente do espelho. E Rony não ia detê-lo.

Naquela terceira noite ele encontrou o caminho ainda mais rapidamente do que nas anteriores. Andava tão depressa que sabia que estava fazendo mais barulho do que seria sensato, mas não encontrou ninguém.

E lá estavam sua mãe e seu pai sorrindo de novo para ele, e um dos seus avós acenava feliz com a cabeça. Harry se abaixou para sentar no chão diante do espelho. Não havia nada que pudesse impedi-lo de ficar ali a noite inteira com a família. Nada.
A não ser...
— Então, outra vez aqui, Harry?
Harry sentiu como se suas tripas tivessem congelado. Olhou para trás. Sentado em uma das mesas junto à parede estava ninguém menos que Alvo Dumbledore. Harry devia ter passado direto por ele; tão desesperado estava para chegar ao espelho, que nem reparara.
— Eu... eu não vi o senhor.
— É estranho como a pessoa pode ficar míope quando está invisível — disse Dumbledore, e Harry sentiu alívio ao ver que ele sorria. — Então — continuou o diretor, escorregando da cadeira para se sentar no chão ao lado de Harry –, você, como centenas antes, descobriu os prazeres do Espelho de Ojesed.
— Eu não sabia que se chamava assim, professor.
— Mas espero que a essa altura você já tenha percebido o que ele faz.
— Bom... me mostra a minha família...
— E mostrou o seu amigo Rony como chefe dos monitores.
— Como é que o senhor soube?

— Eu não preciso de uma capa para me tornar invisível — disse Dumbledore com brandura. — Agora, você é capaz de concluir o que é que o Espelho de Ojesed mostra a nós todos?

Harry sacudiu negativamente a cabeça.

— Deixe-me explicar. O homem mais feliz do mundo poderia usar o Espelho de Ojesed como um espelho normal, ou seja, ele olharia e se veria exatamente como é. Isso o ajuda a pensar?

Harry pensou. Então respondeu lentamente:

— Ele nos mostra o que desejamos... seja o que for que desejemos...

— Sim e não — disse Dumbledore. — Mostra-nos nada mais nem menos do que o desejo mais íntimo, mais desesperado de nossos corações. Você, que nunca conheceu sua família, a vê de pé à sua volta. Ronald Weasley, que sempre teve os irmãos a lhe fazerem sombra, vê-se sozinho, melhor que todos os irmãos. Porém, o espelho não nos dá nem o conhecimento nem a verdade. Já houve homens que definharam diante dele, fascinados pelo que viram, ou enlouqueceram sem saber se o que o espelho mostrava era real ou sequer possível. O espelho vai ser levado para uma nova casa amanhã, Harry, e peço que você não volte a procurá-lo. Se algum dia o encontrar, estará preparado. Não faz bem viver sonhando e se esquecer de viver, lembre-se. E agora, por que você não põe essa capa admirável outra vez e vai dormir?

Harry se levantou.

— Senhor... Prof. Dumbledore? Posso lhe perguntar uma coisa?

— Obviamente você acabou de me perguntar. — Dumbledore sorriu. — Mas pode me perguntar mais uma.

— O que é que o senhor vê quando se olha no espelho?

— Eu? Eu me vejo segurando um par de grossas meias de lã.

Harry arregalou os olhos.

— As meias nunca são suficientes. Mais um Natal chegou e passou e não ganhei nem um par. As pessoas insistem em me dar livros.

Foi somente quando estava de volta à cama que ocorreu a Harry que talvez Dumbledore não tivesse dito a verdade. Mas, pensou, enquanto empurrava Perebas para longe do seu travesseiro, fizera uma pergunta muito pessoal.

## 13

## NICOLAU FLAMEL

Dumbledore convencera Harry a não tornar a procurar o Espelho de Ojesed, e durante o resto das férias de Natal a Capa da Invisibilidade permaneceu guardada no fundo do malão. Harry gostaria de poder esquecer o que vira no espelho com a mesma facilidade, mas não conseguiu. Começou a ter pesadelos. Sonhava repetidamente com os pais desaparecendo em um relâmpago de luz verde enquanto uma voz esganiçada gargalhava.

– Está vendo? Dumbledore tinha razão, aquele espelho podia deixar você maluco – disse Rony, quando Harry lhe contou os sonhos.

Hermione, que voltou um dia antes do período letivo começar, viu as coisas de outro modo. Estava dilacerada entre o horror de pensar em Harry fora da cama, perambulando pela escola três noites seguidas ("E se Filch tivesse te apanhado!?") e o desapontamento que ele não tivesse ao menos descoberto quem era Nicolau Flamel.

Quase perdera as esperanças de encontrar Flamel em um livro da biblioteca, embora Harry tivesse certeza de que lera o nome em algum lugar. Quando o novo período letivo começou, eles voltaram a folhear os livros durante os dez minutos de intervalo entre as aulas. Harry tinha ainda menos tempo do que os outros dois, porque os treinos de quadribol recomeçaram.

Olívio estava forçando o time como nunca fizera antes. Até mesmo as chuvas intermináveis que substituíram as nevadas não conseguiam esmorecer a sua animação. Os Weasley reclamavam que Olívio estava se tornando fanático, mas Harry o apoiava. Se ganhassem a próxima partida, contra Lufa-Lufa, passariam à frente da Sonserina no campeonato das casas pela primeira vez em sete anos. Além do desejo de ganhar, Harry descobriu que tinha menos pesadelos quando voltava exausto dos treinos.

Então, durante um treino particularmente chuvoso e enlameado, Olívio deu uma notícia ruim ao time. Acabara de se enfurecer com os Weasley, que davam mergulhos violentos um sobre o outro e fingiam cair das vassouras.

— Vocês querem parar de se comportar feito bobos?! — berrou. — Isso é o tipo de atitude que vai fazer a gente perder o jogo! Snape vai apitar dessa vez e vai procurar qualquer desculpa para tirar pontos da Grifinória!

Jorge Weasley realmente caiu da vassoura ao ouvir isso.

— *Snape* vai apitar o jogo? — perguntou embolando as palavras com a boca cheia de lama. — Quando foi na vida que ele apitou um jogo de quadribol? Ele não vai ser imparcial se tivermos chance de passar à frente da Sonserina.

O resto do time pousou ao lado de Jorge para reclamar também.

— A culpa não é *minha* — disse Olívio. — Nós é que vamos ter de nos cuidar e jogar uma partida limpa, para não dar a Snape desculpa para implicar conosco.

Não era mesmo uma má ideia, pensou Harry, mas ele tinha outra razão para não querer Snape por perto quando estivesse jogando quadribol...

Os outros jogadores se demoraram conversando no final do treino como sempre faziam, mas Harry rumou direto para a sala comunal da Grifinória, onde encontrou Rony e Hermione jogando xadrez. Xadrez era a única coisa em que Hermione perdia, uma experiência que Rony e Harry achavam que lhe fazia muito bem.

— Não fale comigo agora — pediu Rony quando Harry se sentou ao seu lado. — Preciso me concentrar. — Aí viu a cara de Harry. — Que aconteceu com você? Está com uma cara horrível.

Falando baixinho para ninguém mais ouvir, Harry contou aos dois o desejo sinistro e súbito de Snape de ser juiz de quadribol.

— Não jogue — disse Hermione na mesma hora.

— Diga que está doente — aconselhou Rony.

— Finja que quebrou a perna — sugeriu Hermione.

— *Quebre* a perna de verdade — insistiu Rony.

— Não posso — respondeu Harry. — Não temos apanhador reserva. Se eu fujo, a Grifinória não vai poder jogar.

Naquele momento, Neville entrou aos tombos na sala comunal. Como conseguira passar pelo buraco do retrato ninguém sabia, porque tinha as pernas grudadas pelo que eles imediatamente reconheceram ser o Feitiço da Perna Presa. Devia ter precisado andar aos pulos como um coelho até a torre da Grifinória.

Todo mundo caiu na gargalhada menos Hermione, que ficou em pé de um salto e fez o contrafeitiço. As pernas de Neville se separaram e ele se endireitou, tremendo.

– Que aconteceu? – perguntou Hermione, levando-o para se sentar com Harry e Rony.

– Malfoy – disse Neville com a voz trêmula. – Encontrei-o na saída da biblioteca. Ele disse que estava procurando alguém em quem praticar o feitiço.

– Vá procurar a Prof.ª Minerva! – insistiu Hermione. – Dê parte dele! Neville sacudiu a cabeça.

– Não quero mais confusão – murmurou.

– Você tem de enfrentá-lo, Neville! – disse Rony. – Ele está acostumado a pisar nas pessoas, mas não há razão para você se deitar aos pés dele para facilitar.

– Não precisa me dizer que não sou bastante corajoso para pertencer à Grifinória. Draco já fez isso – disse Neville, embargado.

Harry apalpou o bolso de suas vestes e tirou um sapo de chocolate, o último da caixa que Hermione lhe dera no Natal. Deu-o a Neville, que estava com cara de quem ia chorar.

– Você vale doze Dracos – disse Harry. – O Chapéu Seletor escolheu você para Grifinória, não foi? E onde está Draco? Naquela Sonserina nojenta.

A boca de Neville se contraiu num sorrisinho enquanto desembrulhava o sapo.

– Obrigado, Harry... Acho que vou para a cama... Você quer a figurinha, você coleciona, não é?

Quando Neville se afastou, Harry olhou para a figurinha de Bruxo Famoso.

– Dumbledore outra vez. Ele foi o primeiro que...

E soltou uma exclamação. Olhou para o verso do cartão. Em seguida, olhou para Rony e Hermione.

– Encontrei! – murmurou. – Encontrei Flamel! Eu disse a vocês que tinha lido o nome dele em algum lugar. Li-o no trem a caminho daqui. Escutem só isso: Dumbledore é particularmente famoso por ter derrotado Grindelwald, o bruxo das trevas, em 1945, por ter descoberto os doze usos do sangue de dragão e por desenvolver um trabalho de alquimia em parceria com Nicolau Flamel.

Hermione ficou em pé de um salto. Não parecia tão animada desde que eles tinham recebido as notas do primeiro dever de casa.

– Não saiam daqui! – disse e saiu escada acima em direção aos dormitórios das meninas. Harry e Rony mal tiveram tempo de trocar um olhar intrigado e ela já estava correndo de volta, com um enorme livro velho nos braços. – Nunca pensei em olhar aqui – falou animada. – Tirei-o da biblioteca há semanas para me distrair um pouco.

— Distrair? — admirou-se Rony, mas Hermione mandou-o ficar quieto enquanto procurava alguma coisa e começou a folhear as páginas do livro, ansiosa, resmungando para si mesma.

Finalmente encontrou o que procurava.

— Eu sabia! Eu sabia!

— Já podemos falar? — perguntou Rony de mau humor. Hermione não lhe deu resposta.

— Nicolau Flamel — sussurrou ela teatralmente — é, ao que se sabe, a única pessoa que produziu a Pedra Filosofal.

A frase não teve bem o efeito que ela esperava.

— A o quê? — exclamaram Harry e Rony.

— Ah, francamente, vocês dois não leem? Olhem, leiam isso aqui.

Ela empurrou o livro para os dois, que leram:

O antigo estudo da alquimia dedicava-se com a produção da Pedra Filosofal, uma substância lendária com poderes fantásticos. A pedra pode transformar qualquer metal em ouro puro. Produz também o Elixir da Vida, que torna quem o bebe imortal.

Falou-se muito da Pedra Filosofal durante séculos, mas a única Pedra que existe presentemente pertence ao Sr. Nicolau Flamel, o famoso alquimista e apreciador de ópera. O Sr. Flamel, que comemorou o seu sexcentésimo sexagésimo quinto aniversário no ano passado, leva uma vida tranquila em Devon, com sua mulher, Perenelle (seiscentos e cinquenta e oito anos).

— Viram? — disse Hermione, quando Harry e Rony terminaram. — O cachorro deve estar guardando a Pedra Filosofal de Flamel! Aposto que ele pediu a Dumbledore que a guardasse em segurança, porque são amigos e ele sabia que alguém andava atrás dela. Esse é o motivo por que Dumbledore quis transferir a pedra de Gringotes.

— Uma pedra que produz ouro e não deixa a gente morrer! — exclamou Harry. — Não admira que Snape ande atrás dela! Qualquer um andaria.

— E não admira que não conseguíssemos encontrar Flamel em Estudos dos avanços recentes em magia — disse Rony. — Ele não é bem recente, se já fez seiscentos e sessenta e cinco anos, não é mesmo?

Na manhã seguinte, na sala de Defesa Contra as Artes das Trevas, enquanto copiavam as diferentes maneiras de tratar mordidas de lobisomem, Harry e Rony continuavam a discutir o que fariam com uma Pedra Filosofal se

tivessem uma. Somente quando Rony disse que compraria o próprio time de quadribol foi que Harry se lembrou de Snape e da partida que se aproximava.
— Eu vou jogar — disse a Rony e Hermione. — Se não fizer isso, o pessoal da Sonserina vai pensar que tenho medo de encarar Snape. Vou mostrar a eles... vamos tirar aquele sorriso da cara deles se vencermos.
— Desde que a gente não acabe tirando você do campo — disse Hermione.

À medida que a partida se aproximava, porém, Harry foi ficando cada vez mais nervoso, mesmo que negasse isso para Rony e Hermione. O resto do time também não estava tão calmo assim. A ideia de passar à frente da Sonserina no campeonato das casas era maravilhosa, ninguém fazia isso havia quase sete anos, mas será que conseguiriam, com um juiz tão parcial? Harry não sabia se estava ou não imaginando, mas parecia estar sempre encontrando Snape por todo lugar em que ia. Às vezes, ele até se perguntava se Snape não o estaria seguindo, tentando apanhá-lo sozinho. As aulas de Poções estavam se transformando numa espécie de tortura semanal de tão ruim que Snape era com Harry. Seria possível que Snape soubesse que os meninos haviam descoberto sobre a Pedra Filosofal? Harry não imaginava como; no entanto, por vezes, tinha a horrível sensação de que Snape podia ler pensamentos.

Harry sabia que, quando lhe desejassem boa sorte à porta do vestiário na tarde seguinte, Rony e Hermione estariam se perguntando se o veriam vivo outra vez. Isto não era o que se poderia chamar de consolo. Harry mal ouviu uma palavra do discurso de Olívio para animar os jogadores enquanto vestia o uniforme de quadribol e apanhava sua Nimbus 2000.
Enquanto isso, Rony e Hermione tinham encontrado um lugar nas arquibancadas junto a Neville, que não conseguia entender por que eles estavam tão sérios e tampouco por que haviam trazido as varinhas para o jogo. Mal sabia Harry que Rony e Hermione tinham andado praticando secretamente o Feitiço da Perna Presa. Tinham tido essa ideia ao verem Draco usá-lo contra Neville e estavam preparados para usá-lo contra Snape se ele desse o menor sinal de querer machucar Harry.
— Agora não esqueça, é *Locomotor Mortis* — cochichou Hermione enquanto Rony escondia a varinha na manga.
— Eu *sei* — Rony respondeu com maus modos. — Não chateia.
Mas, no vestiário, Olívio puxara Harry para um lado.

— Não quero pressioná-lo, Potter, mas se há um dia em que precisamos agarrar o pomo logo de saída é hoje. Termine o jogo antes que Snape possa favorecer a Lufa-Lufa demais.

— A escola inteira está lá fora! — disse Fred Weasley, espiando para fora da porta. — Até mesmo, putz, Dumbledore veio assistir!

O coração de Harry deu um salto.

— *Dumbledore?* — disse, correndo até a porta para se certificar. Fred tinha razão. Não havia como confundir aquela barba prateada.

Harry poderia ter dado uma grande gargalhada de alívio. Estava seguro. Simplesmente não havia jeito de Snape ousar machucá-lo se Dumbledore estivesse assistindo.

Talvez fosse por isso que Snape estava com a cara tão zangada na hora em que os times entraram em campo, uma coisa em que Rony também reparou.

— Nunca vi Snape com uma cara tão feia — disse a Hermione. — Olhe, começou. Ai!

Alguém cutucara Rony na cabeça. Era Draco.

— Ah, desculpe, Weasley, não vi você aí.

Draco deu um largo sorriso para Crabbe e Goyle.

— Quanto tempo será que Potter vai se aguentar na vassoura desta vez? Alguém quer apostar? E você, Weasley?

Rony não respondeu; Snape acabara de aplicar uma penalidade na Grifinória porque Jorge Weasley mandara um balaço nele. Hermione, que mantinha todos os dedos cruzados no colo, apertava os olhos fixos em Harry, que circulava sobre os jogadores como um falcão, à procura do pomo.

— Sabe como eu acho que eles escolhem jogadores para o time da Grifinória? — disse Draco bem alto alguns minutos depois, quando Snape aplicou nova penalidade na Grifinória sem a menor razão. — Escolhem as pessoas que dão pena. Vê só, o Potter, que não tem pais, depois os Weasley, que não têm dinheiro. Você também devia estar no time, Longbottom, você não tem miolos.

Neville ficou muito vermelho, mas se virou para encarar Draco.

— Eu valho doze Dracos, Malfoy — gaguejou ele.

Draco, Crabbe e Goyle rolaram de rir, mas Rony, que continuava sem coragem de despregar os olhos do jogo, disse:

— Isso mesmo, responda a ele, Neville.

— Longbottom, se miolos fossem ouro, você seria mais pobre do que Weasley, e isso já é muita coisa.

Os nervos de Rony já estavam tensionados ao máximo de tanta preocupação com o Harry.

— Estou lhe avisando, Draco... mais uma palavra...

— Rony! — disse Hermione de repente. — Harry!

— Quê? Onde?

Harry inesperadamente dera um mergulho espetacular, que provocou exclamações e vivas da torcida. Hermione se levantou, os dedos cruzados na boca, enquanto Harry voava para o chão como uma bala.

— Você está com sorte, Weasley, Potter com certeza localizou dinheiro no chão! — disse Draco.

Rony reagiu. Antes que Draco soubesse o que estava acontecendo, Rony partiu para cima dele e o derrubou no chão. Neville hesitou, depois pulou o encosto da cadeira para ajudar.

— Vamos, Harry! — Hermione gritou, pulando em cima da cadeira para observar Harry se precipitar na direção de Snape, ela nem sequer reparou que Draco e Rony estavam embolados embaixo de sua cadeira, nem nos pés arrastados e gritos que saíam do redemoinho de socos que era Neville, Crabbe e Goyle.

No alto, Snape virou na vassoura bem em tempo de ver uma coisa vermelha passar veloz por ele, deixando de atingi-lo por centímetros — e no segundo seguinte, Harry saía do mergulho, o braço erguido em triunfo, o pomo seguro na mão.

As arquibancadas explodiram; tinha que ser um recorde, ninguém era capaz de se lembrar do pomo ter sido agarrado tão depressa.

— Rony! Rony! Cadê você? A partida terminou! Harry ganhou! Nós ganhamos! Grifinória está na frente! — gritava Hermione, dançando da cadeira para o chão e dali para a cadeira e abraçando Parvati na fileira da frente.

Harry saltou da vassoura antes de chegar ao solo. Não conseguia acreditar. Conseguira — o jogo terminado, nem chegara a durar cinco minutos. Quando os alunos da Grifinória invadiram o campo, ele viu Snape pousar ali perto, a cara pálida e os lábios contraídos — depois Harry sentiu a mão de alguém no seu ombro, ergueu a cabeça e se deparou com o rosto sorridente de Dumbledore.

— Muito bem — disse Dumbledore baixinho, de modo que somente Harry pudesse ouvir. — Que bom ver que você não ficou pensando naquele espelho... manteve-se ocupado... excelente...

Snape cuspiu com amargura no chão.

\* \* \*

Harry deixou o vestiário sozinho algum tempo depois, para levar sua Nimbus 2000 de volta à garagem. Não se lembrava de ter se sentido mais feliz. Realmente fizera agora uma coisa de que poderia se orgulhar – ninguém poderia mais dizer que ele era apenas um nome famoso. O ar da noite nunca lhe parecera mais gostoso. Caminhou pela grama úmida, revivendo mentalmente a última hora, que era um borrão de felicidade: a Grifinória correndo para erguê-lo nos ombros; Rony e Hermione a distância, pulando de alegria, Rony dando vivas com o nariz escorrendo sangue.

Harry chegara à garagem. Recostou-se na porta de madeira e contemplou Hogwarts, com suas janelas avermelhadas pelo sol poente. Grifinória na liderança. Ele conseguira, mostrara a Snape...

E por falar em Snape...

Uma figura encapuzada descia rapidamente os degraus de entrada do castelo. Sem dúvida não queria ser vista, andava o mais depressa que podia em direção à Floresta Proibida. A vitória de Harry se apagou de sua mente enquanto a observava. Reconheceu o andar predador da figura. Snape, escapulindo até a floresta enquanto todos jantavam – que estava acontecendo?

Harry tornou a montar na Nimbus 2000 e levantou voo. Planando silenciosamente sobre o castelo, viu Snape entrar na floresta correndo. Seguiu-o.

As árvores eram tão juntas que ele não conseguia ver aonde fora Snape. Voou em círculos cada vez mais baixos, roçando a copa das árvores até que ouviu vozes. Planou em direção a elas e pousou, sem ruído, em uma alta bétula.

Subiu com cuidado em um dos ramos, segurando firme a vassoura, tentando espiar por entre as folhas.

Embaixo, na clareira sombria, estava Snape, mas não estava sozinho. Quirrell estava com ele. Harry não conseguiu distinguir a expressão no seu rosto, mas a gagueira estava pior que nunca. Harry apurou o ouvido para entender o que conversavam.

– ... n-não sei por que você quis s-s-se encontrar logo aqui-i-i, Severo...

– Ah, quis manter o encontro sigiloso – disse Snape, a voz gélida. – Afinal, os alunos não devem saber sobre a Pedra Filosofal.

Harry se curvou para a frente. Quirrell balbuciou alguma coisa. Snape interrompeu-o.

– Você já descobriu como passar por aquela fera do Hagrid?

– M-m-mas, Severo, eu...

– Você não quer que eu seja seu inimigo, Quirrell – ameaçou Snape, dando um passo em direção a ele.
– N-n-não sei o que você...
– Você sabe perfeitamente o que quero dizer.
Uma coruja piou alto e Harry quase caiu da árvore. Firmou-se em tempo de ouvir Snape dizer:
– ... as suas mágicas de araque. Estou esperando.
– M-mas eu n-n-não...
– Muito bem – interrompeu-o Snape. – Vamos ter outra conversinha em breve, quando você tiver tido tempo de pensar nas coisas e decidir com quem está a sua lealdade.
E jogando a capa por cima da cabeça saiu da clareira. Estava quase escuro agora, mas Harry pôde discernir Quirrell, parado muito quieto como se estivesse petrificado.

– Harry, onde é que você *esteve*? – perguntou Hermione com a voz esganiçada.
– Vencemos! Você venceu! Nós vencemos! – gritou Rony, dando palmadas nas costas de Harry. – E deixei o olho de Draco roxo e Neville tentou enfrentar Crabbe e Goyle sozinho! Ainda está desacordado, mas Madame Pomfrey diz que ele vai ficar bom. Isso é que é mostrar à Sonserina! Todos estão esperando você na sala comunal, estamos dando uma festa, Fred e Jorge roubaram uns bolos e outras coisinhas nas cozinhas.
– Deixem isso para lá agora – disse Harry, sem fôlego. – Vamos procurar uma sala vazia, esperem até ouvirem isso...
Ele verificou se Pirraça não estava na sala antes de fechar a porta, depois contou aos amigos o que vira e ouvira.
– Então tínhamos razão, é a Pedra Filosofal, e Snape está tentando obrigar Quirrell a ajudá-lo a roubar. Ele perguntou se o outro sabia como passar por Fofo, e falou alguma coisa sobre as magiquinhas de Quirrell. Imagino que haja outras coisas protegendo a pedra além de Fofo, uma porção de feitiços, provavelmente, e Quirrell deve ter feito algum contrafeitiço de que Snape precisa para entrar...
– Você quer dizer que a Pedra só está segura enquanto Quirrell resistir a Snape? – perguntou Hermione, alarmada.
– Terça-feira ela terá desaparecido – disse Rony.

# 14

## NORBERTO, O DRAGÃO NORUEGUÊS

Quirrell, no entanto, deve ter sido muito mais corajoso do que eles pensaram. Nas semanas seguintes ele pareceu estar ficando mais pálido e mais magro, mas não parecia ter cedido.

Todas as vezes que os meninos passavam pelo corredor do terceiro andar, Harry, Rony e Hermione encostavam as orelhas na porta para verificar se Fofo continuava a rosnar lá dentro. Snape levava a vida no seu habitual mau humor, o que com certeza significava que a Pedra continuava a salvo. Sempre que Harry passava por Quirrell nesses últimos dias dava-lhe um sorriso como a encorajá-lo, e Rony começara a censurar as pessoas que riam da gagueira de Quirrell.

Hermione, no entanto, tinha mais no que pensar do que na Pedra Filosofal. Começara a programar suas revisões e a marcar em cores suas anotações de aula para classificá-las. Harry e Rony não teriam se importado com isso, mas ela não parava de chateá-los para fazerem o mesmo.

— Hermione, os exames estão a séculos de distância.

— Dez semanas — retorquiu Hermione. — Não são séculos, é como um segundo para Nicolau Flamel.

— Mas nós não temos seiscentos anos — lembrou-lhe Rony. — Em todo o caso, o que é que você está revisando se já sabe tudo?

— Que é que estou revisando? Vocês ficaram malucos? Vocês já perceberam que precisamos passar nesses exames para chegar ao segundo ano? Eles são muito importantes, eu deveria ter começado a estudar há um mês, não sei o que deu em mim...

Infelizmente, os professores pareciam estar pensando da mesma maneira que Hermione. Passaram tantos deveres de casa que as férias da Páscoa não foram tão divertidas quanto as de Natal. Ficou difícil se descontrair com Hermione ao lado, recitando os doze usos do sangue de dragão ou praticando movimentos com a varinha. Aos gemidos e bocejos, Harry e Rony passaram a maior parte do tempo livre com ela, na biblioteca, tentando dar conta de todos os deveres extras.

— Eu nunca vou me lembrar disso — desabafou Rony uma tarde, largando a pena de escrever na mesa e olhando desejoso pela janela da biblioteca. Era na realidade o primeiro dia bonito que tinham em meses. O céu estava claro, azul-miosótis, e havia uma expectativa de verão no ar.

Harry, que estava procurando o verbete "Dictamno" no livro de Mil ervas e fungos mágicos, não levantou os olhos até a hora em que ouviu Rony exclamar:
— Hagrid! Que é que você está fazendo na biblioteca?

Hagrid veio arrastando os pés, escondendo alguma coisa às costas. Parecia muito deslocado com o seu casaco de pelo de toupeira.

— Só olhando — disse numa voz insegura que imediatamente despertou o interesse deles. — E o que é que vocês estão armando? — Ele pareceu repentinamente desconfiado. — Não continuam procurando o Nicolau Flamel, continuam?

— Ah, já descobrimos quem ele é há séculos — disse Rony para impressionar. — E sabemos o que é que aquele cachorro está guardando, é a Pedra Filo...

— Shhhh! — Hagrid olhou à sua volta depressa para ver se alguém estava escutando. — Não saiam gritando isso por aí, que foi que deu em vocês?

— Aliás, tem umas coisinhas que queríamos perguntar a você — disse Harry —, sobre as outras coisas que estão protegendo a Pedra além do Fofo...

— Shhhhh! — fez Hagrid de novo. — Escutem, venham me ver mais tarde, não estou prometendo que vou lhes dizer nada, vejam bem, mas não saiam dando com a língua nos dentes por aí, estudantes não devem saber disso. Vão achar que fui eu que contei a vocês...

— Vemos você mais tarde, então — concordou Harry.

Hagrid saiu arrastando os pés.

— Que é que ele estava escondendo às costas? — perguntou Hermione pensativa.

— Acham que tinha alguma coisa a ver com a Pedra?

— Vou ver em que seção ele estava — prontificou-se Rony, que já estava farto de estudar. Voltou um minuto depois com uma braçada de livros e largou-os em cima da mesa. — *Dragões!* — cochichou. — Rúbeo estava procurando coisas sobre dragões! Olhem só estes: *Espécies de dragões da Grã-Bretanha e da Irlanda; Do ovo ao inferno, Guia do guardador de dragões.*

— Hagrid sempre quis um dragão, ele me disse isso da primeira vez em que nos vimos — comentou Harry.

— Mas é contra as nossas leis — argumentou Rony. — Criar dragões foi proibido pela Convenção dos Bruxos de 1709, todo mundo sabe disso. É difícil evitar que os trouxas reparem em nós se criarmos dragões no quintal. Em todo o caso, não se pode domesticar dragões, é perigoso. Vocês deviam ver as queimaduras que Carlinhos recebeu de dragões selvagens na Romênia.

— Mas não tem dragões selvagens na *Grã-Bretanha*? — perguntou Harry.

— Claro que tem — respondeu Rony. — Os dragões verdes galeses e os pretos das ilhas Hébridas. O Ministério da Magia tem um bocado de trabalho para mantê-los em segredo, posso lhe garantir. O nosso povo vive enfeitiçando trouxas que os viram, para fazê-los esquecer.

— Então o que será que Hagrid anda armando? — perguntou Hermione.

Quando eles bateram à porta da cabana do guarda-caça uma hora mais tarde, ficaram surpresos de ver que todas as cortinas estavam fechadas. Hagrid perguntou "Quem é?" antes de deixá-los entrar e em seguida fechou depressa a porta assim que eles entraram.

Estava um calor sufocante no interior da cabana. E embora fosse um dia bem quente havia um fogaréu na lareira. Hagrid preparou chá para os meninos e lhes ofereceu sanduíches de carne de arminho, que eles recusaram.

— Então, vocês queriam me perguntar uma coisa?

— Queríamos — disse Harry. Não havia sentido em perder tempo com rodeios. — Estivemos pensando se você poderia nos dizer o que mais está protegendo a Pedra Filosofal além de Fofo.

Hagrid amarrou a cara.

— Claro que não posso dizer. Primeiro, eu mesmo não sei. Segundo, vocês já sabem demais, de modo que eu não diria a vocês se soubesse. Aquela Pedra está aqui por uma boa razão. Quase foi roubada de Gringotes. Suponho que vocês já chegaram a essa conclusão. Fico até espantado que saibam da existência de Fofo.

— Ah, vamos, Hagrid, talvez você não queira nos dizer, mas você sabe tudo o que acontece por aqui — disse Hermione num tom caloroso e lisonjeiro. A barba de Hagrid mexeu e eles perceberam que estava sorrindo. — Só estávamos querendo saber realmente quem fez o feitiço de proteção — continuou Hermione. — Estávamos querendo saber em quem Dumbledore teria confiado o suficiente para ajudá-lo, além de você.

O peito de Rúbeo se estufou ao ouvir essas palavras. Harry e Rony se abriram em sorrisos para Hermione.

— Bom, acho que não poderia fazer mal contar isso... Vamos ver... ele pediu Fofo emprestado a mim... Depois alguns professores fizeram os feitiços... a Prof.ª Sprout... o Prof. Flitwick... a Prof.ª Minerva... — ele foi contando nos dedos — ... o Prof. Quirrell... e o próprio Dumbledore também fez alguma coisa, é claro. Um momento, esqueci alguém. Ah, sim, o Prof. Snape.

— Snape?

— É, vocês não continuam insistindo naquela ideia, ou continuam? Olhem, Snape ajudou a proteger a Pedra, não está prestes a roubá-la.

Harry sabia que Rony e Hermione estavam pensando o mesmo que ele. Se Snape fora chamado para proteger a Pedra, devia ter sido fácil descobrir como os outros professores a tinham protegido. Ele provavelmente sabia de tudo — exceto, ao que parecia, o feitiço que Quirrell fizera e de que jeito passar por Fofo.

— Você é o único que sabe como passar pelo Fofo, não é, Hagrid? — Harry perguntou, ansioso. — E você não diria a ninguém, não é? Nem mesmo a um dos professores?

— Ninguém sabe a não ser eu e Dumbledore — disse Hagrid, orgulhoso.

— Bom, isso já é alguma coisa — murmurou Harry para os outros. — Hagrid, podemos abrir uma janela? Estou assando.

— Não pode, desculpe, Harry — disse Hagrid. Harry notou que ele olhava para o fogo. Harry olhou também.

— Hagrid, o que é isso?

Mas ele já sabia o que era. Bem no meio do fogo, debaixo da chaleira, havia um enorme ovo preto.

— Ah — respondeu Hagrid, mexendo, nervoso, na barba. — É... ah...

— Onde foi que você arranjou isso, Hagrid? — perguntou Rony, abaixando-se para o fogo para olhar o ovo mais de perto. — Isso deve ter custado uma fortuna.

— Ganhei. A noite passada. Eu estava na vila tomando uns tragos e entrei num joguinho de cartas com um estranho. Acho que ele ficou bem contente de se livrar do ovo, para ser sincero.

— Mas o que é que você vai fazer com ele, quando chocar? — perguntou Hermione.

— Bom, andei lendo um pouco — disse Hagrid, tirando um grande livro debaixo do travesseiro. — Apanhei este na biblioteca: *A criação de dragões como prazer e fonte de renda*. É meio desatualizado, é claro, mas está tudo aqui. Mantenha o ovo no fogo porque as mães sopram fogo em cima deles, sabe, e, quando chocar, dê-lhe um balde de conhaque misturado com sangue de galinha a cada meia hora. E vejam aqui: como reconhecer os diferentes ovos, e este aqui é um dragão norueguês. São raros esses.

Ele parecia muito satisfeito consigo mesmo, mas Hermione não.

— Hagrid, você mora numa *cabana de madeira* — lembrou-lhe.

Mas Hagrid nem escutou. Estava cantarolando alegremente enquanto atiçava o fogo.

Então agora tinham mais uma coisa com que se preocupar: o que poderia acontecer a Hagrid se alguém descobrisse que estava escondendo um dragão ilegal em sua cabana.

— Como será ter uma vida tranquila? — suspirou Rony, pois noite após noite eles lutavam para dar conta de todos aqueles deveres de casa suplementares que estavam recebendo. Hermione agora começava a programar as revisões de Harry e Rony também. Estava deixando os dois malucos.

Então, certo dia ao café da manhã, Edwiges trouxe outro bilhete de Hagrid para Harry. Ele escrevera apenas duas palavras: *Está furando.*

Rony queria faltar à aula de Herbologia e ir direto à cabana. Hermione nem quis ouvir falar nisso.

— Hermione, quantas vezes na vida vamos ver um dragão saindo do ovo?

— Temos aulas, vamos nos meter em confusão, e isso não vai ser nada comparado à situação de Rúbeo quando descobrirem o que ele anda fazendo.

— Cala a boca! — cochichou Harry.

Malfoy estava a apenas alguns passos e parou instantaneamente para ouvir. Quanto teria ouvido? Harry não gostou nem um pouco da expressão que viu na cara de Malfoy.

Rony e Hermione discutiram todo o tempo a caminho da aula de Herbologia e, no final, Hermione concordou em dar uma corrida à casa de Hagrid com os dois no intervalo da manhã. Quando a sineta tocou no castelo anunciando o fim da aula, os três largaram as colheres de jardineiro e atravessaram a propriedade correndo em direção à orla da floresta. Hagrid cumprimentou-os parecendo vermelho e animado.

— Está quase furando. — Conduziu-os para dentro.

O ovo estava em cima da mesa. Tinha fundas rachaduras. Alguma coisa se mexia dentro dele; fazia um barulhinho engraçado.

Todos puxaram as cadeiras para junto da mesa e observaram com a respiração presa.

De repente ouviram um som arranhado e o ovo se abriu. O dragão-bebê caiu molemente em cima da mesa. Não era exatamente bonito; Harry achou que parecia um guarda-chuva preto amassado. As asas espinhosas eram enormes em contraste com o corpo preto e magro, tinha um focinho longo com narinas largas, tocos de chifres e olhos esbugalhados cor de laranja. Espirrou. Voaram fagulhas do seu focinho.

— Ele não é lindo? — murmurou Hagrid. Esticou a mão para afagar a cabeça do dragão. O bicho tentou morder seus dedos, deixando à mostra presas pontiagudas. — Deus o abençoe, olhem, ele conhece a mamãe! — exclamou Hagrid.

— Hagrid — perguntou Hermione —, exatamente com que rapidez um dragão norueguês cresce?

Hagrid ia responder quando a cor subitamente desapareceu do seu rosto — ele deu um salto e correu à janela.

— Que foi?

— Alguém estava espiando pela fresta nas cortinas, um garoto está correndo de volta para a escola.

Harry se precipitou para a porta e espiou para fora. Mesmo a distância não havia como se enganar.

Malfoy vira o dragão.

Alguma coisa no sorriso que rondou a cara de Malfoy durante a semana seguinte deixou Harry, Rony e Hermione muito nervosos. Passaram a maior parte do tempo livre na cabana sombria de Hagrid, tentando argumentar com ele.

— Deixe o dragão ir embora — insistia Harry. — Solte ele.

— Não posso — disse Hagrid. — Ele é muito pequeno. Morreria.

Eles olharam para o dragão. Aumentara três vezes de comprimento em uma semana. Fumaça não parava de sair de suas narinas. Hagrid não estava cumprindo suas tarefas de guarda-caça porque o dragão o mantinha muito ocupado. Havia garrafas vazias de conhaque e penas de galinha por todo o chão.

— Decidi chamá-lo de Norberto — anunciou Hagrid, olhando para o dragão com olhos sonhadores. — Ele realmente sabe quem eu sou, olhem. Norberto! Norberto! Onde está a mamãe?

— Ele pirou — cochichou Rony na orelha de Harry.

— Hagrid — disse Harry em voz alta —, dê mais quinze dias e Norberto vai ficar do tamanho de sua casa. Malfoy pode procurar Dumbledore a qualquer momento.

Hagrid mordeu o lábio.

— Eu... eu sei que não vou poder ficar com ele para sempre, mas também não posso largá-lo assim, não posso.

Harry de repente virou-se para Rony.

— Carlinhos — falou.

— Você também — respondeu Rony. — Eu sou Rony, está lembrado?

— Não, Carlinhos... seu irmão, Carlinhos. Na Romênia. Estudando dragões. Poderíamos mandar Norberto para ele. Carlinhos pode cuidar dele e depois devolvê-lo à floresta!

— Brilhante! — exclamou Rony. — Que é que você acha, Hagrid?

E, no fim, Hagrid concordou que podiam mandar uma coruja a Carlinhos para consultá-lo.

A semana seguinte se arrastou. A noite de quarta-feira encontrou Hermione e Harry sentados sozinhos na sala comunal, muito depois de todos terem ido se deitar. O relógio na parede acabara de bater meia-noite quando o buraco do retrato se abriu de repente. Rony se materializou ao tirar a Capa da Invisibilidade de Harry. Estivera na cabana de Hagrid, ajudando a alimentar Norberto, agora comendo caixotes de ratos mortos.

— Ele me mordeu! — disse ele mostrando a mão, que trazia enrolada em um lenço ensanguentado. — Não vou conseguir segurar a pena de escrever durante uma semana. Vou te contar, aquele dragão é o bicho mais horrível que já conheci, mas quem ouve Hagrid falar pensa que ele é um coelhinho fofo. Quando o dragão me mordeu, ele ralhou comigo por tê-lo assustado. E quando saí, estava cantando uma canção de ninar.

Ouviu-se uma batida na janela escura.

— É a Edwiges! — disse Harry, correndo para deixá-la entrar. — Deve estar trazendo a resposta de Carlinhos!

Os três juntaram as cabeças para ler o bilhete.

*Caro Rony,*

*Como vai? Obrigado pela carta — terei prazer em cuidar do dragão norueguês, mas não será fácil mandá-lo para mim. Acho que o melhor será mandá-lo por alguns amigos que estão vindo me visitar na próxima semana. O problema é que eles não podem ser vistos carregando um dragão ilegal.*

*Você poderia levar o dragão para a torre mais alta à meia-noite de sábado? Eles podem se encontrar com você lá e levá-lo enquanto ainda está escuro.*

Mande-me uma resposta o mais breve possível.
Afetuosamente,
Carlinhos

Eles se entreolharam.

— Temos a Capa da Invisibilidade — disse Harry. — Não deve ser muito difícil: acho que a Capa é bastante grande para cobrir dois de nós e o Norberto. O fato de os outros dois concordarem indicava como a semana fora ruim. Qualquer coisa para se livrarem de Norberto — e de Malfoy.

Mas houve um imprevisto. Na manhã seguinte, a mordida do dragão fizera a mão de Rony inchar, ficando duas vezes o seu tamanho normal. Ele não sabia se era seguro procurar Madame Pomfrey — será que ela reconheceria uma mordida de dragão? À tarde, porém, não houve mais jeito. O corte adquirira uma feia cor verde. Dava a impressão de que as presas de Norberto eram venenosas.

Harry e Hermione correram para a ala hospitalar no fim do dia e encontraram Rony acamado numa situação horrível.

— Não é só a minha mão — cochichou ele —, embora ela pareça que vai cair. Malfoy disse à Madame Pomfrey que queria pedir emprestado um livro meu, para poder vir dar uma boa gargalhada. Ficou ameaçando contar a ela o que realmente me mordera. Eu disse que foi um cachorro, mas acho que ela não está acreditando. Eu não devia ter batido nele no jogo de quadribol, é por isso que ele está agindo assim.

Harry e Hermione tentaram acalmar Rony.

— Tudo vai terminar à meia-noite de sábado — disse Hermione, mas isso não acalmou Rony nem um pouquinho. Pelo contrário, ele se sentou muito empertigado e desatou a suar.

— Meia-noite de sábado! — disse com a voz rouca. — Ah, não... ah, não... acabei de me lembrar: a carta de Carlinhos estava no livro que Malfoy levou, ele vai saber que vamos nos livrar de Norberto.

Harry e Hermione não tiveram nem chance de responder. Madame Pomfrey apareceu naquele instante e fez os dois saírem, dizendo que Rony precisava dormir.

— Agora é tarde demais para mudarmos de plano. Não temos mais tempo para mandar outra coruja a Carlinhos e essa pode ser a nossa única oportunidade de nos livrarmos de Norberto. Teremos de arriscar. E *temos* a Capa da Invisibilidade, Malfoy não sabe disso.

Eles encontraram Canino, o cão de caçar javalis, sentado do lado de fora da cabana com a cauda enfaixada quando foram contar a Hagrid, que abriu a janela para falar com eles.

— Não vou deixar vocês entrarem — ofegou. — Norberto está passando uma fase difícil, nada que eu não possa cuidar sozinho.

Quando lhe contaram sobre a carta de Carlinhos, seus olhos se encheram de lágrimas, embora isso talvez fosse porque Norberto acabara de mordê-lo na perna.

— Aai! Tudo bem, ele só mordeu minha bota. Está brincando; afinal é um bebezinho.

O bebê bateu com o rabo na parede, fazendo as janelas estremecerem. Harry e Hermione voltaram para o castelo achando que o sábado talvez não chegasse bastante rápido.

Eles teriam sentido pena de Hagrid quando chegou a hora de dizer adeus a Norberto se não estivessem tão preocupados com o que tinham de fazer. Era uma noite muito escura e nublada e se atrasaram um pouco para chegar à cabana de Hagrid porque precisaram esperar Pirraça desimpedir o caminho para o saguão de entrada, onde estivera jogando tênis contra a parede.

Hagrid aprontara Norberto embalando-o num grande caixote.

— Pus muitos ratos e um pouco de conhaque para a viagem — disse Hagrid com a voz abafada. — E embalei junto o ursinho de pelúcia para o caso de ele se sentir solitário.

De dentro do caixote vinha um ruído de pano rasgado que pareceu a Harry ser o dragão arrancando a cabeça do ursinho.

— Até a vista, Norberto! — soluçou Hagrid, quando Harry e Hermione cobriram o caixote com a Capa da Invisibilidade e entraram debaixo dela. — Mamãe nunca vai esquecer você!

Como foi que conseguiram levar o caixote de volta ao castelo, eles nunca souberam. Aproximava-se a meia-noite e eles subiram com Norberto pela escadaria do saguão de entrada e pelos corredores escuros. Mais uma escada, mais outra — nem mesmo um dos atalhos de Harry facilitou muito o transporte.

— Estamos quase lá! — Harry ofegou quando chegaram ao corredor sob a torre mais alta.

Então um movimento brusco à frente deles quase fez com que deixassem cair o caixote. Esquecendo que já estavam invisíveis, encolheram-se nas sombras, espiando os contornos escuros de duas pessoas que discutiam a uns três metros. Uma lâmpada se acendeu.

A Prof.ª Minerva, num robe de lã escocesa e rede no cabelo, segurava Malfoy pela orelha.

– Detenção! – gritou. – E são vinte pontos a menos para Sonserina. Perambulando no meio da noite, como você *se atreve*...

– A senhora não compreende, professora, Harry Potter está vindo aí; vem trazendo um dragão.

– Que absurdo! Como você se atreve a contar tais mentiras? Vamos: vou conversar com o Prof. Snape sobre você, Malfoy!

A íngreme escada em espiral até o alto da torre pareceu a coisa mais fácil do mundo depois disto. Somente quando saíram para o ar frio da noite foi que se livraram da Capa da Invisibilidade, felizes de poderem respirar direito outra vez. Hermione dançou uma espécie de jiga escocesa.

– Malfoy vai ficar em detenção! Eu seria capaz de cantar.

– Não cante – aconselhou Harry.

Rindo de Malfoy, eles esperaram, enquanto Norberto se debatia dentro do caixote. Passados uns dez minutos, quatro vassouras surgiram da escuridão mergulhando em direção à torre.

Os amigos de Carlinhos formavam um grupo animado. Mostraram a Harry e a Hermione os arreios que tinham trazido de modo a poder suspender Norberto entre eles. Todos ajudaram a prender Norberto muito bem nos arreios e então Harry e Hermione apertaram as mãos de todos e lhes agradeceram muito.

Finalmente Norberto estava indo... indo... e finalmente se foi.

Eles desceram a escada espiral sem fazer barulho, os corações leves como as mãos, agora que Norberto fora tirado delas. Nada de dragão – Malfoy em detenção – o que poderia estragar essa felicidade?

A resposta à sua pergunta estava esperando ao pé da escada. Quando chegaram ao corredor, a cara de Filch assombrou-os, emergindo da escuridão.

– Ora, ora, ora – sussurrou –, estamos encrencados.

Tinham deixado a Capa da Invisibilidade no alto da torre.

# 15

## A FLORESTA PROIBIDA

As coisas não poderiam estar piores. Filch levou-os à sala da Profª Minerva no primeiro andar, onde eles ficaram sentados esperando, sem trocar uma palavra entre si. Hermione tremia. Desculpas, álibis e justificativas fantásticas substituíam-se umas às outras na cabeça de Harry, cada qual mais capenga do que a anterior. Ele não conseguia ver como iam se livrar desta encrenca. Estavam encurralados. Como podiam ter sido burros a ponto de se esquecerem da Capa? Não havia nenhuma razão no mundo para a Profª Minerva aceitar que estivessem fora da cama, esgueirando-se pela escola a altas horas da noite, e muito menos que estivessem na alta torre de astronomia, que era proibida aos alunos a não ser durante as aulas. Some-se a isso Norberto e a Capa da Invisibilidade e seria melhor começarem a fazer as malas.

Harry achou que as coisas não poderiam ficar piores. Estava enganado. Quando a Profª Minerva apareceu, vinha trazendo Neville.

— Harry! — exclamou ele no instante em que viu os outros dois. — Eu estava tentando encontrar vocês para avisar que ouvi Malfoy dizer que ia pegar vocês, disse que vocês tinham um drag...

Harry sacudiu com força a cabeça para fazer Neville calar a boca, mas a Profª Minerva viu. Parecia mais provável que ela cuspisse fogo pelas narinas do que Norberto, ali a olhar os três de cima para baixo.

— Eu jamais teria acreditado que vocês fossem capazes disso. O Sr. Filch diz que vocês estavam no alto da torre de astronomia. É uma hora da madrugada. Expliquem-se.

Era a primeira vez que Hermione deixava de responder à pergunta de uma professora. Olhava para os sapatos, imóvel como uma estátua.

— Acho que tenho uma boa ideia do que anda acontecendo — disse a Profª Minerva. — Não é preciso ser gênio para somar dois mais dois. Vocês contaram a Draco Malfoy uma história da carochinha sobre um dragão, tentando tirá-lo da cama e metê-lo em apuros. Eu já o apanhei. Suponho que achem engraçado que o Neville tenha ouvido a história e acreditado nela também.

Harry surpreendeu o olhar de Neville e tentou lhe dizer, sem falar, que aquilo não era verdade, porque Neville tinha uma expressão de espanto e mágoa. Pobre Neville trapalhão – Harry sabia o que deveria ter-lhe custado tentar encontrá-los no escuro para avisar.

– Estou desapontada – disse a Prof.ª Minerva. – Quatro alunos fora da cama em uma noite! Nunca ouvi falar numa coisa dessas antes! Você, Hermione Granger, achei que tinha mais juízo. Quanto a você, Harry Potter, achei que Grifinória significava mais para você do que parece. Os três vão pegar uma detenção, sim, e você também, Neville Longbottom, não há nada que lhe dê o direito de andar pela escola à noite, principalmente nos dias que correm, é muito perigoso, e vou descontar cinquenta pontos da Grifinória.

– Cinquenta? – Harry ofegou. Perderiam a dianteira, a dianteira que ele conquistara na última partida de quadribol.

– Cinquenta pontos cada um – acrescentou a Prof.ª Minerva, respirando com esforço pelo nariz longo e pontudo.

– Professora... por favor...

– A senhora não pode...

– Não venha me dizer o que posso e o que não posso, Harry Potter. Agora voltem para a cama, todos vocês. Nunca senti tanta vergonha de alunos da Grifinória antes.

Cento e cinquenta pontos perdidos. Isto deixava a Grifinória em último lugar. Em uma noite, tinham estragado as chances da Grifinória conquistar a Taça das Casas. Harry teve a sensação de que o fundo do seu estômago se soltara. Como iriam poder compensar a perda?

Harry não dormiu a noite inteira. Ouviu Neville soluçar com a cara no travesseiro durante o que lhe pareceram horas. Harry não conseguia pensar em nenhuma palavra para consolá-lo. Sabia que Neville, como ele mesmo, estava com medo do amanhecer. O que aconteceria quando o resto da Grifinória descobrisse o que tinham feito?

A princípio, os alunos da Grifinória que passavam pelas gigantescas ampulhetas que marcavam o placar das casas, no dia seguinte, acharam que tinha havido um engano. Como podiam de repente ter cento e cinquenta pontos a menos do que no dia anterior? E então a história começou a se espalhar: Harry Potter, o famoso Harry Potter, seu herói dos jogos de quadribol, fora o responsável pela perda de todos aqueles pontos, ele e mais uns dois panacas do primeiro ano.

Da posição de aluno mais popular e admirado na escola, Harry passou à de mais odiado. Até os alunos da Corvinal e da Lufa-Lufa se voltaram contra ele, porque todos desejavam havia muito tempo ver a Sonserina perder a Taça das Casas. Para todo lado que Harry ia, as pessoas o apontavam e não se davam ao trabalho de baixar as vozes para xingá-lo. Os da Sonserina, por outro lado, batiam palmas quando ele passava, assobiavam e davam vivas. "Obrigado, Potter, ficamos lhe devendo essa!"

Somente Rony continuou do seu lado.

– Eles vão esquecer dentro de umas semanas. Fred e Jorge já perderam montes de pontos desde que chegaram aqui e as pessoas continuam a gostar deles.

– Eles nunca perderam cento e cinquenta pontos de uma tacada, ou perderam? – retrucou Harry, infeliz.

– Bom... não – admitiu Rony.

Era um pouco tarde para consertar o estrago, mas Harry jurou nunca mais se meter em coisas que não eram de sua conta. Bastava de espiar e espionar. Sentia tanta vergonha que foi procurar Olívio para oferecer sua demissão do time de quadribol.

– *Se demitir?* – trovejou Olívio. – Que bem faria isso? Como vamos poder recuperar os pontos se não conseguirmos vencer no quadribol?

Mas até mesmo o quadribol perdera a graça. O resto do time não queria falar com Harry durante os treinos e quando precisavam se referir a ele chamavam-no de "o apanhador".

Hermione e Neville estavam sofrendo também. Não estavam apanhando tanto quanto Harry, porque não eram tão conhecidos, mas ninguém falava com eles, tampouco. Hermione parara de chamar atenção nas aulas, mantinha a cabeça baixa e trabalhava em silêncio.

Harry quase se alegrava que os exames não estivessem muito distantes. Todas as revisões que precisava fazer o distraíam de sua infelicidade. Ele, Rony e Hermione ficavam sozinhos, estudavam até tarde da noite, tentando lembrar os ingredientes das complicadas poções, aprender os feitiços e encantamentos de cor, decorar as datas das descobertas mágicas e das revoltas dos duendes...

Então, uma semana antes de começarem os exames, a nova resolução de Harry, de não se meter em nada que não fosse de sua conta, foi submetida a um teste inesperado. Ao voltar da biblioteca, sozinho, certa tarde, ouviu alguém choramingando numa sala de aula mais à frente. Ao se aproximar, ouviu a voz de Quirrell.

— Não... não... outra vez não, por favor...
Parecia que alguém o estava ameaçando. Harry se aproximou um pouco mais.
— Está bem... está bem — ouviu Quirrell soluçar.

No segundo seguinte, Quirrell saiu correndo da sala de aula ajeitando o turbante. Estava pálido e parecia prestes a chorar. E desapareceu de vista; Harry achou que Quirrell nem sequer reparara nele. Esperou até que o ruído dos passos de Quirrell desaparecesse e, então, espiou para dentro da sala. Estava vazia, mas havia uma porta entreaberta na outra extremidade. Harry já ia em direção à porta quando se lembrou de que prometera a si mesmo não se meter em nada.

Assim mesmo, teria apostado doze pedras filosofais que Snape acabara de deixar a sala, e pelo que Harry acabara de ouvir, ganhara uma nova agilidade nos passos. Quirrell parecia ter finalmente cedido.

Harry voltou à biblioteca, onde Hermione estava tomando os pontos de astronomia de Rony. Contou-lhes o que ouvira.

— Snape então conseguiu! — exclamou Rony. — Se Quirrell contou a ele como quebrar o feitiço antimagia das trevas...

— Mas ainda tem o Fofo — lembrou Hermione.

— Talvez Snape tenha descoberto como passar pelo cachorro sem perguntar ao Hagrid — disse Rony, correndo os olhos pelos milhares de livros que os rodeavam. — Aposto como tem um livro por aqui que ensina como se passar por um cachorrão de três cabeças. Então, o que vamos fazer, Harry?

O brilho de aventura voltava a iluminar os olhos de Rony, mas Hermione respondeu, antes que Harry pudesse fazê-lo:

— Vamos procurar Dumbledore. Isto é o que deveríamos ter feito há séculos. Se tentarmos alguma coisa por conta própria, com certeza vamos ser expulsos.

— Mas não temos *provas*! — disse Harry. — Quirrell está apavorado demais para nos apoiar. Snape só precisa dizer que não sabe como foi que o trasgo entrou no Dia das Bruxas e que nem chegou perto do terceiro andar. Em quem vocês acham que eles vão acreditar, nele ou em nós? Não é bem segredo que nós o detestamos, Dumbledore vai pensar que inventamos isso para ele ser despedido. Filch não nos ajudaria nem que a vida dele dependesse disso, é muito amigo de Snape, e quanto mais alunos forem expulsos, tanto melhor, é o que ele pensa. E não se esqueçam, nós nem devíamos saber da Pedra nem de Fofo. O que vai exigir muita explicação.

Hermione pareceu convencida, mas não Rony.

— Se déssemos só uma espiadinha...

— Não — respondeu Harry, decidido —, já demos muitas espiadinhas.
E, dizendo isso, puxou um mapa de Júpiter para perto e começou a decorar os nomes das luas.

Na manhã seguinte, Harry, Hermione e Neville receberam bilhetes à mesa do café da manhã. Diziam a mesma coisa:

*Sua detenção começará às vinte e três horas.*
*Aguardem o Sr. Filch no saguão de entrada.*
*Prof$^a$ Minerva*

No furor provocado pela perda de pontos, Harry esquecera que ainda tinham detenções a cumprir. Esperou que Hermione reclamasse que aquilo representava perder uma noite inteira de revisões, mas não disse uma palavra. Achava, como Harry, que mereciam o que tinham recebido.

Às onze horas da noite, eles se despediram de Rony na sala comunal e desceram com Neville para o saguão de entrada. Filch já se encontrava lá — e também Malfoy. Harry esquecera que Malfoy pegara uma detenção também.

— Sigam-me — disse Filch, acendendo uma lanterna e levando-os para fora. — Aposto que vão pensar duas vezes antes de desobedecer novamente ao regulamento da escola, não é mesmo? — disse caçoando. — Ah, sim, trabalho pesado e dor são os melhores mestres, se querem saber... É uma pena que tenham suspendido os castigos antigos... pendurar o aluno no teto pelos pulsos durante alguns dias, ainda tenho as correntes na minha sala, conservo-as azeitadas para o caso de precisarem... Muito bem, lá vamos nós, e nem pensem em fugir agora, será pior para vocês se fizerem isso.

Eles caminharam pela propriedade às escuras. Neville não parava de fungar. Harry ficou imaginando qual seria o castigo. Devia ser alguma coisa realmente horrível, ou Filch não pareceria tão contente.

A lua brilhava, mas as nuvens que passavam por ela lançavam-nos na escuridão. À frente, Harry via as janelas iluminadas da cabana de Hagrid. Então, ouviram um grito distante...

— É você, Filch? Ande logo, quero começar de uma vez.

O ânimo de Harry melhorou; se eles iam trabalhar com Hagrid então não seria tão ruim. Seu alívio deve ter transparecido no rosto, porque Filch falou:

— Acho que você está pensando que vai se divertir com aquele panaca? Pois pode pensar outra vez, menino. É para a floresta que você vai e estarei muito enganado se voltar inteiro.

Ao ouvir isso, Neville deixou escapar um gemido e Malfoy ficou paralisado.

— A floresta? — repetiu e não pareceu tão tranquilo como de costume. — Não podemos entrar lá à noite... tem todo tipo de coisa lá... lobisomens, ouvi falar.

Neville agarrou a manga das vestes de Harry e pareceu se engasgar.

— Isto é o que pensa, não é? — disse Filch, a voz esganiçando-se de satisfação. — Devia ter pensado nos lobisomens antes de se meter em encrencas, não acha?

Hagrid saiu do escuro caminhando em direção a eles, com Canino nos calcanhares. Carregava uma grande besta e uma aljava com flechas pendurada ao ombro.

— Até que enfim. Já estou esperando há meia hora. Tudo bem, Harry, Hermione?

— Eu não seria tão simpático com eles, Hagrid — disse Filch com frieza —, afinal eles estão aqui para serem castigados.

— É por isso que você está atrasado, não é? — disse Hagrid, amarrando a cara. — Andou passando carão neles, não é? Isso não é sua função. Você fez a sua parte, eu pego daqui para a frente.

— Volto ao amanhecer para recolher o que sobrar deles — disse Filch, maldoso, deu meia-volta e retornou ao castelo, balançando a lanterna na escuridão.

Malfoy virou-se então para Hagrid.

— Não vou entrar nessa floresta — disse, e Harry ficou contente de ouvir a nota de pânico em sua voz.

— Vai, sim, se quiser continuar em Hogwarts — disse Hagrid com ferocidade. — Você agiu mal e agora tem de pagar pelo que fez.

— Mas isso é coisa para empregados e não para estudantes. Achei que íamos fazer uma cópia ou outra coisa do gênero, se meu pai souber que eu estou fazendo isso, ele...

— ... lhe dirá que em Hogwarts é assim — rosnou Hagrid. — Fazer cópia! Para que serve? Você vai fazer uma coisa útil ou vai sair da escola. E se pensa que seu pai vai preferir que você seja expulso, então volte para o castelo e faça suas malas. Vamos!

Malfoy não se mexeu. Encarou Hagrid furioso e em seguida baixou os olhos.

— Muito bem, então — disse Hagrid —, agora prestem atenção, porque é perigoso o que vamos fazer hoje à noite e não quero ninguém se arriscando. Venham até aqui comigo.

Ele os conduziu à orla da floresta. Erguendo a lanterna bem alto, apontou para uma trilha serpeante de terra batida que desaparecia por entre árvores escuras. Uma brisa leve levantou os cabelos dos meninos quando eles se viraram para a floresta.

— Olhem ali, estão vendo aquela coisa brilhando no chão? Prateada? Aquilo é sangue de unicórnio. Tem um unicórnio ali que foi ferido gravemente por alguma coisa. É a segunda vez esta semana. Encontrei um morto na quarta-feira passada. Vamos tentar encontrar o pobrezinho. Talvez a gente precise pôr fim ao sofrimento dele.

— E se a coisa que feriu o unicórnio nos encontrar primeiro? — perguntou Malfoy, incapaz de conter o medo na voz.

— Não há nenhuma criatura viva na floresta que vá machucá-lo se você estiver comigo e com o Canino. E siga a trilha. Muito bem, agora, vamos nos separar em dois grupos e seguir a trilha em direções opostas. Tem sangue por toda parte, ele deve estar cambaleando pelo menos desde a noite passada.

— Eu quero Canino — disse Malfoy depressa, olhando para as presas de Canino.

— Muito bem, mas vou-lhe avisando, ele é covarde. Então eu, Harry e Hermione vamos por aqui e Draco, Neville e Canino por ali. Agora, se algum de nós achar o unicórnio, disparamos centelhas verdes para o alto, OK? Peguem as varinhas e comecem a praticar agora, assim. E se alguém se enrolar, dispare centelhas vermelhas, e vamos todos procurá-lo; então, cuidado. Vamos.

A floresta estava escura e silenciosa. Entrando por ela, chegaram a uma bifurcação, e Harry, Hermione e Hagrid tomaram o caminho da esquerda enquanto Malfoy, Neville e Canino tomaram o da direita.

Caminharam em silêncio, com os olhos no chão. Aqui e ali um raio de luar penetrava por entre os galhos e iluminava uma mancha de sangue prateado nas folhas caídas.

Harry viu que Hagrid parecia muito preocupado.

— É *possível* um lobisomem estar matando os unicórnios? — perguntou.

— Não com essa rapidez, não é fácil matar um unicórnio, eles são criaturas mágicas poderosas. Nunca soube de nenhum ter sido ferido antes.

Passaram por um toco de árvore coberto de musgo. Harry ouviu água correndo, devia haver um riacho por perto. Ainda viam manchas de sangue de unicórnio aqui e ali pela trilha serpeante.

— Você está bem, Hermione? — sussurrou Hagrid. — Não se preocupe, ele não pode ter ido longe se está tão ferido e então poderemos... PARA TRÁS DAQUELA ÁRVORE!

Hagrid agarrou Harry e Hermione e carregou-os para fora da trilha e para trás de um enorme carvalho. Puxou uma flecha e encaixou-a na besta, e ergueu-a, pronto para atirar. Os três apuraram os ouvidos. Alguma coisa deslizava pelas folhas mortas ali perto; parecia uma capa arrastando no chão. Hagrid apertava os olhos para enxergar a trilha escura à frente, mas, passados alguns segundos, o ruído desapareceu.

— Eu sabia — murmurou ele. — Tem alguma coisa aqui que está fora de lugar.

— Um lobisomem? — sugeriu Harry.

— Isso não era um lobisomem e não era um unicórnio, tampouco — disse Hagrid, sério. — Muito bem, me sigam, mas tenham cuidado, agora.

Continuaram a caminhar mais devagar, os ouvidos à escuta do menor ruído. De repente, alguma coisa na clareira adiante, alguma coisa sem dúvida se mexia.

— Quem está aí? — chamou Hagrid. — Apareça. Estou armado!

E na clareira apareceu um vulto — era um homem, ou um cavalo? Até a cintura, um homem, com cabelos e barba vermelhos, mas da cintura para baixo era um luzidio cavalo castanho com uma cauda longa e avermelhada. Os queixos de Harry e Hermione caíram.

— Ah, é você, Ronan! — exclamou Hagrid, aliviado. — Como vai?

Ele se adiantou e apertou a mão do centauro.

— Boa noite para você, Hagrid — disse Ronan. Tinha uma voz grave e triste. — Você ia atirar em mim?

— Cautela nunca é demais, Ronan — disse Hagrid, dando uma palmadinha na besta. — Tem alguma coisa ruim à solta nesta floresta. Ah, sim, estes são Harry Potter e Hermione Granger. Alunos lá da escola. E este é Ronan. É um centauro.

— Já percebi — disse Hermione com a voz fraca.

— Boa noite — cumprimentou Ronan. — São alunos, é? E aprendem muita coisa na escola?

— Hum.

— Um pouquinho — respondeu Hermione, tímida.

— Um pouquinho. Bom, já é alguma coisa — suspirou Ronan. Depois, jogou a cabeça para trás e contemplou o céu. — Marte está brilhante hoje.

— É — disse Hagrid, mirando o céu também. — Olhe, foi bom termos nos encontrado, Ronan, porque tem um unicórnio ferido. Você viu alguma coisa?

Ronan não respondeu imediatamente. Continuou a olhar para o alto sem piscar e então suspirou outra vez.

— Os inocentes são sempre as primeiras vítimas. Foi assim no passado, é assim agora.

— É, mas você viu alguma coisa, Ronan? Alguma coisa anormal?

— Marte está brilhante hoje — repetiu Ronan enquanto Hagrid o observava impaciente. — Um brilho anormal.

— Sim, mas estou me referindo a alguma coisa mais perto da Terra. Você não notou nada estranho?

Mais uma vez, Ronan levou algum tempo para responder. Por fim disse:

— A floresta esconde muitos segredos.

Um movimento nas árvores atrás de Ronan fez Hagrid erguer a besta outra vez, mas era apenas um segundo centauro, de cabelos e pelos pretos e de aspecto mais selvagem do que Ronan.

— Olá, Agouro — cumprimentou Hagrid. — Tudo bem?

— Boa noite, Hagrid, você vai bem, espero.

— Bastante bem. Olhe, eu estava mesmo perguntando a Ronan, você viu alguma coisa estranha por aqui ultimamente? É que um unicórnio foi ferido. Você sabe alguma coisa?

Agouro foi se postar ao lado de Ronan. Olhou para o céu.

— Marte está brilhante hoje — disse simplesmente.

— Já sabemos — respondeu Hagrid, impaciente. — Bom, se um de vocês vir alguma coisa, me avise, por favor. Vamos indo, então.

Harry e Hermione saíram com ele da clareira, espiando Ronan e Agouro por cima dos ombros até as árvores tamparem sua visão.

— Nunca — disse Hagrid, irritado — tentem obter uma resposta direta de um centauro. Vivem contemplando as estrelas. Não estão interessados em nada que esteja mais perto do que a lua.

— E tem muitos *deles* aqui? — perguntou Hermione.

— Ah, um bom número... Vivem isolados na maior parte do tempo, mas têm a bondade de aparecer quando preciso dar uma palavrinha. São inteligentes, veja bem, os centauros... sabem das coisas... só não falam muito.

— Você acha que foi um centauro que ouvimos antes? — disse Harry.

— Você achou que era barulho de cascos? Não, se quer saber, aquilo é o que anda matando os unicórnios. Nunca ouvi nada parecido antes.

E continuaram a caminhar pela floresta densa e escura. Harry não parava de espiar, nervoso, por cima do ombro. Tinha a sensação ruim de que alguém os observava. Estava contente que tivessem Hagrid e sua besta com eles. Acabavam de passar uma curva na trilha quando Hermione agarrou o braço de Hagrid.

— Hagrid! Olhe! Centelhas vermelhas, os outros estão em apuros!
— Vocês dois esperem aqui! — gritou Hagrid. — Fiquem na trilha, volto para apanhá-los!

Eles o ouviram romper o mato e ficaram parados se entreolhando, muito assustados, até não conseguirem ouvir mais nada à volta exceto o farfalhar das árvores.

— Você acha que eles estão machucados? — sussurrou Hermione.
— Não me importo com Malfoy, mas se alguma coisa pegou Neville... É culpa nossa que ele esteja aqui.

Os minutos se arrastaram. Seus ouvidos pareciam mais aguçados do que o normal. Harry parecia estar registrando cada suspiro do vento, cada graveto que quebrava. O que estava acontecendo? Onde estavam os outros?

Finalmente, um grande barulho de mato pisado anunciou a volta de Hagrid. Malfoy, Neville e Canino o acompanhavam. Hagrid vinha danado da vida. Malfoy, ao que parecia, se atrasara e agarrara Neville por trás para lhe dar um susto. Neville se assustara e mandara o sinal.

— Teremos sorte se apanharmos alguma coisa agora, com a barulheira que vocês aprontaram. Muito bem, vamos trocar os grupos: Neville, você e Hermione ficam comigo; Harry, você com o Canino e esse idiota. Sinto muito — acrescentou Hagrid para Harry num cochicho —, mas vai ser mais difícil ele assustar você e precisamos acabar o nosso serviço.

Então Harry entrou pelo coração da floresta com Malfoy e Canino. Andaram quase meia hora, embrenhando-se cada vez mais, até que a trilha se tornou impraticável porque as árvores cresciam demasiado juntas. Harry achou que as manchas de sangue pareciam mais próximas. Havia salpicos nas raízes de uma árvore, como se o pobre bicho tivesse se debatido de dor por ali. Harry viu uma clareira adiante, através dos galhos emaranhados de um velho carvalho.

— Olhe... — murmurou, erguendo o braço para deter Malfoy.

Alguma coisa muito branca brilhava no chão. Eles se aproximaram aos poucos.

Era o unicórnio, sim, e estava morto. Harry nunca vira nada tão bonito nem tão triste. As pernas longas e finas estavam esticadas em ângulos estranhos onde ele caíra e sua crina espalhava-se nacarada sobre as folhas escuras.

Harry dera um passo à frente, mas um som serpenteante o fez congelar onde estava. Uma moita na orla da clareira estremeceu... Então, do meio das sombras saiu um vulto encapuzado que se arrastava de quatro pelo chão como uma fera à caça. Harry, Malfoy e Canino ficaram paralisados. O vulto encapuzado aproximou-se do unicórnio, abaixou a cabeça sobre o ferimento no flanco do animal e começou a beber o seu sangue.

— Aaaaaaaaaaaaaaaah!

Malfoy soltou um grito terrível e fugiu, seguido por Canino. A figura encapuzada ergueu a cabeça e olhou diretamente para Harry – o sangue do unicórnio escorrendo pelo peito. Ficou de pé e avançou rápido para Harry – que não conseguiu se mexer de medo.

Então uma dor, como ele nunca sentira antes, varou sua cabeça, como se a sua cicatriz estivesse em fogo – meio cego, ele recuou cambaleando. Ouviu cascos às suas costas, galopando, e alguma coisa saltou por cima dele e atacou o vulto.

A dor na cabeça de Harry foi tão forte que ele caiu de joelhos. Levou uns dois minutos para passar. Quando ergueu os olhos, o vulto desaparecera. Um centauro avultava-se sobre ele, mas não era Ronan nem Agouro; este parecia mais novo, tinha cabelos louros prateados e o corpo baio.

— Você está bem? – perguntou o centauro, ajudando Harry a se levantar.

— Estou, obrigado. O que foi aquilo?

O centauro não respondeu. Tinha espantosos olhos azuis, como safiras muito claras. Mirou Harry com atenção, demorando o olhar na cicatriz que se sobressaía, lívida, em sua testa.

— Você é o menino Potter. É melhor voltar para a companhia de Hagrid. A floresta não é segura a estas horas, principalmente para você. Sabe montar? Será mais rápido. Meu nome é Firenze – acrescentou ao dobrar as patas dianteiras para Harry poder subir no seu lombo.

Ouviram repentinamente o ruído de galopes vindo do outro lado da clareira. Ronan e Agouro irromperam do meio das árvores, os flancos arfantes e suados.

— Firenze! – Agouro trovejou. – O que é que você está fazendo? Está carregando um humano! Não tem vergonha? Você é uma mula?

— Você sabe quem ele é? – retrucou Firenze. – É o menino Potter. Quanto mais rápido ele sair da floresta, melhor.

— O que é que você andou contando a ele? – rosnou Agouro. – Lembre-se, Firenze, juramos nunca nos indispor com os céus. Você não leu o que vai acontecer nos movimentos dos planetas?

Ronan pateou o chão, nervoso.

— Tenho certeza de que Firenze achou que estava fazendo o melhor – falou em tom sombrio.

Agouro escoiceou com raiva.

— Fazendo o melhor! O que tem isso a ver conosco? Os centauros se preocupam com o que foi previsto! Não é nossa função ficar correndo por aí como jumentos recolhendo humanos perdidos na nossa floresta!

Firenze de repente empinou-se nas patas traseiras com raiva, de modo que Harry teve de se agarrar nos seus ombros para não cair.

— Você não viu o unicórnio! — Firenze berrou para Agouro. — Você não percebe por que foi morto? Ou será que os planetas não lhe contaram esse segredo? Tomei posição contra o que está rondando a floresta, Agouro; tomei, sim, ao lado dos humanos se for preciso.

E Firenze virou-se depressa para partir; com Harry agarrando-se o melhor que podia, eles mergulharam entre as árvores, deixando Ronan e Agouro para trás.

Harry não fazia a menor ideia do que estava acontecendo.

— Por que Agouro está tão zangado? — perguntou. — O que era aquela coisa de que você me livrou?

Firenze abrandou a marcha, alertou Harry para manter a cabeça abaixada a fim de evitar os galhos baixos, mas não respondeu à pergunta. Continuaram por entre as árvores em silêncio por tanto tempo que Harry achou que Firenze não queria mais falar com ele. Estavam passando por um trecho particularmente denso da floresta quando Firenze parou de repente.

— Harry Potter, você sabe para que se usa o sangue de unicórnio?

— Não — disse Harry surpreendido pela estranha pergunta. — Só usamos o chifre e pelos da cauda na aula de Poções.

— Porque é uma coisa monstruosa matar um unicórnio. Só alguém que não tem nada a perder e tudo a ganhar cometeria um crime desses. O sangue do unicórnio mantém a pessoa viva, mesmo quando ela está à beira da morte, mas a um preço terrível. Ela matou algo puro e indefeso para se salvar e só terá uma semivida, uma vida amaldiçoada, do momento que o sangue lhe tocar os lábios.

Harry ficou olhando para a nuca de Firenze, que estava prateada de luar.

— Mas quem estaria tão desesperado? — pensou em voz alta. — Se a pessoa vai ser amaldiçoada para sempre, é preferível morrer, não é?

— É — concordou Firenze —, a não ser que ela precise se manter viva o tempo suficiente para beber outra coisa, algo que vai lhe devolver a forçao poder totais, algo que significa que jamais poderá morrer. Sr. Potter, o senhor sabe o que é que está escondido na sua escola neste momento?

— A Pedra Filosofal! É claro, o elixir da vida! Mas não percebo quem...

— Não consegue pensar em ninguém que tenha esperado muitos anos para retomar o poder, que se apegou à vida, esperando uma chance?

Foi como se um punho de ferro de repente apertasse o coração de Harry. Acima do farfalhar das árvores, ele parecia ouvir mais uma vez o que Hagrid lhe contara na noite que se conheceram: "Tem quem diga que ele morreu. Besteira, na minha opinião. Não sei se ainda tinha humanidade suficiente para morrer."

— Você está dizendo — Harry falou rouco — que aquele era o *Vol*...

— Harry! Harry, você está bem?

Hermione vinha correndo ao encontro deles pela trilha, Hagrid a acompanhava arfando.

— Estou bem — disse Harry, sem nem saber o que estava dizendo. — O unicórnio morreu, Rúbeo, está naquela clareira lá atrás.

— É aqui que eu o deixo — murmurou Firenze enquanto Hagrid corria para examinar o unicórnio. — Está seguro agora.

Harry escorregou de suas costas.

— Boa sorte, Harry Potter — disse Firenze. — Os planetas já foram mal interpretados antes, até mesmo pelos centauros. Espero que seja o que está ocorrendo agora.

Virou-se e entrou a trote pela floresta, deixando para trás um Harry cheio de tremores.

Rony adormecera na sala comunal às escuras, esperando os amigos voltarem. Gritou alguma coisa sobre faltas no quadribol quando Harry o sacudiu com força para acordá-lo. Em questão de segundos, porém, seus olhos se arregalaram quando Harry começou a contar a ele e à Hermione o que acontecera na floresta.

Harry nem conseguia se sentar. Andava para cima e para baixo na frente da lareira. Continuava a tremer.

— Snape quer a pedra para Voldemort... e Voldemort está esperando na floresta... e todo esse tempo pensamos que Snape só queria ficar rico.

— Pare de repetir esse nome! — disse Rony num sussurro de terror, como se Voldemort pudesse ouvi-los.

Harry nem o escutou.

— Firenze me salvou, mas não devia ter feito isso... Agouro ficou furioso... falou de interferência naquilo que os planetas anunciaram que ia acontecer. Eles devem estar indicando que Voldemort vai voltar... Agouro acha que Firenze devia ter deixado Voldemort me matar... Imagino que isso também esteja escrito nas estrelas.

— *Quer parar de dizer esse nome?* — sibilou Rony.

— Portanto só preciso esperar que Snape roube a pedra — continuou Harry, febril —, então Voldemort vai poder voltar e acabar comigo... Bem, quem sabe Agouro vá ficar feliz.

Hermione parecia muito assustada, mas teve uma palavra de consolo.

— Harry, todo mundo diz que Dumbledore é a única pessoa de quem Você-Sabe-Quem já teve medo. Com Dumbledore por perto, Você-Sabe-Quem não vai tocar em você. Em todo o caso, quem disse que os centauros têm razão? Isso está me parecendo adivinhação, e a Prof$^a$ Minerva diz que adivinhar o futuro é um ramo muito inexato da magia.

O céu havia clareado antes de terminarem de conversar. Foram se deitar exaustos, com as gargantas ardendo. Mas as surpresas da noite não tinham terminado.

Quando Harry puxou as cobertas da cama, encontrou a Capa da Invisibilidade cuidadosamente dobrada sobre o lençol. Tinha um bilhete espetado nela:

*Por via das dúvidas.*

# 16

## NO ALÇAPÃO

No futuro, Harry nunca conseguiria lembrar muito bem como conseguiu prestar seus exames enquanto esperava Voldemort irromper a qualquer instante pela porta. Contudo os dias foram se passando lentamente e não havia dúvidas de que Fofo continuava vivo e bem seguro atrás da porta trancada.

Fazia um calor de rachar, principalmente na sala das provas escritas. Os alunos tinham recebido penas novas e especiais para fazê-las, previamente encantadas com um feitiço anticola.

Houve exames práticos também. O Prof. Flitwick os chamou à sala de aula, um a um, para verificar se conseguiam fazer um abacaxi sapatear na mesa. A Prof.ª Minerva observou-os transformarem um camundongo em uma caixa de rapé e conferiu pontos pela beleza da caixa, e os descontou quando a caixa tinha bigodes. Snape deixou-os nervosos, bafejando em seu pescoço enquanto tentavam se lembrar como fazer uma poção do esquecimento.

Harry fez o melhor que pôde, tentando ignorar as dores lancinantes que sentia na testa e que o incomodavam desde a ida à floresta. Neville achou que Harry estava com uma crise de nervos provocada pelos exames, porque Harry não conseguia dormir, mas a verdade é que seu antigo pesadelo o mantinha acordado, só que agora estava pior que nunca, pois havia nele uma figura encapuzada que pingava sangue.

Talvez fosse porque eles não tinham visto o que Harry vira na floresta, ou porque não tinham cicatrizes que queimavam na testa, mas Rony e Hermione não pareciam tão preocupados com a Pedra quanto Harry. A lembrança de Voldemort sem dúvida os apavorava, mas não os visitava em sonhos, e estavam tão ocupados com as revisões que não tinham muito tempo para pensar no que Snape ou qualquer outro podia estar aprontando.

O último exame foi de História da Magia. Uma hora respondendo a perguntas sobre velhos bruxos gagás que inventaram caldeirões automexíveis e estariam livres, livres por uma semana maravilhosa até saírem os resultados dos exames. Quando o fantasma do Prof. Binns mandou-os descansar as penas e enrolar os pergaminhos, Harry não pôde deixar de dar vivas com os colegas.

– Foi muito mais fácil do que pensei – comentou Hermione, quando eles se reuniram aos numerosos alunos que saíam para os jardins ensolarados. – Eu nem precisava ter aprendido o Código de Conduta do Lobisomem de 1637 nem a revolta de Elfric, o Ambicioso.

Hermione sempre gostava de repassar as provas depois, mas Rony disse que isso o fazia se sentir mal. Assim, caminharam até o lago e se sentaram à sombra de uma árvore. Os gêmeos Weasley e Lino Jordan faziam cócegas nos tentáculos de uma lula gigantesca, que tomava sol na água mais rasa.

– Acabaram-se as revisões – suspirou Rony, contente, esticando-se na grama. – Você podia fazer uma cara mais alegre, Harry, temos uma semana inteira até descobrir se nos demos mal, não precisa se preocupar agora.

Harry esfregava a testa.

– Eu gostaria de saber o que *significa* isso! – explodiu aborrecido. – Minha cicatriz não para de doer, já senti isso antes, mas nunca com tanta freqüência.

– Procure Madame Pomfrey – sugeriu Hermione.

– Eu não estou doente – respondeu Harry. – Acho que é um aviso... significa que o perigo está se aproximando...

Rony não conseguiu se preocupar, estava quente demais.

– Harry, relaxe. Hermione tem razão, a Pedra está segura enquanto Dumbledore estiver por aqui. Em todo o caso, nunca encontramos nenhuma prova de que Snape tenha descoberto como passar por Fofo. Ele quase teve a perna arrancada uma vez, não vai tentar outra tão cedo. E Neville vai jogar quadribol na equipe da Inglaterra antes que Hagrid traia Dumbledore.

Harry concordou, mas não conseguiu se livrar da sensação que o atormentava de que esquecera de fazer alguma coisa, algo importante. Quando tentou explicar o que sentia, Hermione disse:

– Isso são os exames. Acordei a noite passada e já tinha lido metade dos meus apontamentos sobre Transfiguração quando me lembrei que já tínhamos feito a prova.

Harry tinha certeza de que a sensação de inquietude não tinha nada a ver com os estudos. Acompanhou com os olhos uma coruja planar pelo céu azul em direção à escola, uma carta no bico. Hagrid era o único que lhe mandava cartas. Hagrid jamais trairia Dumbledore. Hagrid jamais contaria a ninguém como passar por Fofo... jamais... mas...

Harry pôs-se de pé de um salto.

— Aonde é que você está indo? — perguntou Rony sonolento.

— Acabei de me lembrar de uma coisa. — Estava branco. —Temos que ver Hagrid agora.

— Por quê? — ofegou Hermione, correndo para alcançá-lo.

—Vocês não acham um pouco estranho — disse Harry, subindo, às carreiras, a encosta gramada — que o que Hagrid mais quer na vida é um dragão, e aparece um estranho que por acaso tem ovos de dragão no bolso, quando isso é contra as leis dos bruxos? Que sorte encontrar Hagrid, não acham? Por que não percebi isto antes?

— Do que é que você está falando? — perguntou Rony, mas Harry, correndo pelos jardins em direção à floresta, não respondeu.

Hagrid estava sentado em um cadeirão na frente da casa: tinha as pernas das calças e as mangas enroladas e descascava ervilhas em uma grande tigela.

— Olá — disse, sorrindo. —Terminaram os exames? Têm tempo para um refresco?

—Temos, obrigado — disse Rony, mas Harry o interrompeu.

— Não, estamos com pressa, Hagrid, preciso lhe perguntar uma coisa. Sabe aquela noite que você ganhou o Norberto? Que cara tinha o estranho com quem você jogou cartas?

— Não lembro — respondeu Hagrid com displicência —, ele não quis tirar a capa...

Viu os três fazerem cara de espanto e ergueu as sobrancelhas.

— Não é nada de mais, tem muita gente esquisita no Cabeça de Javali, o pub do povoado. Podia ser um vendedor de dragões, não podia? Nunca vi a cara dele, ele não tirou o capuz.

Harry se abaixou ao lado da tigela de ervilhas.

— O que foi que você conversou com ele, Hagrid? Chegou a mencionar Hogwarts?

—Talvez — disse Hagrid, franzindo a testa, tentando se lembrar. — É... ele me perguntou o que eu fazia e eu respondi que era guarda-caça aqui... Depois perguntou de que tipo de bichos eu cuidava... então eu disse... e disse também que o que sempre quis ter foi um dragão... então... não me lembro muito bem, porque ele não parava de pagar bebidas para mim... Deixa eu ver... ah, sim, então ele disse que tinha um ovo de dragão, e que podíamos disputá-lo num jogo de cartas se eu quisesse... mas precisava ter certeza de que eu podia cuidar do bicho, não queria que ele fosse parar num lar qualquer... Então respondi que depois do Fofo, um dragão seria moleza...

— E ele pareceu interessado no Fofo? — perguntou Harry, tentando manter a voz calma.

— Bom, pareceu... quantos cachorros de três cabeças a pessoa encontra por aí, mesmo em Hogwarts? Então contei a ele que Fofo é uma doçura se a pessoa sabe como acalmá-lo, é só tocar um pouco de música e ele cai no sono...

Hagrid de repente fez cara de horrorizado.

— Eu não devia ter-lhe dito isto! — exclamou. — Esqueçam que eu disse isto! Ei, aonde é que vocês vão?

Harry, Rony e Hermione não se falaram até parar no saguão de entrada, que parecia muito frio e sombrio depois da caminhada pelos jardins.

— Temos que procurar Dumbledore — falou Harry. — Hagrid contou àquele estranho como passar por Fofo e quem estava debaixo daquela capa era ou o Snape ou o Voldemort... deve ter sido fácil, depois que embebedou Rúbeo. Só espero que Dumbledore acredite na gente. Firenze talvez confirme, se Agouro não o impedir. Onde é a sala de Dumbledore?

Eles olharam a toda volta, na esperança de ver uma placa apontando a direção certa. Nunca alguém lhes havia dito onde trabalhava Dumbledore, tampouco conheciam alguém que tivesse sido mandado à sala dele.

— Acho que teremos de... — começou Harry, mas inesperadamente ouviram uma voz do outro lado do saguão.

— Que é que vocês estão fazendo aqui dentro?

Era a Prof.ª Minerva McGonagall, carregando uma pilha de livros.

— Queremos ver o Prof. Dumbledore — disse Hermione de forma muito corajosa, pensaram Harry e Rony.

— Ver o Prof. Dumbledore? — a Prof.ª Minerva repetiu, como se isso fosse uma coisa muito suspeita para alguém querer fazer. — Por quê?

Harry engoliu em seco — e agora?

— É uma espécie de segredo — disse, mas desejou na mesma hora que não tivesse dito, porque as narinas da Prof.ª Minerva se alargaram.

— O Prof. Dumbledore saiu faz dez minutos — informou ela secamente. — Recebeu uma coruja urgente do Ministério da Magia e partiu em seguida para Londres.

— Ele *saiu*?! — exclamou Harry, frenético. — Agora?

— O Prof. Dumbledore é um grande mago, Potter, o tempo dele é muito solicitado.

— Mas é importante.

— Alguma coisa que você tenha a dizer é mais importante do que o Ministério da Magia, Potter?

— Olhe — disse Harry, mandando a cautela às favas —, professora... é sobre a Pedra Filosofal...

Seja o que for que a Prof$^a$ Minerva esperava, certamente não era isso. Os livros que levava despencaram dos seus braços, mas ela não os apanhou.

— Como é que vocês sabem? — deixou escapar.

— Professora, acho... sei... que Sn... que alguém vai tentar roubar a Pedra. Preciso falar com o Prof. Dumbledore.

Ela o olhou com uma mescla de choque e desconfiança.

— O Prof. Dumbledore volta amanhã — disse finalmente. — Não sei como descobriu sobre a Pedra, mas fique tranquilo, não é possível ninguém roubá-la, está muitíssimo bem protegida.

— Mas, professora...

— Potter, sei do que estou falando. — Curvou-se e recolheu os livros caídos. — Sugiro que vocês voltem para fora e aproveitem o sol.

Mas eles não voltaram.

— É hoje à noite — disse Harry, quando teve certeza de que a Prof$^a$ Minerva não podia mais ouvi-los. — Snape vai entrar no alçapão hoje à noite. Ele já descobriu tudo o que precisa e agora tirou Dumbledore do caminho. Foi ele quem mandou aquela carta, aposto que o Ministério da Magia vai levar um choque quando Dumbledore aparecer.

— Mas o que é que podemos...

Hermione perdeu a fala. Harry e Rony se viraram.

Snape estava parado ali.

— Boa tarde — disse com suavidade.

Eles o encararam.

— Vocês não deviam estar dentro do castelo num dia como este — falou com um sorriso estranho e torto.

— Estávamos... — começou Harry, sem fazer ideia do que ia dizer.

— Vocês precisam ter mais cuidado. Andando por aqui assim, as pessoas vão pensar que estão armando alguma coisa. E a Grifinória realmente não pode se dar ao luxo de perder mais nenhum ponto, não é mesmo?

Harry corou. Viraram-se para sair, mas Snape os chamou de volta.

— E fique avisado, Potter, se ficar perambulando outra vez à noite, vou providenciar pessoalmente para que seja expulso. Bom dia para vocês.

E saiu em direção à sala de professores.

Lá fora, nos degraus de pedra, Harry virou-se para os outros.

— Certo, isto é o que vamos fazer — cochichou com urgência. — Um de nós tem que ficar de olho no Snape, esperar do lado de fora da sala de professores e segui-lo se ele sair. Hermione, é melhor você fazer isso.

— Por que eu?
— É óbvio — disse Rony. — Você pode fingir que está esperando pelo Prof. Flitwick, sabe como é. — E fazendo voz de falsete: — "Ah, Prof. Flitwick. Estou tão preocupada, acho que errei a questão catorze b..."
— Ah, cala a boca — disse Hermione, mas concordou em vigiar Snape.
— E é melhor ficarmos no corredor do terceiro andar — disse Harry a Rony. —Vamos.

Mas aquela parte do plano não funcionou. Assim que chegaram à porta que separava Fofo do resto da escola, a Prof$^a$ Minerva apareceu de novo, e desta vez perdeu as estribeiras.

— Suponho que você ache que é mais difícil alguém passar por você do que por uma infinidade de feitiços! — esbravejou. — Chega de bobagens! E se eu souber que você voltou aqui outra vez, vou descontar mais cinquenta pontos da Grifinória! É, Weasley, da minha própria casa!

Harry e Rony voltaram à sala comunal. Harry acabara de dizer "pelo menos Hermione está na cola de Snape" quando o retrato da Mulher Gorda se abriu e Hermione entrou.

— Sinto muito, Harry! — lamentou-se. — Snape saiu e me perguntou o que eu estava fazendo, então disse que estava esperando Flitwick, e Snape foi buscá-lo, e só me livrei agora, não sei aonde ele foi.

— Bom, então acabou-se, não é? — disse Harry.

Os outros dois olharam para ele. Estava pálido e seus olhos brilhavam.

—Vou sair daqui hoje à noite e vou tentar apanhar a Pedra primeiro.

—Você ficou maluco! — exclamou Rony.

—Você não pode! — disse Hermione. — Depois do que a Prof$^a$ Minerva e Snape disseram? Vai ser expulso!

— E DAÍ? — gritou Harry. —Vocês não percebem? Se Snape apanhar a Pedra, Voldemort vai voltar! Vocês não ouviram contar como era quando ele estava tentando conquistar o poder? Não vai haver Hogwarts para nos expulsar! Ele vai arrasar Hogwarts, ou transformá-la numa escola de magia das trevas! Perder pontos não importa mais, vocês não entendem? Acham que ele vai deixar vocês e suas famílias em paz se Grifinória ganhar a Taça das Casas? Se eu for pego antes de conseguir a Pedra, bem, vou ter que voltar para os Dursley e esperar Voldemort me encontrar lá. É só uma questão de morrer um pouquinho depois do que teria morrido, porque eu nunca vou me aliar aos partidários da magia das trevas! Vou entrar naquele alçapão hoje à noite e nada que vocês dois disserem vai me impedir! Voldemort matou meus pais, estão lembrados?

E olhou zangado para eles.

— Você tem razão, Harry — disse Hermione com uma vozinha fraca.

— Vou usar a Capa da Invisibilidade. Foi uma sorte tê-la recuperado.

— Mas ela dá para esconder nós três? — perguntou Rony.

— Nós... nós três?

— Ah, corta essa, você não acha que vamos deixar você ir sozinho?

— Claro que não — disse Hermione com energia. — Como acha que vai chegar à Pedra sem nós? É melhor eu dar uma olhada nos meus livros, talvez encontre alguma coisa útil...

— Mas se formos pegos, vocês dois vão ser expulsos também.

— Não se eu puder evitar — disse Hermione, séria. — Flitwick me disse em segredo que tirei cento e doze por cento no exame. Não vão me expulsar depois disso.

Depois do jantar os três se sentaram, nervosos, a um canto da sala comunal. Ninguém os incomodou; afinal nenhum aluno da Grifinória tinha mais nada a dizer a Harry. Era a primeira noite que isto não o incomodava. Hermione folheava seus apontamentos, esperando encontrar um dos feitiços que queriam anular. Harry e Rony não falavam muito. Pensavam no que estavam prestes a fazer.

A sala foi-se esvaziando à medida que as pessoas iam se deitar.

— É melhor apanhar a Capa — murmurou Rony, quando Lino Jordan finalmente saiu, se espreguiçando e bocejando. Harry correu até o dormitório às escuras. Puxou a Capa e então seus olhos bateram na flauta que Hagrid lhe dera no Natal. Meteu-a no bolso para usá-la em Fofo: não se sentia muito animado a cantar.

E correu de volta à sala comunal.

— É melhor vestirmos a Capa aqui para ter certeza de que cobre nós três. Se Filch vir os pés da gente andando sozinhos...

— O que é que vocês estão fazendo? — perguntou uma voz a um canto da sala. Neville saiu de trás de uma poltrona, agarrando Trevo, o sapo, que parecia ter feito uma nova tentativa de ganhar a liberdade.

— Nada, Neville, nada — respondeu Harry, escondendo depressa a Capa às costas.

Neville olhou bem para aquelas caras cheias de culpa.

— Vocês vão sair outra vez.

— Não, não, não — disse Hermione. — Não vamos, não. Por que você não vai se deitar, Neville?

Harry olhou para o relógio de pedestal junto à porta. Não podiam se dar ao luxo de perder mais tempo, Snape talvez estivesse naquele instante mesmo tocando para adormecer Fofo.

— Vocês não podem sair — disse Neville —, vocês vão ser pegos outra vez. A Grifinória vai ficar ainda mais enrolada.

— Você não compreende — disse Harry. — Isto é importante.

Mas Neville estava claramente tomando coragem para fazer alguma coisa desesperada.

— Não vou deixar vocês irem — disse, correndo a se postar diante do buraco do retrato. — Eu... eu vou brigar com vocês.

— Neville — explodiu Rony —, se afaste desse buraco e não banque o idiota...

— Não me chame de idiota! Acho que você não devia estar desrespeitando mais regulamentos! E foi você quem me disse para enfrentar as pessoas!

— Foi, mas não *nós* — respondeu Rony, exasperado. — Neville, você não sabe o que está fazendo.

Ele deu um passo à frente e Neville largou Trevo, o sapo, que desapareceu de vista.

— Vem, então, tenta me bater! — disse Neville, erguendo os punhos. — Estou esperando!

Harry voltou-se para Hermione.

— Faz *alguma coisa* — pediu desesperado.

Hermione se adiantou.

— Neville — disse ela —, eu realmente lamento muito.

Ela ergueu a varinha.

— *Petrificus Totalus!* — falou, apontando para Neville.

Os braços de Neville grudaram dos lados do corpo. As pernas se juntaram. Com o corpo inteiro rígido, ele balançou no mesmo lugar e, em seguida, caiu de cara no chão, duro como uma pedra.

Hermione correu para desvirá-lo. Os maxilares de Neville estavam trancados de modo que ele não podia falar. Somente os olhos se moviam, mirando-os aterrorizados.

— O que foi que você fez com ele? — sussurrou Harry.

— O Feitiço do Corpo Preso — respondeu Hermione, infeliz. — Ah, Neville, me desculpe.

— Tivemos de fazer isso, Neville, não temos tempo para explicar — disse Harry.

— Você vai entender mais tarde — disse Rony, enquanto passavam por cima dele e se envolviam na Capa da Invisibilidade.

Mas deixar Neville deitado imóvel no chão não parecia um bom presságio. No estado de nervosismo em que estavam, cada sombra de estátua lembrava Filch, cada sopro distante do vento parecia o Pirraça assombrando-os.

Ao pé do primeiro lance de escada, encontraram Madame Nor-r-ra, esquivando-se sorrateira quase no alto.

– Ah, vamos dar um pontapé nela, só desta vez – cochichou Rony no ouvido de Harry, mas Harry balançou a cabeça. Enquanto subiam cautelosamente contornando a gata, Madame Nor-r-ra virou os olhos de lanterna para eles, mas não fez nada.

Não encontraram mais ninguém até chegarem à escada para o terceiro andar. O Pirraça se balançava a meio caminho, soltando a passadeira para as pessoas tropeçarem.

– Quem está aí? – perguntou de repente quando se aproximaram. E apertou os olhos pretos e malvados. – Sei que está aí, mesmo que não consiga vê-lo. Você é um vampiro, um fantasma ou um estudante nojento?

E ergueu-se no ar e flutuou, tentando ver alguém.

– Eu devia chamar o Filch, eu devia, se alguma coisa está andando por aí invisível.

Harry teve uma ideia repentina.

– Pirraça – disse num sussurro rouco –, o Barão Sangrento tem suas razões para andar invisível.

Pirraça quase caiu, em choque. Recuperou-se a tempo e saiu planando a trinta centímetros dos degraus.

– Desculpe, Sua Sanguinidade, Sr. barão, cavalheiro – disse untuoso. – Falha minha, falha minha, não o vi, claro que não, o senhor está invisível. Perdoe ao velho Pirraça essa piadinha, cavalheiro.

– Tenho negócios a tratar aqui, Pirraça – crocitou Harry. – Fique longe deste lugar hoje à noite.

– Vou ficar, cavalheiro, pode ter certeza de que vou ficar – prometeu Pirraça, erguendo-se no ar outra vez. – Espero que os seus negócios corram bem, barão, não vou perturbá-lo.

E partiu ligeirinho.

– *Genial*, Harry! – cochichou Rony.

Alguns segundos depois, estavam lá, no corredor do terceiro andar – e a porta já fora aberta.

– Bom, estão vendo? – disse Harry baixinho. – Snape já passou por Fofo.

A visão da porta aberta por alguma razão parecia causar neles o verdadeiro impacto do que os aguardava. Debaixo da capa, Harry se virou para os outros dois.

— Se vocês quiserem voltar, não vou culpá-los. Podem levar a capa, não vou precisar dela agora.
— Não seja burro — respondeu Rony.
— Vamos com você — disse Hermione.
Harry empurrou a porta.
Quando a porta rangeu baixinho, chegaram aos seus ouvidos rosnados surdos. Os três focinhos do cachorro farejaram furiosamente em sua direção ainda que o bicho não pudesse vê-los.
— O que é isso perto das patas dele? — sussurrou Hermione.
— Parece uma harpa — respondeu Rony. — Snape deve tê-la deixado aí.
— Ele acorda no momento que se deixa de tocar — disse Harry. — Bom, aqui vai...
Levou a flauta de Hagrid aos lábios e soprou. Não era realmente uma música, mas às primeiras notas os olhos da fera começaram a se fechar. Harry nem chegou a tomar fôlego. Lentamente, os rosnados do cachorro cessaram — ele balançou nas patas e caiu de joelhos, depois estirou-se no chão, completamente adormecido.
— Continue tocando — Rony preveniu Harry enquanto saíam de baixo da capa e deslizavam para o alçapão. Sentiram o bafo quente e fedorento do cachorro ao se aproximarem de suas cabeçorras.
— Acho que vamos conseguir abrir a porta — disse Rony, espiando por cima do dorso do cachorro. — Quer entrar primeiro, Hermione?
— Não, eu não!
— Tudo bem. — Rony cerrou os dentes e passou com cautela pelas pernas do cachorro. E abaixando-se puxou o anel do alçapão, que se abriu.
— O que é que você está vendo? — perguntou Hermione, ansiosa.
— Nada... só escuridão... não tem como descer, teremos que nos jogar.
Harry, que continuava a tocar a flauta, fez sinal para atrair a atenção de Rony e apontou para si mesmo.
— Você quer ir primeiro? Tem certeza? — disse Rony. — Não sei qual é a profundidade dessa coisa. Dá a flauta para Hermione manter Fofo adormecido.
Harry passou a flauta a ela. Naqueles segundinhos de silêncio, o cachorro rosnou e se mexeu, mas no instante em que Hermione começou a tocar, ele tornou a cair em sono profundo.
Harry passou por cima de Fofo e espiou pelo alçapão. Não viu nem sinal de fundo.
Baixou o corpo pelo buraco até ficar pendurado pelas pontas dos dedos. Então olhou para Rony no alto e disse:

— Se alguma coisa acontecer comigo, não me siga. Vá direto ao corujal e mande Edwiges ao Dumbledore, certo?
— Certo.
— Vejo você daqui a pouco, espero...
E Harry soltou os dedos. Um vento frio e úmido passou rápido por ele, que foi caindo, caindo, caindo e...
FLUMP. Com um baque engraçado e surdo ele bateu em alguma coisa macia. Sentou-se e apalpou à volta, os olhos desacostumados à escuridão. Parecia que estava sentado em uma espécie de planta.
— Tudo bem! — gritou para a claridade do tamanho de um selo lá no alto, que era o alçapão aberto. — A queda é macia, pode pular!
Rony seguiu-o imediatamente. Caiu esparramado ao lado de Harry.
— O que é isso? — foram suas primeiras palavras.
— Sei lá, uma espécie de planta. Suponho que esteja aqui para amortecer a queda. Venha, Hermione!
A música distante parou. Ouviu-se um latido alto do cachorro, mas Hermione já pulara. Ela caiu do outro lado de Harry.
— Devemos estar a quilômetros abaixo da escola — comentou.
— É realmente uma sorte que esta planta esteja aqui — disse Rony.
— *Sorte!* — gritou Hermione. — Olhem só para vocês dois.
Ela se levantou de um salto e lutou para chegar à parede úmida. Teve que lutar porque, no momento em que chegou ao fundo, a planta começou a se enroscar como as gavinhas de uma trepadeira em volta dos seus tornozelos. Quanto a Harry e Rony, suas pernas já tinham sido bem atadas por longos galhos sem que eles notassem.
Hermione conseguira se desvencilhar antes que a planta a agarrasse para valer. Agora observava horrorizada os dois meninos lutarem para se livrar da planta, mas quanto mais se esforçavam, mais depressa e mais firme a planta se enrolava neles.
— Parem de se mexer! — mandou Hermione. — Sei o que é isso. É visgo--do-diabo!
— Ah, fico tão contente que você saiba como se chama, é uma grande ajuda — resmungou Rony, tentando impedir que a planta se enroscasse em seu pescoço.
— Cala a boca, estou tentando me lembrar como matá-la! — disse Hermione.
— Bom, anda logo, não consigo respirar! — ofegava Harry, lutando com a planta que se enroscava em torno de seu peito.

— Visgo-do-diabo, visgo-do-diabo... o que foi que a professora Sprout disse? Gosta da umidade e da escuridão...
— Então acenda um fogo! — engasgou-se Harry.
— É... é claro... mas não tem madeira... — lamentou-se Hermione, torcendo as mãos.
— Você ENLOUQUECEU? — berrou Rony. — Você é uma bruxa ou não é?
— Ah, certo! — disse Hermione e, puxando a varinha, sacudiu-a, murmurou alguma coisa e despachou um jato daquelas chamas azuis que usara em Snape contra as plantas. Em questão de segundos, os dois meninos sentiram a planta afrouxar e se encolher para longe da luz e do calor. Torcendo-se, ela se desenrolou dos corpos dos meninos, que puderam se levantar.

— Que sorte que você presta atenção às aulas de Herbologia, Hermione — disse Harry, quando se juntou a ela ao pé da parede, enxugando o suor do rosto.

— É — comentou Rony —, e que sorte que Harry não perde a cabeça numa crise, "não tem madeira", *francamente*.

— Por ali — disse Harry, apontando um corredor de pedra que era o único caminho que havia.

Só o que podiam ouvir além de seus passos eram os pingos abafados da água que escorria pela parede. O corredor começou a descer e Harry se lembrou de Gringotes. Com um sobressalto, lembrou-se dos dragões que, segundo diziam, guardavam os cofres-fortes no banco dos bruxos. Se topassem com um dragão, um dragão adulto... Norberto já fora bastante ruim.

— Você está ouvindo alguma coisa? — Rony cochichou.

Harry apurou os ouvidos. Um farfalhar acompanhado de ruído metálico parecia vir de um ponto mais adiante.

— Você acha que é um fantasma?
— Não sei... para mim parecem asas.
— Há luz à frente, estou vendo alguma coisa se mexendo.

Chegaram ao fim do corredor e depararam com uma câmara muito iluminada, o teto abobadado no alto. Era cheia de passarinhos, brilhantes como joias, que esvoaçavam e colidiam pelo aposento. Do lado oposto da câmara havia uma pesada porta de madeira.

— Você acha que nos atacarão se atravessarmos a câmara? — perguntou Rony.

— Provavelmente — respondeu Harry. — Eles não parecem muito bravos, mas suponho que se todos mergulhassem ao mesmo tempo... Bom, não tem remédio... vou correr.

Tomou fôlego, cobriu o rosto com os braços e atravessou a câmara correndo. Esperava sentir bicos afiados e garras atacando-o a qualquer minuto, mas nada aconteceu. Alcançou a porta incólume. Baixou a maçaneta, mas a porta estava trancada.

Os outros dois o seguiram. Fizeram força para abrir a porta, mas ela nem sequer se moveu, nem mesmo quando Hermione experimentou o seu feitiço de Alohomora.

— E agora? — perguntou Rony.

— Esses pássaros... não podem estar aqui só para enfeitar — disse Hermione.

Eles observaram os pássaros voando no alto, brilhando — *brilhando?*

— Eles não são pássaros! — Harry exclamou de repente. — São *chaves!* Chaves aladas, olhem com atenção. Então isso deve querer dizer... — E olhou à volta da câmara enquanto os outros dois apertavam os olhos para enxergar o bando de chaves no alto. — É, olhem! Vassouras! Temos que apanhar a chave da porta.

— Mas são *centenas!*

Rony examinou a fechadura.

— Estamos procurando uma chave bem grande e antiga, provavelmente de prata, como a maçaneta.

Cada um apanhou uma vassoura e deu impulso no ar, mirando o meio da nuvem de chaves. Tentaram agarrá-las mas as chaves encantadas fugiam e mergulhavam tão rápido que era quase impossível apanhar uma.

Mas não era à toa que Harry era o mais jovem apanhador do século. Tinha um jeito para localizar coisas que os outros não tinham. Depois de um minuto trançando pelo redemoinho de penas, ele notou uma chave grande de prata que tinha uma asa dobrada, como se já tivesse sido apanhada e enfiada de qualquer jeito na fechadura.

— Aquela ali! — gritou para os outros. — Aquela grandona... ali... não... lá... com as asas azul-forte. As penas estão todas amassadas de um lado.

Rony precipitou-se na direção que Harry apontava, bateu no teto e quase caiu da vassoura.

— Temos que cercá-la! — gritou Harry, sem tirar os olhos da chave com a asa danificada. — Rony, você cerca por cima. Hermione, fica embaixo e não deixa ela descer, e eu vou tentar pegá-la. Certo, AGORA!

Rony mergulhou, Hermione disparou para o alto, a chave desviou-se dos dois e Harry partiu atrás dela; a chave correu para a parede, Harry se curvou para a frente e, com uma pancada feia, prendeu-a contra a pedra com a mão. Os vivas de Rony e Hermione ecoaram pela câmara.

Eles pousaram em seguida e Harry correu para a porta, a chave a se debater em sua mão. Enfiou-a na fechadura e virou-a – deu certo. No instante em que ouviram o barulho da lingueta se abrindo, a chave tornou a alçar voo, parecendo agora muito maltratada depois de ter sido apanhada duas vezes.

– Estão prontos? – Harry perguntou aos dois, a mão na maçaneta da porta. Eles fizeram um sinal afirmativo com a cabeça. Ele escancarou a porta.

A câmara seguinte era tão escura que não dava para ver absolutamente nada. Mas, ao entrarem nela, a luz inesperadamente inundou o aposento, revelando uma cena surpreendente.

Estavam parados na borda de um enorme tabuleiro de xadrez atrás das peças pretas, que eram todas mais altas do que eles e talhadas em um material que parecia pedra. De frente para eles, do outro lado da câmara, estavam dispostas as peças brancas. Harry, Rony e Hermione sentiram um leve arrepio – as peças brancas e altas não tinham feições.

– Agora o que vamos fazer? – sussurrou Harry.
– É óbvio, não é? – falou Rony. – Temos que jogar para chegar ao outro lado da câmara.

Por trás das peças brancas eles podiam ver outra porta.
– Como? – perguntou Hermione, nervosa.
– Acho que vamos ter que virar peças.

Ele se dirigiu a um cavalo preto e esticou a mão para tocar seu cavaleiro. No mesmo instante, a pedra ganhou vida. O cavalo pateou o tabuleiro e seu cavaleiro virou a cabeça protegida por um elmo para olhar Rony.

– Temos que nos unir a vocês para chegar ao outro lado?

O cavaleiro preto confirmou com a cabeça. Rony virou-se para os outros dois.

– Isto exige reflexão – disse. – Suponho que a gente tenha que tomar o lugar de três peças pretas...

Harry e Hermione ficaram quietos, observando Rony refletir. Finalmente ele disse:

– Agora, não vão se ofender, mas nenhum dos dois é tão bom assim em xadrez...

– Não estamos ofendidos – interrompeu Harry depressa. – Diga o que vamos fazer.

– Bom, Harry, você toma o lugar daquele bispo e, Hermione, você fica ao lado dele substituindo a torre.

– E você?
– Vou ser o cavaleiro.

As peças pareciam estar escutando, porque ao ouvir isso um cavaleiro, um bispo e uma torre deram as costas às peças brancas e saíram do tabuleiro, deixando três casas vazias, que Harry, Rony e Hermione ocuparam.

— No xadrez as brancas sempre jogam primeiro — explicou Rony, observando o tabuleiro. — É... olhem...

Um peão branco avançara duas casas. Rony começou a comandar as peças pretas. Elas se mexiam em silêncio indo aonde eram mandadas. Os joelhos de Harry tremiam. E se perdessem?

— Harry, ande quatro casas para a direita em diagonal.

O primeiro choque de verdade que levaram foi quando o outro cavalo foi comido. A rainha branca esmagou-o no chão e arrastou-o para fora do tabuleiro, onde ele ficou deitado imóvel, de borco no chão.

— Eu tinha que deixar isso acontecer — disse Rony, parecendo abalado. — Assim você fica livre para comer aquele bispo, Hermione, ande.

Todas as vezes que eles perdiam uma peça, as peças brancas não mostravam piedade. Dali a pouco havia uma coleção de peças pretas inermes encostadas à parede. Duas vezes, Rony reparou, em cima do lance, que Harry e Hermione estavam em perigo. Ele próprio disparou pelo tabuleiro comendo quase tantas peças brancas quanto as pretas que haviam perdido.

— Estamos quase chegando — murmurou de repente. — Me deixem pensar... me deixem pensar...

A rainha branca virou o rosto vazio para ele.

— É... — continuou ele baixinho —, é o jeito... Preciso me sacrificar.

— Não! — Harry e Hermione gritaram.

— Isto é xadrez! — retorquiu Rony. — A pessoa tem que fazer alguns sacrifícios! Dou um passo à frente e ela me come, isso deixa você livre para dar o xeque-mate no rei, Harry!

— Mas...

—Você quer deter Snape ou não?

— Rony...

— Olhe, se você não se apressar, ele já terá apanhado a Pedra!

Não havia opção.

— Pronto? — perguntou Rony, o rosto pálido mas decidido. — Então vamos, agora, não se demore depois de ganhar a partida.

Ele avançou e a rainha branca o atacou. Golpeou Rony com força na cabeça com o braço de pedra e ele caiu com estrondo no chão. Hermione gritou, mas continuou parada em sua casa — a rainha branca arrastou Rony para um lado. Ele parecia ter sido nocauteado.

Trêmulo, Harry se deslocou três casas para a esquerda. O rei branco tirou a coroa e jogou-a aos pés dele. Os meninos tinham ganhado o jogo. As peças se afastaram para os lados e se curvaram, deixando o caminho livre para a porta em frente. Com um último olhar desesperado para Rony, Harry e Hermione se precipitaram para a porta e para o corredor seguinte.

– E se ele...?
– Ele vai ficar bem – disse Harry, tentando convencer a si mesmo. – Que é que você acha que vamos encontrar agora?
– Tivemos o feitiço de Sprout, o visgo-do-diabo. Flitwick deve ter encantado as chaves. McGonagall transfigurou as peças de xadrez para lhes dar vida. Faltam o feitiço de Quirrell e o de Snape...

Tinham chegado à outra porta.
– Tudo bem? – cochichou Harry.
– Vamos.

Harry empurrou a porta para abri-la.

Um fedor horrível entrou por suas narinas, fazendo os dois puxarem as vestes para cobrir o nariz. Os olhos lacrimejando, eles viram, deitado no chão diante deles, um trasgo ainda maior do que o que tinham enfrentado, desacordado e com um calombo ensanguentado na cabeça.

– Que bom que não precisamos lutar contra este aí – sussurrou Harry, enquanto cautelosamente saltavam por cima das imensas pernas do trasgo. – Vamos, não estou conseguindo respirar.

Harry abriu a porta seguinte; os dois mal se atreviam a olhar o que vinha a seguir, mas não havia nada muito assustador ali, apenas uma mesa e sobre ela sete garrafas de formatos diferentes em fila.

– É o de Snape – disse Harry. – O que temos de fazer?

Ao cruzarem a soleira da porta, imediatamente irromperam chamas atrás deles. E não eram chamas comuns, tampouco; eram roxas. Ao mesmo tempo, surgiam chamas pretas na porta adiante. Estavam encurralados.

– Olhe! – Hermione apanhou um rolo de pergaminho que havia ao lado das garrafas. Harry espiou por cima do seu ombro para ler o papel:

*O perigo o aguarda à frente, a segurança ficou atrás,*
*Duas de nós o ajudaremos no que quer encontrar,*
*Uma das sete o deixará prosseguir,*
*A outra levará de volta quem a beber,*
*Duas de nós conterão vinho de urtigas,*

> Três de nós aguardam em fila para o matar,
> Escolha, ou ficará aqui para sempre,
> E para ajudá-lo, lhe damos quatro pistas:
> Primeira, por mais dissimulado que esteja o veneno,
> Você sempre encontrará um à esquerda do vinho de urtigas;
> Segunda, são diferentes as garrafas de cada lado,
> Mas se você quiser avançar nenhuma é sua amiga;
> Terceira, é visível que temos tamanhos diferentes,
> Nem anã nem giganta leva a morte no bojo;
> Quarta, a segunda à esquerda e a segunda à direita
> São gêmeas ao paladar, embora diferentes à vista.

Hermione deixou escapar um grande suspiro e Harry, perplexo, viu que ela sorria, a última coisa que ele tinha vontade de fazer.

– Genial – disse. – Isto não é magia, é lógica, uma charada. A maioria dos grandes bruxos não tem um pingo de lógica, ficariam presos aqui para sempre.

– E nós também, não?

– Claro que não. Tudo o que precisamos está aqui neste papel. Sete garrafas: três contêm veneno; duas, vinho; uma nos ajudará a passar a salvo pelas chamas pretas; e uma nos levará de volta através das chamas roxas.

– Mas como vamos saber qual delas beber?

– Me dê um minuto.

Hermione leu o papel diversas vezes. Depois passou em revista a fila de garrafas, para cima e para baixo, resmungando de si para si e apontando para as garrafas. Finalmente, bateu palmas.

– Já sei. A garrafa menor nos fará atravessar as chamas pretas, rumo à Pedra.

Harry mirou a garrafinha.

– Ali só tem o suficiente para um de nós. Não chega a ter um gole.

Eles se entreolharam.

– Qual é a que a fará voltar pelas chamas roxas?

Hermione apontou para uma garrafa arredondada na ponta direita da fila.

– Você bebe essa – disse Harry. – Agora, escute, volte e recolha o Rony, apanhe vassouras na câmara das chaves aladas, elas levarão vocês para fora do alçapão e por cima de Fofo. Vão direto ao corujal e mandem Edwiges a Dumbledore, precisamos dele. Talvez eu possa segurar Snape por algum tempo, mas não sou páreo para ele.

— Mas, Harry, e se Você-Sabe-Quem estiver com ele?
— Bom... tive sorte uma vez, não tive? — falou Harry, indicando a cicatriz. — Talvez tenha sorte outra vez.

O queixo de Hermione estremeceu e ela correu de repente para Harry e o abraçou.

— Hermione!
— Harry, você é um grande bruxo, sabe?
— Não sou tão bom quanto você — disse Harry, muito sem graça, quando ela o largou.
— Eu! Livros! E inteligência! Há coisas mais importantes, amizade e bravura e... Ah, Harry, tenha *cuidado*!
— Você bebe primeiro — disse Harry. — Você tem certeza de qual é qual, não tem?
— Absoluta.

Ela tomou um demorado gole da garrafa arredondada na ponta e estremeceu.

— Não é veneno? — perguntou Harry, ansioso.
— Não... mas parece gelo.
— Vai logo antes que o efeito passe.
— Boa sorte... cuide-se...
— Vai!

Hermione virou-se e passou direto pelas chamas roxas.

Harry tomou fôlego e apanhou a garrafa menor de todas. Virou-se para encarar as chamas pretas.

— Aqui vou eu — disse e esvaziou a garrafinha de um gole só.

Era mesmo como se o gelo estivesse invadindo seu corpo. Ele deixou a garrafa na mesa e avançou; enchendo-se de coragem, viu as chamas pretas lamberem seu corpo mas não as sentiu — por um instante não viu nada a não ser o fogo sombrio — então estava do outro lado, na última câmara.

Havia alguém lá — mas não era Snape. Tampouco Voldemort.

# 17

## O HOMEM DE DUAS CARAS

Era Quirrell.

— *O senhor!* — exclamou Harry. Quirrell sorriu. Seu rosto não tinha nenhum tique.

— Eu — disse calmamente — estive me perguntando se encontraria você aqui, Potter.

— Mas pensei... Snape...

— Severo? — Quirrell deu uma gargalhada e não era aquela gargalhadinha tremida de sempre, era fria e cortante. — É, Severo faz o tipo, não faz? Tão útil tê-lo esvoaçando por aí como um morcegão. Perto dele, quem suspeitaria do c-c-coitado do ga-gaguinho do P-Prof. Quirrell?

Harry não conseguia assimilar. Isto não podia ser verdade, não podia.

— Mas Snape tentou me matar!

— Não, não, não. Eu tentei matá-lo. Sua amiga Hermione Granger, por acaso, me empurrou quando estava correndo para tocar fogo no Snape naquela partida de quadribol. Ela interrompeu o meu contato visual com você. Mais uns segundos e eu o teria derrubado daquela vassoura. Teria conseguido fazer isso antes se Snape não ficasse murmurando um antifeitiço, tentando salvá-lo.

— Snape estava tentando me *salvar*?

— É claro — disse Quirrell calmamente. — Por que você acha que ele quis apitar o jogo seguinte? Ele estava tentando garantir que eu não repetisse aquilo. O que na realidade é engraçado... ele nem precisava ter se dado ao trabalho. Eu não poderia fazer nada com Dumbledore assistindo. Todos os outros professores acharam que Snape estava tentando impedir Grifinória de ganhar, ele conseguiu *realmente* se tornar impopular... e que perda de tempo, se depois disso vou matá-lo esta noite.

Quirrell estalou os dedos. Surgiram no ar cordas que amarraram Harry bem apertado.

— Você é muito intrometido para continuar vivo, Potter. Sair correndo pela escola no Dia das Bruxas daquele jeito, imaginei até que tinha me visto descobrir o que é que estava guardando a Pedra.

— O *senhor* deixou o trasgo entrar?

— Claro que sim. Tenho um talento especial para lidar com trasgos. Você deve ter visto o que fiz com aquele na câmara lá atrás? Infelizmente, enquanto o resto do pessoal estava procurando o trasgo, Snape, que já desconfiava de mim, foi direto ao terceiro andar para me afastar, e não só o meu trasgo não conseguiu matar você de pancada, como o cachorro de três cabeças nem sequer conseguiu morder a perna de Snape direito. Agora espere aí quieto. Preciso examinar este espelho curioso.

Foi somente então que Harry percebeu o que estava parado atrás de Quirrell. Era o Espelho de Ojesed.

— Este espelho é a chave para encontrar a pedra — murmurou Quirrell, batendo de leve na moldura. — Pode-se confiar em Dumbledore para inventar uma coisa dessas... mas ele está em Londres... E estarei bem longe quando voltar.

A única coisa que ocorreu a Harry foi manter Quirrell falando para impedi-lo de se concentrar no espelho.

— Vi o senhor e Snape na floresta — falou de um fôlego só.

— Sei — disse Quirrell indiferente, dando a volta ao espelho para examinar o avesso. — Naquela altura ele já percebera minhas intenções, e tentava descobrir até onde eu tinha ido. Suspeitou de mim o tempo todo. Tentou me assustar, como se fosse possível, quando tenho Lorde Voldemort do meu lado...

Quirrell saiu de trás do espelho e mirou-o cheio de cobiça.

— Estou vendo a Pedra... Eu a estou apresentando ao meu mestre... mas onde é que ela está?

Harry forçou as cordas que o prendiam, mas elas não cederam. Tinha que impedir Quirrell de dedicar toda a atenção ao espelho.

— Mas Snape sempre pareceu me odiar tanto.

— Ah, e odeia mesmo — disse Quirrell, displicente —, e como odeia. Ele estudou em Hogwarts com o seu pai, você não sabia? Os dois se detestavam. Mas ele nunca quis ver você *morto*.

— Mas ouvi o senhor soluçando, há uns dias. Pensei que Snape estava ameaçando o senhor...

Pela primeira vez, um espasmo de medo passou pelo rosto de Quirrell.

— Às vezes, eu tenho dificuldade em seguir as instruções do meu mestre. Ele é um grande mago e eu sou fraco.

— O senhor quer dizer que ele estava na sala de aula com o senhor?! — exclamou Harry, admirado.

— Está comigo aonde quer que eu vá — disse Quirrell em voz baixa. — Conheci-o quando estava viajando pelo mundo. Eu era um rapaz tolo naquela época, cheio de ideias ridículas sobre o bem e o mal. Lorde Voldemort me mostrou como eu estava errado. Não existe bem nem mal, só existe o poder, e aqueles que são demasiado fracos para o desejarem... Desde então, eu o tenho servido com fidelidade, embora o desaponte muitas vezes. Por isso tem precisado ser muito severo comigo. — Quirrell estremeceu de repente. — Não perdoa erros com muita facilidade. Quando não consegui roubar a Pedra de Gringotes, ele ficou muito aborrecido. Me castigou... resolveu me vigiar mais de perto...

A voz de Quirrell foi morrendo. Harry lembrou-se de sua viagem ao Beco Diagonal — como podia ter sido tão burro? Ele vira Quirrell lá naquele dia, apertara a mão dele no Caldeirão Furado.

Quirrell praguejou baixinho.

— Eu não entendo... a Pedra está *dentro* do espelho? Devo quebrá-lo?

A cabeça de Harry pensava a mil.

"O que quero acima de tudo no mundo, neste momento, é encontrar a Pedra antes que Quirrell a encontre. Então, se me olhar no espelho, devo me ver encontrando a Pedra — o que quer dizer que verei onde está escondida! Mas como posso me olhar sem Quirrell perceber o que estou tramando?"

Harry tentou se deslocar para a esquerda, para se posicionar diante do espelho sem Quirrell notar, mas as cordas que prendiam seus tornozelos estavam muito apertadas: ele tropeçou e caiu. Quirrell não lhe deu atenção. Continuou falando sozinho.

— O que é que o espelho faz? Como é que ele funciona? Me ajude, mestre.

E para horror de Harry, uma voz respondeu, e a voz parecia vir do próprio Quirrell.

— Use o menino... Use o menino...

Quirrell voltou-se para Harry.

— É... Potter, vem cá.

E bateu palmas uma vez e as cordas que prendiam Harry caíram. Harry se levantou sem pressa.

— Vem cá — repetiu Quirrell. — Olhe no espelho e me diga o que vê.

Harry foi até ele.

"Preciso mentir", pensou desesperado. "Preciso olhar e mentir sobre o que vejo, é isso."

Quirrell aproximou-se de Harry pelas costas. Harry respirou o cheiro esquisito que parecia vir do turbante de Quirrell. Fechou os olhos, adiantou-se para se postar na frente do espelho, e tornou a abri-los. A princípio viu a sua imagem, pálida e apavorada. Mas um segundo depois, a imagem sorriu para ele. Levou a mão ao bolso e tirou uma pedra cor de sangue. Aí piscou e devolveu a pedra ao bolso – e ao fazer isto, Harry sentiu uma coisa pesada cair dentro do seu bolso de verdade. De alguma forma – inacreditável – estava de posse da Pedra.

– E então? – perguntou Quirrell, impaciente. – O que é que você está vendo?

Harry armou-se de coragem.

– Estou me vendo apertando a mão de Dumbledore – inventou. – Ganhei... a Taça das Casas para Grifinória.

Quirrell xingou outra vez.

– Saia do meu caminho – disse. Quando Harry se afastou, sentiu a Pedra Filosofal comprimir sua coxa. Será que tinha coragem para tentar fugir?

Mas não dera cinco passos quando uma voz aguda falou, embora os lábios de Quirrell não estivessem se mexendo.

– Ele está mentindo... Ele está mentindo...

– Potter, volte aqui! – gritou Quirrell. – Diga-me a verdade! O que foi que você acabou de ver?

A voz aguda tornou a falar.

– Deixe-me falar com ele... cara a cara...

– Mestre, o senhor não está bastante forte!

– Estou bastante forte... para isso...

Harry se sentiu como se o visgo-do-diabo o tivesse pregado no chão. Não conseguia mover nem um músculo. Petrificado, viu Quirrell erguer os braços e começar a desenrolar o turbante. Que estava acontecendo? O turbante caiu. A cabeça de Quirrell parecia estranhamente pequena sem ele. Então ele virou de costas sem sair do lugar.

Harry poderia ter gritado, mas não conseguiu produzir nem um som. Onde deveria estar a nuca de Quirrell, havia um rosto, o rosto mais horrível que Harry já vira. Era branco-giz com intensos olhos vermelhos e fendas no lugar das narinas, como uma cobra.

– Harry Potter... – falou o rosto.

Harry tentou dar um passo atrás mas suas pernas não obedeceram.

– Está vendo no que me transformei? – disse o rosto. – Apenas uma sombra vaporosa... Só tenho forma quando posso compartir o corpo de alguém... mas sempre houve gente disposta a me deixar entrar no seu coração e na sua mente... O sangue do unicórnio me fortaleceu, nessas últimas semanas... você viu o fiel Quirrell bebendo-o por mim na floresta... e uma vez que eu tenha o elixir da vida, poderei criar um corpo só meu... Agora... por que você não me dá essa pedra no seu bolso?

Então ele sabia. A sensibilidade voltou repentinamente às pernas de Harry. Ele cambaleou para trás.

— Não seja tolo — rosnou o rosto. — É melhor salvar sua vida e se unir a mim... ou vai ter o mesmo fim dos seus pais... Eles morreram suplicando piedade...

— MENTIRA! — gritou Harry inesperadamente.

Quirrell estava andando de costas para ele, de modo que Voldemort pudesse vê-lo. O rosto malvado sorria agora.

— Que comovente... — sibilou. — Sempre dei valor à coragem... É, menino, seus pais foram corajosos... Matei seu pai primeiro e ele me enfrentou com coragem... mas sua mãe não precisava ter morrido... estava tentando protegê-lo... Agora me dê a pedra, a não ser que queira que a morte dela tenha sido em vão.

— NUNCA!

Harry saltou para a porta em chamas, mas Voldemort gritou:

— AGARRE-O! — E, no instante seguinte, Harry sentiu a mão de Quirrell fechar-se em torno de seu pulso. Ao mesmo tempo, uma dor fina como uma agulhada queimou sua cicatriz; parecia que sua cabeça ia se rachar em duas; ele berrou, lutando com todas as forças e, para sua surpresa, Quirrell largou-o. A dor em sua cabeça diminuiu; ele olhou alucinado à volta para ver aonde fora Quirrell e o viu dobrar de dor, examinando os dedos, que se enchiam de bolhas diante dos seus olhos.

"Agarre-o! AGARRE-O!", esganiçou-se Voldemort outra vez e Quirrell investiu, derrubando Harry no chão, caindo por cima dele, as duas mãos apertando o pescoço do menino, a cicatriz de Harry quase o cegava de dor, contudo ele via Quirrell urrar de agonia.

— Mestre, não posso segurá-lo. Minhas mãos. Minhas mãos!

E Quirrell, embora prendendo Harry no chão com os joelhos, largou seu pescoço e arregalou os olhos, perplexo, para as palmas das mãos — elas pareciam queimadas, vermelhas, em carne viva.

— Então mate-o, seu tolo, e acabe com isso! — guinchou Voldemort.

Quirrell levantou a mão para lançar uma maldição letal, mas Harry, por instinto, esticou as mãos e agarrou a cara de Quirrell.

— AAAAAI!

Quirrell saiu de cima dele, seu rosto se encheu de bolhas também, e então Harry entendeu: Quirrell não podia tocar sua pele sem sofrer dores terríveis – sua única chance era dominar Quirrell, causar-lhe dor suficiente para impedi-lo de lançar feitiços.

Harry ficou em pé de um salto, agarrou Quirrell pelo braço e segurou-o com toda a força que pôde. Quirrell berrou e tentou se desvencilhar – a dor na cabeça de Harry estava aumentando – ele não conseguia enxergar – ouvia os gritos terríveis de Quirrell e os berros de Voldemort "MATE-O! MATE-O!" e outras vozes, talvez dentro de sua própria cabeça, chamando "Harry! Harry!".

Sentiu o braço de Quirrell desprender-se com força de sua mão, teve certeza de que tudo estava perdido e mergulhou na escuridão, cada vez mais profunda.

Alguma coisa dourada estava brilhando logo acima dele. O pomo! Tentou agarrá-lo, mas seus braços estavam muito pesados.

Piscou os olhos. Não era o pomo. Eram óculos. Que estranho.

Piscou os olhos outra vez. O rosto sorridente de Alvo Dumbledore entrou em foco curvado sobre ele.

– Boa tarde, Harry – disse Dumbledore.

Harry fixou o olhar nele. Então se lembrou:

– Professor! A Pedra! Foi Quirrell! Ele apanhou a Pedra! Professor, depressa...

– Acalme-se, menino, você está um pouco atrasado. Quirrell não apanhou a Pedra.

– Então quem apanhou? Professor, eu...

– Harry, por favor, relaxe ou Madame Pomfrey vai mandar me expulsar.

Harry engoliu em seco e olhou a sua volta. Percebeu que devia estar na ala hospitalar. Achava-se deitado numa cama com lençóis de linho brancos e do seu lado havia uma mesa atulhada do que parecia ser a metade da loja de doces.

– Presentes dos seus amigos e admiradores – esclareceu Dumbledore, sorrindo. – Aquilo que aconteceu nas masmorras entre você e o professor Quirrell é segredo absoluto; por isso, é claro, a escola inteira já sabe. Acredito que os nossos amigos, os Srs. Fred e Jorge Weasley, foram os responsáveis pela tentativa de lhe mandar um assento de vaso sanitário. Com certeza acharam que você ia achar engraçado. Madame Pomfrey, porém, achou que poderia ser pouco higiênico e o confiscou.

— Há quanto tempo estou aqui?

— Três dias. O Sr. Ronald Weasley e a Srta. Granger vão se sentir muito aliviados por você ter voltado a si, estavam muitíssimo preocupados.

— Mas, professor, a Pedra...

— Já vi que você não se deixa distrair. Muito bem. A Pedra. O Prof. Quirrell não conseguiu tirá-la de você. Cheguei a tempo de impedir que isto acontecesse, embora você estivesse se defendendo muito bem sozinho, devo dizer.

— O senhor chegou lá? Recebeu a coruja de Hermione?

— Devemos ter cruzado no ar. Assim que cheguei a Londres, tornou-se claro para mim que o lugar onde deveria estar era aquele de onde acabara de sair. Cheguei a tempo de tirar Quirrell de cima de você...

— Então foi o *senhor*.

— Receei que tivesse chegado tarde demais.

— Quase chegou, eu não poderia ter mantido Quirrell afastado da Pedra por muito mais tempo...

— Não da Pedra, menino, de você. O esforço que você fez quase o matou. Por um instante terrível, receei que tivesse matado. Quanto à Pedra, ela foi destruída.

— Destruída! — exclamou Harry sem entender. — Mas o seu amigo... Nicolau Flamel...

— Ah, você já ouviu falar no Nicolau? — perguntou Dumbledore, parecendo encantado. — Você fez mesmo a coisa certa, não foi? Bom, Nicolau e eu tivemos uma conversinha e concordamos que assim era melhor.

— Mas isto quer dizer que ele e a mulher vão morrer, não é?

— Eles têm elixir suficiente para deixar os negócios em ordem e então, é, eles vão morrer.

Dumbledore sorriu ao ver a expressão de surpresa no rosto de Harry.

— Para alguém jovem como você, tenho certeza de que isto parece incrível, mas para Nicolau e Perenelle, na verdade, é como se fossem deitar depois de um dia muito, muito longo. Afinal, para a mente bem estruturada, a morte é apenas a grande aventura seguinte. Você sabe, a Pedra não foi uma coisa tão boa assim. Todo o dinheiro e a vida que a pessoa poderia querer! As duas coisas que a maioria dos seres humanos escolheriam em primeiro lugar. O problema é que os humanos têm o condão de escolher exatamente as coisas que são piores para eles.

Harry ficou ali deitado, sem encontrar o que responder. Dumbledore cantarolou um pouquinho e sorriu para o teto.

— Professor? — disse Harry. — Estive pensando... professor. Mesmo que a Pedra tenha sido destruída, Vol... quero dizer, Você-Sabe-Quem...
— Chame-o de Voldemort. Sempre chame as coisas pelo nome que têm. O medo de um nome aumenta o medo da coisa em si.
— Sim, senhor. Bem, Voldemort vai tentar outras maneiras de voltar, não vai? Quero dizer, ele não foi de vez, foi?
— Não, Harry, não foi. Continua por aí em algum lugar, talvez procurando outro corpo para compartir... sem estar propriamente vivo, ele não pode ser morto. Abandonou Quirrell à morte; ele demonstra a mesma falta de piedade tanto com os amigos quanto com os inimigos. No entanto, Harry, embora você talvez tenha apenas retardado a volta dele ao poder, da próxima vez só precisaremos de outro alguém que esteja preparado para lutar o que parece ser uma batalha perdida. E se ele for retardado repetidamente, ora, talvez nunca retome o poder.

Harry concordou com um gesto, mas parou na mesma hora, porque o aceno fez-lhe doer a cabeça. Então disse:
— Professor, há outras coisas que gostaria de saber, se o senhor puder me dizer... coisas que eu gostaria de saber a verdade...
— A verdade — suspirou Dumbledore — é uma coisa bela e terrível, e portanto deve ser tratada com grande cautela. Mas, vou responder às suas perguntas, a não ser que haja uma boa razão para não fazê-lo, caso em que eu peço que me perdoe. Não vou, é claro, mentir.
— Bom... Voldemort disse que só matou minha mãe porque ela tentou impedi-lo de me matar. Mas por que, afinal, ele iria querer me matar?

Dumbledore suspirou muito profundamente desta vez.
— Que pena, a primeira coisa que você me pergunta e eu não vou poder responder. Não hoje. Não agora. Você vai saber, um dia... Por ora, tire isso da cabeça, Harry. Quando você for mais velho... Sei que detesta ouvir isso... mas quando estiver pronto, você vai saber.

E Harry entendeu que não ia adiantar insistir.
— Mas por que Quirrell não podia me tocar?
— Sua mãe morreu para salvar você. Se existe uma coisa que Voldemort não consegue compreender é o amor. Ele não entende que um amor forte como o de sua mãe por você deixa uma marca própria. Não é uma cicatriz, não é um sinal visível... ter sido amado tão profundamente, mesmo que a pessoa que nos amou já tenha morrido, nos confere uma proteção eterna. Está entranhada em nossa pele. Por isso Quirrell, cheio de ódio, avareza e ambição, compartindo a alma com Voldemort, não podia tocá-lo. Era uma agonia tocar uma pessoa marcada por algo tão bom.

Então, Dumbledore se interessou muito por um passarinho no peitoril da janela, o que deu tempo a Harry para enxugar os olhos com o lenço. Quando recuperou a voz, disse:

— E a Capa da Invisibilidade? O senhor sabe quem a mandou para mim?

— Ah, por acaso seu pai deixou-a comigo e eu achei que você talvez gostasse. — Os olhos de Dumbledore faiscaram. — Coisas úteis... seu pai usava-a principalmente para ir escondido às cozinhas roubar comida, quando estava aqui.

— E tem mais uma coisa...

— Diga.

— Quirrell disse que Snape...

— Professor Snape, Harry.

— Sim, senhor, ele... Quirrell disse que ele me odeia porque odiava meu pai. Isso é verdade?

— Bom, eles se detestavam bastante. Mas não é diferente de você com o Sr. Malfoy. E, além disso, seu pai fez uma coisa que Snape nunca pôde perdoar.

— O quê?

— Salvou a vida dele.

— O quê?

— É... — disse Dumbledore, sonhador. — É engraçado como a cabeça das pessoas funciona, não é? O Prof. Snape não conseguiu suportar o fato de estar em dívida com o seu pai. Acredito que tenha se esforçado para proteger você este ano porque achou que isso o deixaria quite com o seu pai. Assim podia voltar a odiar a memória do seu pai em paz...

Harry tentou compreender, mas sentiu a cabeça latejar, por isso parou.

— E, professor, só mais uma coisa...

— Só essa?

— Como foi que tirei a Pedra do espelho?

— Ah, fico satisfeito que você tenha me perguntado. Foi uma das minhas ideias mais brilhantes e, cá entre nós, isto é alguma coisa. Sabe, só uma pessoa que quisesse *encontrar* a Pedra, encontrar sem usá-la, poderia obtê-la; de outra forma, a pessoa só iria se ver produzindo ouro e bebendo o elixir da vida. O meu cérebro às vezes surpreende até a mim... Agora chega de perguntas. Sugiro que comece a comer esses doces. Ah, feijõezinhos de todos os sabores! Quando eu era moço tive a infelicidade de encontrar um com gosto de vômito, e desde então receio que tenha perdido o gosto por eles. Mas acho que não corro perigo com um gostoso caramelo, não acha? —

E sorrindo jogou um feijãozinho marrom-escuro na boca. Então se engasgou e disse: — Que pena! Cera de ouvido!

Madame Pomfrey, a enfermeira da ala hospitalar, era uma boa pessoa, mas muito rigorosa.

— Só cinco minutos — suplicou Harry.
— Absolutamente não.
— A senhora deixou o Prof. Dumbledore entrar.
— Bom, é claro, ele é o diretor, é muito diferente. Você precisa *descansar*.
— Estou descansando, olhe, deitado e tudo. Ah, por favor, Madame Pomfrey.
— Ah, muito bem. Mas *só* cinco minutos.

E ela deixou Rony e Hermione entrarem.

— *Harry!*

Hermione parecia prestes a abraçá-lo outra vez, mas Harry gostou que tivesse se contido porque a cabeça dele ainda estava muito doída.

— Ah, Harry, nós estávamos certos que você ia... Dumbledore estava tão preocupado...

— A escola inteira não fala em outra coisa — disse Rony. — Mas, no duro, o que foi que aconteceu?

Era uma das raras ocasiões em que a história verdadeira é ainda mais estranha e impressionante do que os boatos fantásticos. Harry contou tudo: Quirrell; o espelho; a Pedra e Voldemort. Rony e Hermione eram bons ouvintes; exclamavam nas horas certas e quando Harry lhes disse o que havia sob o turbante de Quirrell, Hermione soltou um grito.

— Então a Pedra não existe mais? — perguntou Rony finalmente. — Flamel simplesmente vai *morrer*?

— Foi o que perguntei, mas Dumbledore acha que... como foi mesmo?... que "para a mente bem estruturada, a morte é apenas a grande aventura seguinte".

— Eu sempre disse que ele era biruta — disse Rony, parecendo muito impressionado com a grande loucura do seu herói.

— Então o que aconteceu com vocês dois? — perguntou Harry.

— Bom, eu voltei sem problemas — disse Hermione. — Fiz Rony voltar a si, isso levou algum tempo, e estávamos correndo para o corujal para nos comunicar com Dumbledore quando o encontramos no saguão de entrada. Ele já sabia, e só disse "Harry foi atrás dele, não foi?", e saiu desabalado para o terceiro andar.

— Você acha que ele queria que você fizesse aquilo? — perguntou Rony.
— Mandando a capa do seu pai e tudo o mais?
— Bom! — explodiu Hermione. — Se ele fez isso... quero dizer... isso é horrível... você podia ter sido morto.
— Não, não é horrível — disse Harry, pensativo. — Ele é um homem engraçado, o Dumbledore. Acho que meio que queria me dar uma chance. Acho que sabe mais ou menos tudo o que acontece por aqui, sabe? Imagino que tivesse uma boa ideia do que íamos tentar fazer e, em lugar de nos impedir, ele simplesmente ensinou o suficiente para nos ajudar. Não acho que tenha sido por acaso que me deixou descobrir como o espelho funcionava. Era quase como se pensasse que eu tinha o direito de enfrentar Voldemort se pudesse...
— É, a marca de Dumbledore, com certeza — disse Rony, orgulhoso. — Olhe, você precisa estar bom para o banquete de fim de ano amanhã. Os pontos já foram todos computados e Sonserina ganhou, é claro. Você perdeu o último jogo de quadribol, fomos estraçalhados pela Corvinal sem você. Mas a comida vai ser legal.
Nesse instante, Madame Pomfrey irrompeu no quarto.
— Vocês já estão aí há quinze minutos, agora, FORA — disse com firmeza.


Depois de uma boa noite de sono, Harry se sentia quase normal.
— Quero ir ao banquete — disse à Madame Pomfrey, quando ela estava arrumando suas muitas caixas de doces. — Posso, não posso?
— O Prof. Dumbledore disse que devo deixar você ir — respondeu ela fungando, como se, na sua opinião, o Prof. Dumbledore não percebesse os riscos que um banquete pode oferecer. — E você tem outra visita.
— Que bom. Quem é?
Hagrid foi-se esgueirando pela porta enquanto Harry indagava. Em geral quando não estava ao ar livre, Hagrid parecia demasiado grande para que o deixassem entrar. Sentou-se ao lado de Harry, deu uma olhada e caiu no choro.
— É... tudo... minha... culpa! — soluçou, o rosto nas mãos. — Eu contei àquele malvado como passar por Fofo! Eu informei! Era a única coisa que ele não sabia e eu contei! Você podia ter morrido! Tudo por causa de um ovo de dragão! Nunca mais vou beber! Eu devia ser demitido e mandado viver como trouxa!
— Hagrid! — chamou Harry chocado por vê-lo sacudir de tristeza e remorso, as grandes lágrimas se infiltrando pela barba. — Rúbeo, ele teria

descoberto de qualquer maneira, estamos falando de Voldemort, teria descoberto mesmo que você não tivesse informado.
— Mas você podia ter morrido! — soluçou Hagrid. — E não diga o nome dele!
— VOLDEMORT! — berrou Harry, e Hagrid levou um choque tão grande que parou de chorar. — Estive com ele cara a cara e vou chamá-lo pelo nome que tem. Por favor, anime-se, Hagrid, salvamos a Pedra, ela foi destruída e ele não poderá usá-la. Coma um sapo de chocolate. Tenho um montão...
Hagrid secou o nariz com o dorso da mão e disse:
— Ah, isso me lembra. Trouxe um presente para você.
— Não é um sanduíche de carne de arminho, é? — perguntou Harry, ansioso, e, finalmente, Hagrid deu uma risadinha.
— Não, Dumbledore me deu folga ontem para eu providenciar. Claro, devia mais é ter me demitido. Em todo o caso, trouxe isto para você...
Parecia ser um belo livro encadernado em couro. Harry abriu-o, curioso. Estava cheio de retratos de bruxos. De cada página, sorrindo e acenando para ele, estavam sua mãe e seu pai.
— Mandei corujas para todos os velhos amigos de escola de seu pai e sua mãe, pedindo fotos... Eu sabia que você não tinha nenhuma... Gostou?
Harry nem conseguiu falar, mas Hagrid compreendeu.

Harry desceu para o banquete de fim de ano sozinho aquela noite. Atrasara-se com os cuidados de Madame Pomfrey, que insistiu em lhe fazer um último check-up, de modo que o Salão Principal já se enchera. Estava decorado com as cores da Sonserina, verde e prata, para comemorar sua conquista da Taça das Casas pelo sétimo ano consecutivo. Uma enorme bandeira com a serpente da Sonserina cobria a parede atrás da mesa principal.

Quando Harry entrou, houve um silêncio momentâneo e em seguida todos começaram a falar alto e ao mesmo tempo. Ele se sentou discretamente numa cadeira entre Rony e Hermione à mesa da Grifinória e tentou fingir que não via as pessoas se levantarem para espiá-lo.

Felizmente, Dumbledore chegou instantes depois. A algazarra foi serenando.

— Mais um ano que passou! — disse Dumbledore alegremente. — E preciso incomodar vocês com a falação asmática de um velho antes de cairmos de boca nesse delicioso banquete. E que ano tivemos! Espero que as suas cabeças estejam um pouquinho menos ocas do que antes... vocês têm o verão inteiro para esvaziá-las muito bem antes do próximo ano letivo.

"Agora, pelo que entendo, a Taça das Casas deve ser entregue e a contagem de pontos é a seguinte: em quarto lugar, Grifinória, com trezentos e doze pontos; em terceiro, Lufa-Lufa, com trezentos e cinquenta e dois pontos; Corvinal, com quatrocentos e vinte e seis; e Sonserina, com quatrocentos e setenta e dois pontos."

E uma tempestade de pés e mãos batendo irrompeu da mesa da Sonserina. Harry viu Draco Malfoy batendo sua taça na mesa. Era uma cena nauseante.

— Sim, sim, a Sonserina está de parabéns. No entanto, temos que levar em conta os recentes acontecimentos.

A sala mergulhou em profundo silêncio. O sorriso dos alunos da Sonserina diminuiu um pouco.

— Tenho alguns pontos de última hora para conferir. Vejamos. Sim...
"Primeiro: ao Sr. Ronald Weasley..."

O rosto de Rony se coloriu de vermelho-vivo; parecia um rabanete que apanhara sol demais na praia.

— ... pelo melhor jogo de xadrez presenciado por Hogwarts em muitos anos, eu confiro à Grifinória cinquenta pontos.

Os vivas da Grifinória quase levantaram o teto encantado; as estrelas lá no alto pareceram estremecer. Ouviram Percy dizer aos outros monitores:

— É o meu irmão, sabem! O meu irmão caçula! Venceu uma partida no jogo de xadrez vivo de McGonagall!

Finalmente voltaram a fazer silêncio.

— Segundo: à Srta. Hermione Granger... pelo uso de lógica inabalável diante do fogo, concedo à Grifinória cinquenta pontos.

Hermione escondeu o rosto nos braços; Harry teve a forte suspeita de que caíra no choro. Os alunos da Grifinória por toda a mesa não cabiam em si de contentes — tinham subido cem pontos.

— Terceiro: ao Sr. Harry Potter. — A sala ficou mortalmente silenciosa. — Pela frieza e excepcional coragem, concedo à Grifinória sessenta pontos.

A balbúrdia foi ensurdecedora. Os que conseguiam somar enquanto berravam de ficar roucos sabiam que Grifinória agora chegara a quatrocentos e setenta e dois pontos — exatamente o mesmo que Sonserina. A competição pela Taça das Casas estava empatada — se ao menos Dumbledore tivesse dado a Harry mais um pontinho.

Dumbledore ergueu a mão. A sala gradualmente se aquietou.

— Existe todo tipo de coragem — disse Dumbledore sorrindo. — É preciso muita audácia para enfrentarmos os nossos inimigos, mas igual audácia para enfrentarmos os nossos amigos. Portanto, concedo dez pontos ao Sr. Neville Longbottom.

Alguém que estivesse do lado de fora do Salão Principal poderia ter pensado que ocorrera uma explosão, tão alta foi a barulheira que irrompeu na mesa da Grifinória. Harry, Rony e Hermione se levantaram para gritar e dar vivas enquanto Neville, branco de susto, desaparecia debaixo de uma montanha de gente que o abraçava. Jamais ganhara um único ponto para Grifinória antes. Harry, ainda gritando, cutucou Rony nas costelas indicando Malfoy, que não poderia ter feito uma cara mais perplexa e horrorizada se tivesse acabado de ser encantado com o Feitiço do Corpo Preso.

— O que significa — continuou Dumbledore procurando se sobrepor à tempestade de aplausos, porque até Corvinal e Lufa-Lufa estavam comemorando a derrota da Sonserina — que precisamos fazer uma pequena mudança na decoração.

E, dizendo isto, bateu palmas. Num instante, as flâmulas verdes se tornaram vermelhas e as prateadas, douradas; a grande serpente da Sonserina desapareceu e o imponente leão da Grifinória tomou o seu lugar. Snape apertou a mão da Prof.ª Minerva, com um horrível sorriso amarelo. Seu olhar encontrou o de Harry e o menino percebeu, no mesmo instante, que os sentimentos de Snape com relação a ele não tinham mudado nem um pingo. Isto não o preocupou. Parecia-lhe que sua vida voltaria ao normal no próximo ano, ou tão normal quanto ela poderia ser em Hogwarts.

Foi a melhor noite da vida de Harry, melhor do que a vitória no quadribol, ou a ceia de Natal, ou o encontro com o trasgo... jamais esqueceria esta noite.

Harry quase esquecera que os resultados dos exames ainda estavam por vir, mas eles não deixaram de vir. Para sua grande surpresa, tanto ele quanto Rony passaram com boas notas; Hermione, é claro, foi a melhor do ano. Até Neville passou raspando, sua boa nota em Herbologia compensando a péssima nota em Poções. Tinham tido esperanças de que Goyle, que era quase tão burro quanto era mau, fosse expulso, mas ele também passou. Foi uma pena, mas, como disse Rony, não se podia ter tudo na vida.

E, de repente, seus guarda-roupas ficaram vazios, os malões arrumados, o sapo de Neville foi encontrado escondido em um canto do banheiro; avisos foram entregues a todos os alunos de que não fizessem bruxarias durante as férias ("Eu sempre tenho a esperança de que eles se esqueçam de entregar esse aviso", lamentou Fred Weasley); Hagrid estava a postos para levá-los à flotilha de barcos que fazia a travessia do lago; e, no momento seguinte, estavam embarcando no Expresso de Hogwarts; conversando e rindo à medida que os campos se tornavam mais verdes e mais cuidados; comendo feijõezinhos de todos os sabores enquanto atravessavam vilarejos dos trouxas; trocando as vestes de bruxos por casacos e jaquetas; parando na plataforma 9¾ na estação de King's Cross.

Levou um bom tempo para todos desembarcarem na plataforma. Um guarda muito velho estava postado na saída e os deixava passar em grupos de dois e três para não chamarem atenção ao irromper todos ao mesmo tempo por uma parede sólida, assustando os trouxas.

— Vocês precisam vir passar uns dias conosco — disse Rony. — Os dois. Vou mandar uma coruja para vocês.

— Obrigado — disse Harry. — Preciso ter alguma coisa pela qual esperar.

As pessoas passavam empurrando-os ao se dirigirem para a saída, para o mundo dos trouxas. Alguns gritavam:

—Tchau, Harry!

— Nos vemos por aí, Potter!

— Continua famoso — comentou Rony, sorrindo para o amigo.

— Não aonde eu vou, posso lhe garantir.

Ele, Rony e Hermione passaram juntos pelo portão.

— Olha lá ele, mamãe, olha lá ele, olha!

Era Gina Weasley, a irmãzinha de Rony, mas não apontava para Rony.

— Harry Potter! — gritou com a vozinha fina. — Olhe, mamãe! Estou vendo...

— Fique quieta, Gina, é falta de educação apontar.

A Sra. Weasley sorriu para eles.

— Muito trabalho este ano?

— Muito — respondeu Harry. — Obrigado pelas barrinhas de chocolate e pelo suéter, Sra. Weasley.

—Ah, de nada, querido.

— Está pronto?

Era tio Válter, ainda com a cara vermelhona, ainda bigodudo, ainda parecendo furioso com a audácia de Harry de andar carregando uma coruja numa gaiola por uma estação cheia de gente normal. Atrás dele, achavam-se tia Petúnia e Duda, parecendo aterrorizados só de olhar para Harry.

—Vocês devem ser a família de Harry! — falou a Sra. Weasley.

— Por assim dizer — respondeu tio Válter. — Ande logo, menino, não temos o dia inteiro. — E se afastou.

Harry ainda demorou para trocar uma última palavrinha com Rony e Hermione.

— Vejo vocês durante as férias, então.

— Espero que você tenha... hã... umas boas férias — disse Hermione, olhando hesitante para tio Válter, espantada que alguém pudesse ser tão desagradável.

— Ah, claro que sim — respondeu Harry, e eles ficaram surpresos com o sorriso que se espalhava pelo seu rosto. — Eles não sabem que não podemos fazer bruxarias em casa. Vou me divertir à beça com o Duda este verão...

MARY GRANDPRÉ ilustrou mais de vinte livros para crianças, incluindo as capas das edições brasileiras dos livros da série Harry Potter. Os trabalhos da ilustradora norte-americana estamparam as páginas da revista New Yorker e do Wall Street Journal, e seus quadros foram exibidos em galerias de todo os Estados Unidos. GrandPré vive com a família em Sarasota, na Flórida.

KAZU KIBUISHI é o criador da série Amulet, bestseller do New York Times, e Copper, uma compilação de seus populares quadrinhos digitais. Ele também é fundador e editor da aclamada antologia Flight. As obras de Kibuishi receberam alguns dos principais prêmios dedicados à literatura para jovens adultos nos Estados Unidos, inclusive os concedidos pela prestigiosa Associação dos Bibliotecários da América (ALA). Ele vive e trabalha em Alhambra, na Califórnia, com a mulher Amy Kim, que também é cartunista, e os dois filhos do casal. Visite Kibuishi no site www.boltcity.com.